Symboles

♥ Coup de cœur de la rédaction

Sites, monuments, musées, œuvres

- *** Exceptionnel
- ** Très intéressant
- * Intéressant

Hôtels

- ▲▲▲▲ Hôtel de luxe
- ▲▲▲ Hôtel offrant un confort maximum
- ▲▲ Hôtel correct
- ▲ Hôtel simple

Restaurants

- ♦♦♦♦ Très bonne table, prix élevés
- ♦♦♦ Bonne table, service agréable,prix moyens
- ♦♦ Table simple, prix modérés
- ♦ Cuisine populaire, bon marché

GUIDES BLEUS ÉVASION

Ce guide a été établi par **Patrick de Panthou.**

Patrick de Panthou a débuté dans le tourisme avec des reportages dans Connaissance du Monde. Passionné de photo, il a publié deux albums consacrés aux îles Canaries et à Bali, avant d'écrire des guides sur des destinations aussi différentes que l'Indonésie, le Maroc, la Sicile, le Népal, la Tunisie, la Turquie et la Sardaigne. Dans la collection des Guides Bleus Évasion, il est l'auteur des titres Sicile et Népal.

L'auteur tient à remercier tout particulièrement Nilan Wickramasinghe, de l'agence Royal Lion, pour son aide précieuse, Saman Perera et Dulshan Welengoda pour leur accompagnement sur le terrain, Anne Leplat pour ses conseils pratiques, et Ananda Ruhunuheva pour ses informations culturelles, sans oublier tous ses amis de Connaissance de Ceylan qui ont veillé au bon déroulement de ses fréquents séjours au Sri Lanka. Pour la partie consacrée aux Maldives, sa reconnaissance va à Pascal Kobeh, Marc Rousseau, Gérard Carnot et Stéphane Griveau ainsi qu'à Sahid pour son assistance sur place.

Direction : Isabelle Jeuge-Maynart. **Direction éditoriale** : Catherine Marquet. **Responsable de collection** : Armelle de Moucheron. **Lecture-correction** : Isabelle Sauvage, Véronique Duthille, Stéphane Renard, Natacha Sardou, Luc Decoudin, Élise Blanc. **Informatique éditoriale** : Lionel Barth. **Documentation** : Sylvie Gabriel. **Maquette intérieure et mise en page PAO** : Catherine Riand. **Cartographie** : Fabrice Le Goff. **Fabrication** : Gérard Piassale, Caroline Garnier, Maud Hubert.

Avec la collaboration de ***Catherine Garnier*** *et de* ***A. Moguwa.***

CRÉDITS PHOTOGRAPHIQUES :

Patrick de Panthou, p. 19 haut, 20, 23, 32, 39 (et 11), 47, 51 haut et bas, 56, 60, 65, 71, 75, 77 haut, 78, 81, 84, 85, 86 (et 55, et vignette de couverture), 90, 102, 110 (et 12), 111, 113, 117, 123, 124, 130, 134, 135, 138, 139, 140, 141 haut et bas, 142, 150, 155, 156 (et 13), 158, 160, 162 (et 15), 172, 173 haut, 173 milieu (et 17), 180 (et 16), 181 haut et bas, 182, 186, 189, 193, 202 haut et milieu, 204, 209, 212, 213, 222, 232, 234, 237 (et 21).

Photothèque Hachette, p. 63, 191.

Pascal Kobeh, p. 93, 94 haut et bas, 95 haut, milieu et bas, 231, 240 gauche et droite, 241 gauche et droite, 244 (et 5, et vignette de couverture).

Droits réservés, p. 42.

Bruno Pérouse, p. 10 (et 4), 18, 19 milieu et bas, 49, 54 (et 4), 76, 77 bas, 104 (et 4), 115, 145, 153, 166, 178, 184, 190 milieu et bas (et 14, et 105), 207 (et 245).

Tous les dessins de faune et de flore sont de la **Photothèque Hachette**.

COUVERTURE. Élément central : Bruno Pérouse. En haut, de gauche à droite : Patrick de Panthou (gauche et milieu), Pascal Kobeh (droite).

Sri Lanka
et Maldives

GUIDES BLEUS ÉVASION

Sommaire

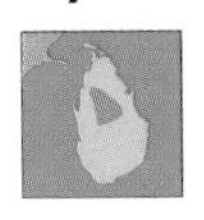

EN SAVOIR PLUS

CARTES ET PLANS

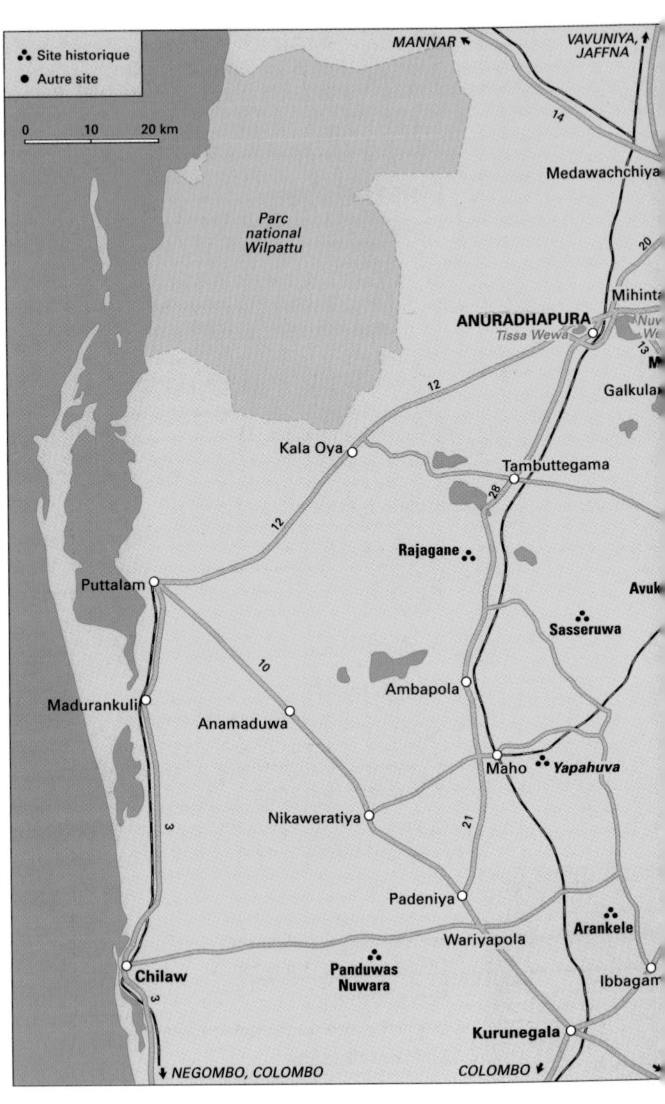

CEYLAN DES ROYAUMES : LES SITES DU TRIANGLE CULTUREL

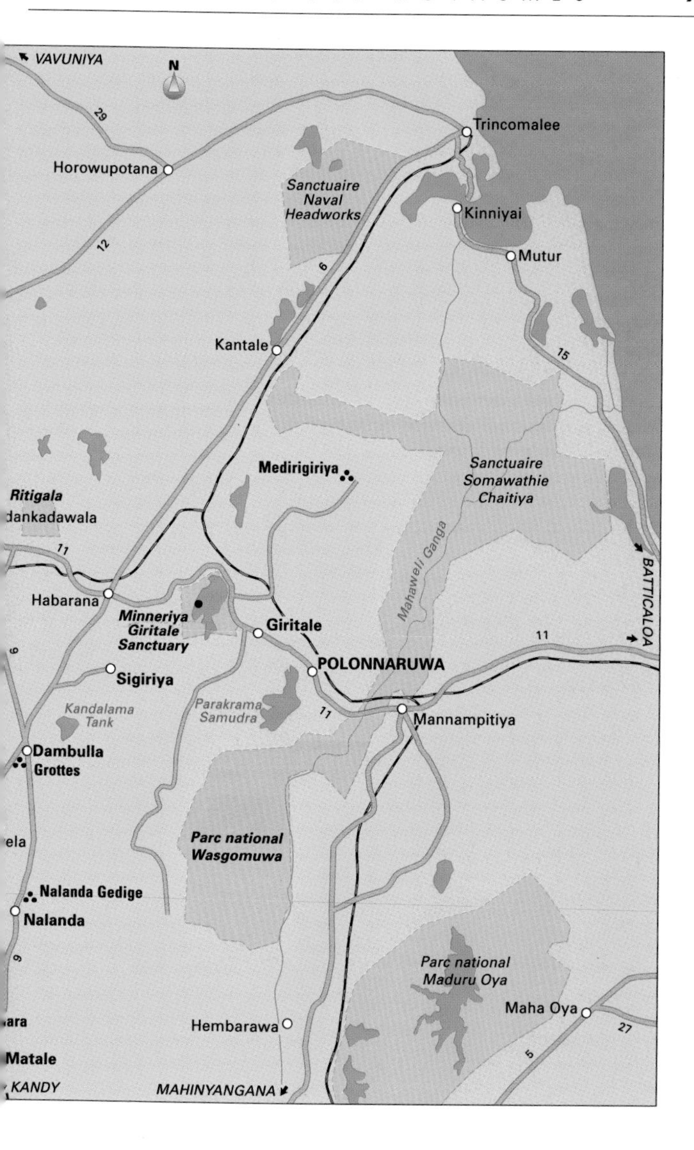

Avertissement sécurité

n raison des conflits armés qui opposent depuis 1983 les forces du ouvernement au mouvement indépendantiste tamoul, il est vivement éconseillé de se rendre dans les provinces du Nord et de l'Est, ainsi ue dans la péninsule de Jaffna, qui est coupée du reste du pays. Ces égions ne sont pas décrites dans notre ouvrage. Les séjours prolongés Colombo sont à éviter. Le couvre-feu peut être instauré à tout moment. ❖

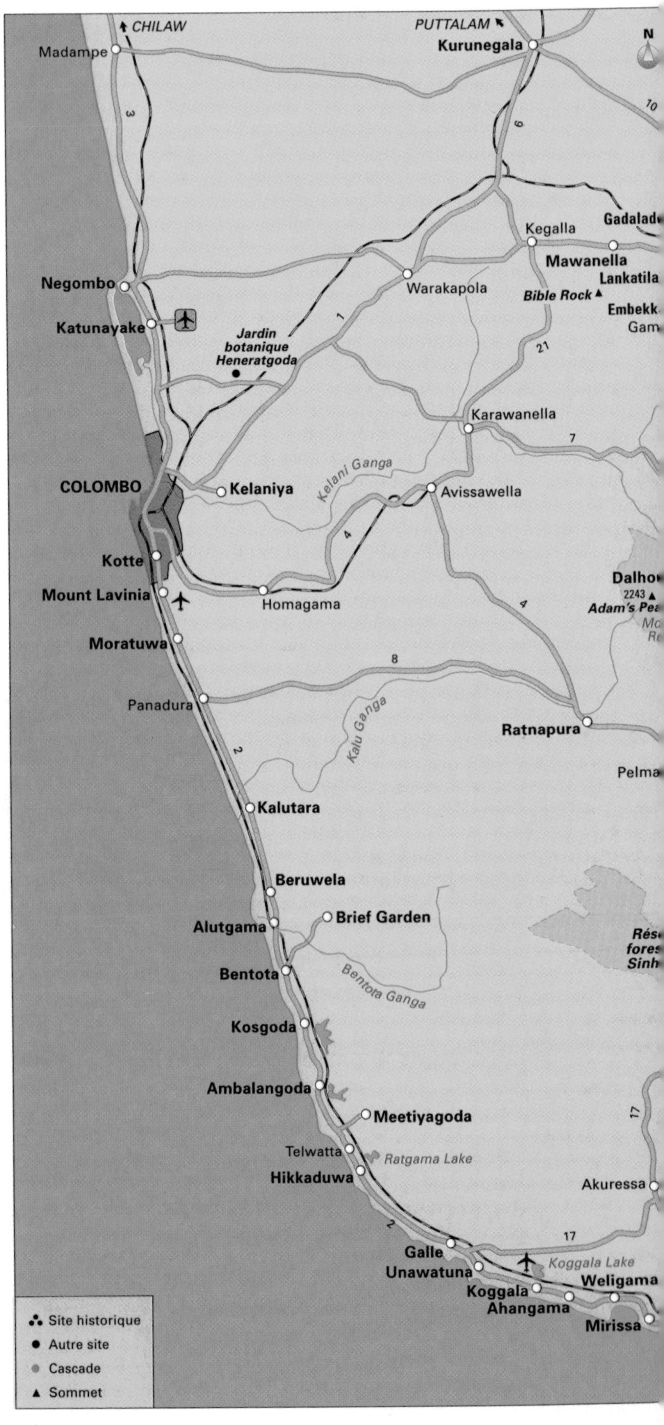

CEYLAN DES MONTAGNES ET DES PLAGES : LE CENTRE ET LE SUD-OUEST

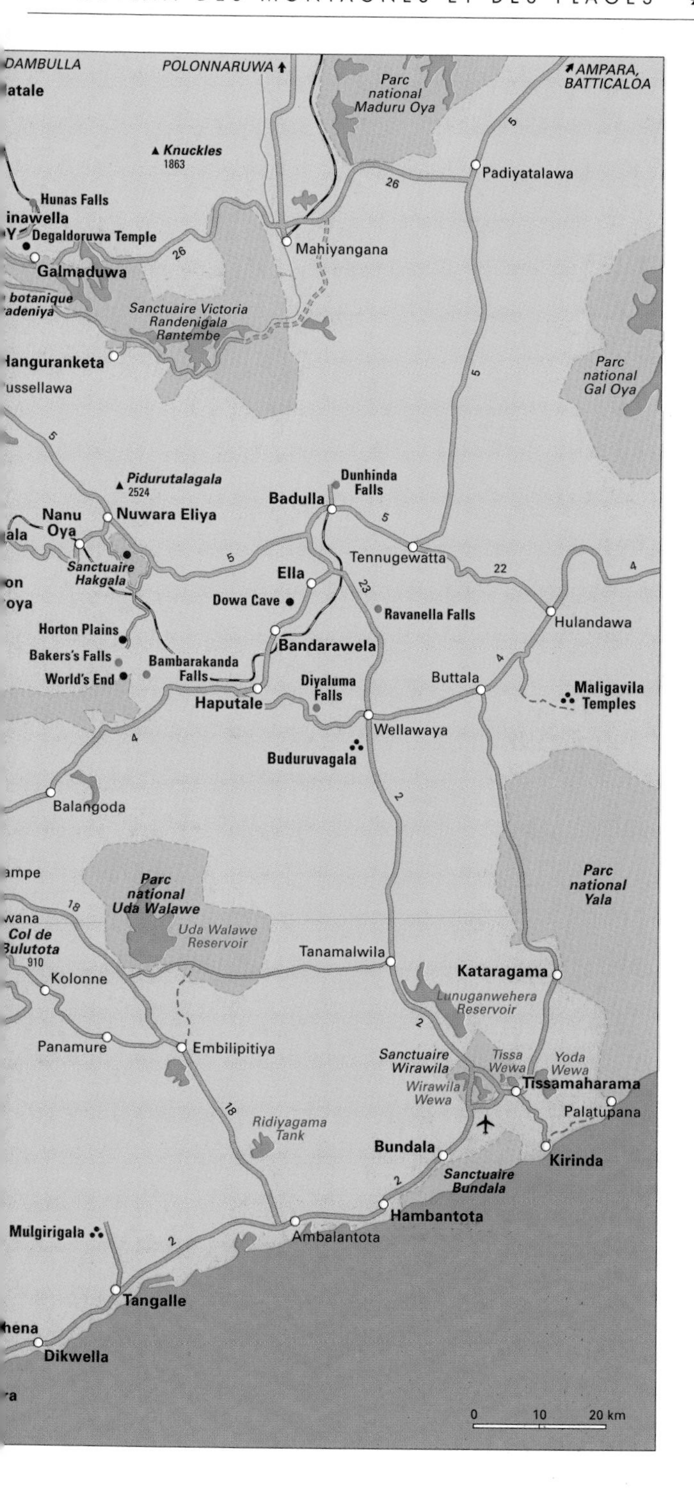
DAMBULLA
POLONNARUWA
Parc national Maduru Oya
AMPARA, BATTICALOA
Knuckles 1863
Padiyatalawa
Hunas Falls
Degaldoruwa Temple
Galmaduwa
Mahiyangana
Sanctuaire Victoria Randenigala Rantembe
Hanguranketa
Parc national Gal Oya
Pidurutalagala 2524
Dunhinda Falls
Badulla
Nanu Oya
Nuwara Eliya
Tennugewatta
Sanctuaire Hakgala
Ella
Dowa Cave
Ravanella Falls
Hulandawa
Horton Plains
Bandarawela
Bakers's Falls
Bambarakanda Falls
World's End
Haputale
Diyaluma Falls
Buttala
Maligavila Temples
Wellawaya
Buduruvagala
Balangoda
Parc national Uda Walawe
Uda Walawe Reservoir
Parc national Yala
Col de Haldummulla 910
Kolonne
Tanamalwila
Kataragama
Lunuganwehera Reservoir
Panamure
Embilipitiya
Sanctuaire Wirawila
Tissa Wewa
Yoda Wewa
Tissamaharama
Wirawila Wewa
Palatupana
Ridiyagama Tank
Bundala
Kirinda
Sanctuaire Bundala
Hambantota
Mulgirigala
Ambalantota
Tangalle
Dikwella
0 10 20 km

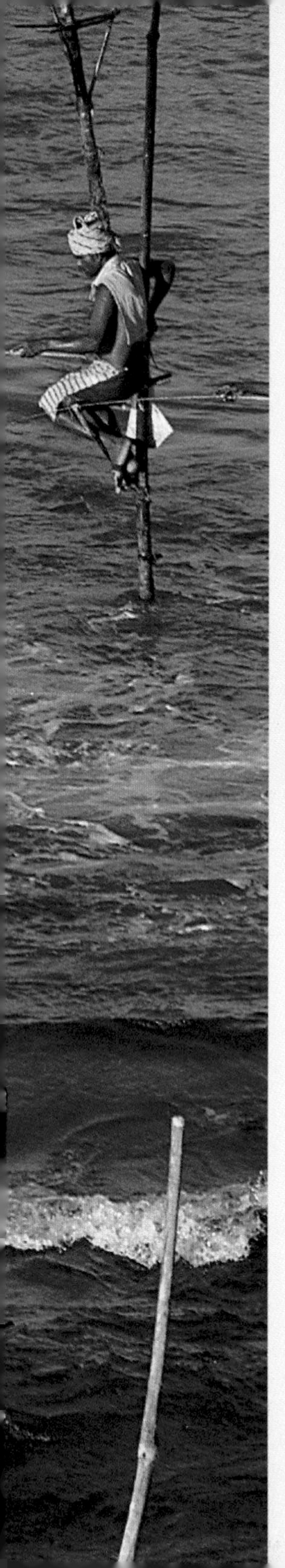

EMBARQUER

Toutes les informations nécessaires à la préparation et à l'organisation de votre séjour.

Ci-dessus : visages grimés pour un jour de *perahera*...

Ci-contre : Ahangama, pêcheurs à la ligne. Juchés chacun sur son pilotis, à quelques dizaines de mètres du rivage, ils peuvent rester immobiles pendant des heures.

QUE VOIR ?

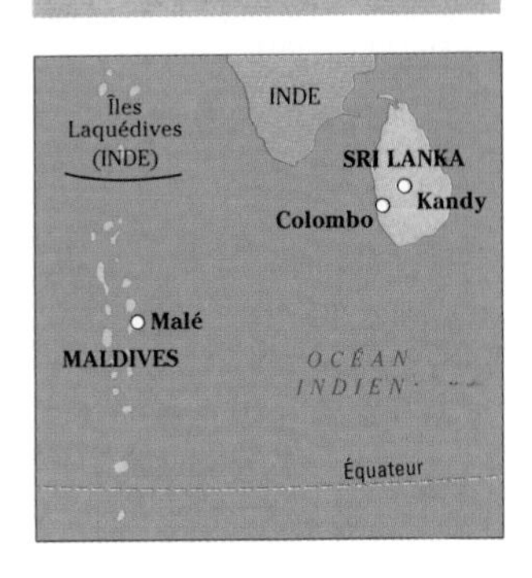

Région par région

Colombo et ses environs

Colombo, la ville en « feuille de manguier », qu'Ibn Battuta disait être « l'une des plus grandes et des plus belles dans l'île de Serendib », s'entoure de stations balnéaires et de villages de pêcheurs.

* COLOMBO : des pittoresques **bazars de Pettah*** aux trésors de bronze du **Musée national***, des temples hindous de Kotahena au parc Vihara Maha Devi, de Slave Island à Bambalapitiya, la capitale économique du Sri Lanka décline des visages contrastés *(p. 106)*.

* KELANIYA *(10 km à l'E de Colombo)*. Ce haut lieu des pèlerinages bouddhiques abrite de belles fresques* relatant des épisodes contés par les vieilles chroniques de l'île *(p. 115)*.

* MOUNT LAVINIA *(11 km au S de Colombo)*. La « roche aux Mouettes » est la station balnéaire la plus proche de Colombo *(p. 115)*.

* **Negombo** *(37 km au N de Colombo).* Cet ancien centre de commerce de la cannelle s'anime aujourd'hui au retour des pêcheurs et lors de la vente à la criée matinale sur la plage *(p. 116).*

Ceylan des royaumes : les sites du triangle culturel

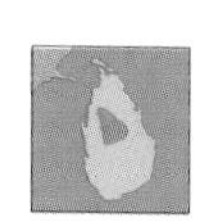

Les anciennes cités royales, redécouvertes au début du XIXe s., ont peu à peu été reprises à la jungle. Restaurées avec l'aide de l'Unesco, elles livrent aujourd'hui leurs fresques, leurs maisons de l'image et leurs temples hindous et bouddhiques.

*** **Polonnaruwa** *(213 km au N-E de Colombo).* Véritable trésor d'architecture civile et religieuse sur les berges du Parakrama Samudra, la ville de Parakrama Bahu fut capitale de l'île durant plus de dix siècles *(p. 147).*

*** **Sigiriya** *(67 km de Polonnaruwa).* Les jardins royaux, d'eau ou de rocaille, le **rocher du Lion***** et le palais-forteresse du roi Kasyapa offrent un cadre somptueux aux **Demoiselles*****, les peintures les plus célèbres du Sri Lanka *(p. 159).*

** **Anuradhapura** *(200 km au N de Colombo).* Dans le cœur sacré de celle qui fut pendant plus de 1 300 ans la première cité de l'île, une bouture de l'arbre de la Bodhi, sous lequel le Bouddha connut l'Illumination, un palais de Bronze aux 1 600 colonnes de pierre, un *dagoba* nommé « Poussière d'or », et un « palais des Gemmes » : la ville se révèle encore telle que la contaient les anciennes Chroniques de l'île *(p. 131).*

** **Avukana** *(59 km au S d'Anuradhapura).* La statue colossale du Bouddha*** du soleil levant, véritable chef-d'œuvre de l'art singhalais, est taillée à même le roc avec une rare perfection *(p. 145).*

** **Nalanda Gedige** ♥ *(20 km au S de Dambulla et 60 km au N de Kandy).* Un pur bijou d'architecture de pierre qui mêle des éléments hindous et des éléments bouddhiques *(p. 165).*

** **Yapahuva** ♥ *(60 km au S d'Anuradhapura).* Un somptueux **escalier**** de granit aux rampes ornées d'animaux mythiques mène aux vestiges d'un temple d'où l'on découvre un océan de cocotiers *(p. 129).*

* **Dambulla** *(60 km à l'O de Polonnaruwa et 72 km de Kandy).* La ville connut au Ier s. av. J.-C. un destin historique et religieux de tout premier ordre, dont témoignent aujourd'hui cinq **grottes** qui abritent des statues du Bouddha et sont ornées de fresques *(p. 163).*

* **Medirigiriya** *(15 km N-E de Habarana).* Un *vatadage* du VIIe s. dont la balustrade de pierre est remarquable *(p. 146).*

* **Mihintale** *(13 km à l'E d'Anuradhapura).* C'est sur cette montagne sacrée que le messager Mahinda vint convertir au bouddhisme le roi de Ceylan. Elle a conservé de nombreux témoignages du passé qui fit d'elle la mémoire religieuse de l'île *(p. 143).*

Ceylan des montagnes

Kandy, capitale des montagnes, est entouré de somptueux paysages, verdoyantes vallées, cascades et plantations de thé.

*** KANDY *(116 km au N-E de Colombo)*. Le **temple de la Dent**** abrite une relique du Bouddha vénérée par les fidèles du monde entier et qui donne lieu chaque année à l'une des plus grandioses cérémonies de ***perahera*** de l'île, avec danseurs et éléphants caparaçonnés *(p. 175)*.

** BUDURUVAGALA *(23 km au S d'Ella, 49 km de Badulla)*. Sept sculptures du XIe-XIIe s. dans le rocher et le plus grand Bouddha debout de l'île *(p. 188)*.

** ELLA *(25 km au N-E d'Haputale)*. Parmi les montagnes, de spectaculaires cascades attendent les amoureux de nature *(p. 187)*.

** LA RÉSERVE DE HORTONS PLAINS *(env. 30 km au S de Nuwara Eliya)*. Pour des randonnées dans d'étranges paysages émaillés de jacinthes, de renoncules, de violettes blanches, de rhododendrons et d'orchidées *(p. 185)*.

** LE PIC D'ADAM *(40 km au S-O de Hatton)*. Lieu de pèlerinage durant plus de dix siècles – et lieu de rendez-vous de tous les papillons de l'île en mars-avril –, la colline garderait une empreinte de pied laissée par Bouddha, Adam, Shiva ou par saint Thomas. Du sommet, on a une vue magnifique sur toute la région de Ratnapura *(p. 192)*.

** LES JARDINS BOTANIQUES DE PERADENIYA *(6 km au S de Kandy)*. Tout ce que la nature prodigue sous les tropiques : flamboyants de Madagascar, palmiers royaux, choux-palmistes et bambous géants, ainsi qu'un *Ficus benjamina** de 140 ans dont les frondaisons couvrent 1 900 m² *(p. 171)*.

* HAPUTALE *(10 km au S de Bandarawela)*. C'est le point de départ de nombreuses randonnées pédestres *(p. 187)*.

* PINAWELLA ET L'ORPHELINAT DES ÉLÉPHANTS *(45 km à l'O de Kandy)*. À visiter à l'heure du bain des éléphanteaux *(p. 171)*.

* LA FORÊT DE SINHARAJA *(au S de Ratnapura)*. Une réserve naturelle inscrite au Patrimoine mondial de l'Unesco, à visiter à pied avec un garde forestier *(p. 194)*.

* LA ROUTE DU COL DE BULUTOTA. Traversée de paysages grandioses entre Ratnapura et Galle *(p. 194)*.

* MALIGAVILA *(env. 35 km à l'E de Wellawaya)*. De cet ancien complexe religieux demeure une statue géante de Bouddha *(p. 189)*.

Ceylan des plages

Après les cités monumentales chargées d'histoire, Ceylan des plages invite au farniente tout au long de la côte sud-ouest de l'île.

** **Le parc national de Yala** *(21 km de Tissamaharama)*. Éléphants sauvages, cerfs, buffles, et léopards *(p. 210)*.

** **La réserve d'Uda Walawe** *(16 km au N d'Embilipitiya)*. Parmi quelque cinq cents éléphants sauvages, le lieu de rendez-vous des ornithologues du monde entier *(p. 208)*.

* **Bentota** *(61 km au S de Colombo)*. Dans cette station balnéaire à la très belle plage, Brief Garden* reconstitue des jardins à la française, à l'italienne et à l'anglaise *(p. 201)*.

* **Beruwela** *(58 km au S de Colombo)*. Consacré à la pêche et au négoce des pierres précieuses, c'est aussi un grand lieu de pèlerinage musulman, où l'on vient fêter la fin du ramadan *(p. 201)*.

* **Galle** *(116 km au S de Colombo)*. Le **fort*** édifié en 1640 par les Hollandais a conservé des bastions aux noms mythologiques et cosmiques *(p. 203)*.

* **Kataragama** *(19 km au N de Tissamaharama)*. Le « lieu le plus sacré de tous les lieux sacrés de Ceylan », où se déroulent des cérémonies spectaculaires, dont celle de la marche sur le feu *(p. 211)*.

* **Tangalle** *(79 km à l'E de Galle)* et **Mulgirigala*** *(15 km au N de Tangalle)*. Des plages de sable rose bordées de cocotiers, des bouddhas couchés et des fresques de la période kandyenne *(p. 208)*.

* **Weligama** *(à l'E de Galle)*. Face à l'île de Taprobane*, une statue rupestre de 4 m de haut dans un village de pêcheurs *(p. 206)*.

Si vous aimez...

Les civilisations anciennes

De nombreuses capitales se sont succédé dans l'île. **Polonnaruwa** *(p. 147)* reste la plus riche en monuments. **Anuradhapura** *(p. 131)* a conservé de somptueux vestiges de sa splendeur passée. **Sigiriya** *(p. 159)*, avec son palais, véritable nid d'aigle pour un souverain parricide, est une curiosité à ne pas manquer. À **Dambulla** *(p. 163)*, vous pourrez voir des grottes transformées en temple par un roi qui régna au début de notre ère. Les monuments de **Medirigiriya** *(p. 146)*, de **Yapahuva** *(p. 129)* et de **Nalanda Gedige** *(p. 165)* sont à découvrir.

L'artisanat

De nombreux petits métiers maintiennent la tradition artistique de l'île. Sur la route autour de Galle se succèdent des ouvroirs de **dentellières** *(p. 205)*. Les amateurs de **masques** trouveront leur bonheur à Ambalangoda *(p. 202)*. Un peu partout, tout au long des circuits touristiques, sont installés des ateliers de **sculpture sur bois** et de **batik**. Les amateurs de **vannerie** s'arrêteront sur la route de Colombo à Kandy. Enfin, ceux qui s'intéressent aux **pierres précieuses** feront halte à Ratnapura pour visiter les puits d'extraction et les ateliers de taille et de polissage *(p. 51 et 194)*.

Les musées

Celui de **Polonnaruwa** *(p. 148)*, le plus intéressant de l'île, constitue la meilleure introduction à la découverte du site. Le Musée national de **Colombo** *(p. 113)* abrite des œuvres d'un grand intérêt, mais il est très mal présenté et poussiéreux. Celui d'**Anuradhapura** *(p. 134)*, quoique modeste, complète bien la visite de cette cité où il ne faut pas manquer non plus le petit musée du **temple Isurumuniya** *(p. 142)* pour la stèle des Amants. À **Kandy**, le **National Museum** *(p. 178)* présente à travers ses collections le dernier royaume de l'île. Presque tous les sites ont un petit musée lapidaire, plus ou moins riche ; celui de **Yapahuva** *(p. 130)* mérite une visite. À **Koggala** *(p. 206)*, le **musée des Arts et Traditions populaires** permet de se familiariser avec les traditions locales. Ceux qui s'intéressent à l'époque coloniale pourront se rendre au **Dutch Period Museum** de Colombo *(p. 111)*.

Les fêtes

Les plus fastueuses *perahera* de l'année sont celles de **Kandy** *(p. 180)*, en été, et celle de **Kelaniya** *(p. 115)*, à la pleine lune de Duruthu (janvier) et de Navam (février). Pendant la *perahera* de Kandy se déroule une autre procession, moins fastueuse mais néanmoins intéressante, à **Dondra** *(p. 208)*. De nombreux villages organisent des *perahera* avec des moyens limités, mais celles-ci y gagnent souvent en authenticité. La **Shivaratri** comme le **Vel Festival** sont célébrés par les hindouistes. Ceux qui pourront se rendre au **festival de Kataragama** *(p. 212)* en garderont un souvenir inoubliable.

Les jardins

Les jardins de **Peradeniya** *(p. 171)*, créés il y a deux siècles aux portes de Kandy, comptent parmi les plus beaux du monde indien. Beaucoup plus modestes sont ceux d'**Hakgala** *(p. 185)*, dans la tradition du jardin anglais, et ceux d'**Henaratgoda** *(p. 116)*. Un décorateur et paysagiste, Bevis Bawa, a reconstitué dans sa propriété de Bentota, à **Brief Garden** *(p. 201)*, des jardins inspirés des parcs anglais, italiens et français. Arrêtez-vous dans un des nombreux jardins d'épices que vous trouverez sur la route de **Dambulla** à **Kandy**.

Les animaux et la vie sauvage

Le parc national le plus visité est celui de **Yala** *(p. 210)*. Préférez-lui la réserve d'**Uda Walawe** *(p. 208)*, plus authentique. La **réserve ornithologique de Bundala** *(p. 210)* abrite aussi des hordes d'éléphants sauvages. Celle de **Wirawila** *(p. 210)*, à côté de Tissamaharama, est connue des ornithologues du monde entier. Le zoo de **Dehiwala** *(p. 115)*, tout près de Colombo, permet de voir des animaux au cours d'un séjour dans la capitale.

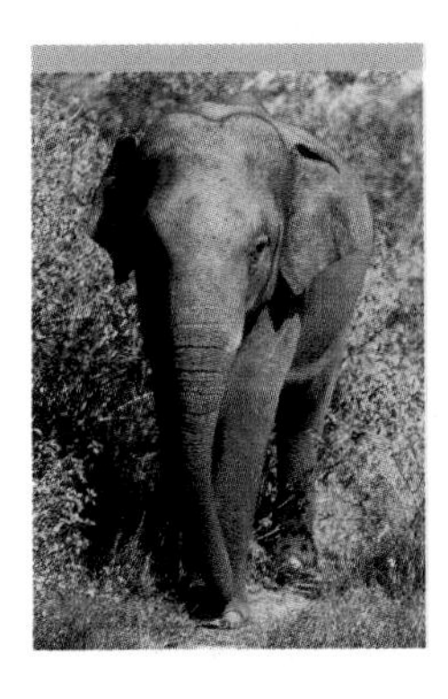

Programme

En une semaine

1er jour. Visite d'Anuradhapura. **2e jour**. Polonnaruwa. Visite du site archéologique et nuit à Dambulla. **3e jour**. Visite des grottes de Dambulla avec leurs fresques. Départ pour Sigiriya, ascension et visite de la forteresse. Nuit à Kandy. **4e jour**. Kandy. Le matin, visite des jardins botaniques de Peradeniya avant d'arpenter la dernière capitale des rois de Ceylan. Visite du temple de la Dent et tour du lac; le soir, spectacle de danses. Nuit à Kandy. **5e jour**. Départ pour Nuwara Eliya et la route du thé. Visite de plantations avant de rejoindre la côte sud-ouest. Nuit à Kalutara, Beruwela ou Bentota. **6e jour**. Visite rapide de la côte. **7e jour**. Retour à Colombo.

En dix jours

1er jour. Colombo. Visite de Pettah, du Fort et du Musée archéologique. Promenade sur Galle Face et visite du temple de Kelaniya. **2e jour**. Départ pour Negombo ; visite du marché aux poissons. Nuit à Anuradhapura. **3e jour**. Site d'Anuradhapura. Nuit à Habarana ou Dambulla. **4e jour**. Visite de Polonnaruwa. Nuit à Habarana ou Dambulla. **5e jour**. Visite de Sigiriya, de Dambulla et d'un jardin d'épices à Matale, sur la route de Kandy. Nuit à Kandy. **6e jour**. Visite du temple de la Dent. Tour du lac et promenade dans les jardins botaniques de Peradeniya. Nuit à Kandy. **7e jour**. Visite de Nuwara Eliya et route vers la côte sud. Nuit dans un hôtel de la côte. **8e jour**. Visite de l'ancien comptoir hollandais de Galle. **9e et 10e jours**. Séjour balnéaire entre Galle et Beruwela. Retour à Colombo.

En deux semaines

1er jour. Visite de Colombo. **2e jour**. Visite de Kelaniya, du zoo de Dehiwala et de Mount Lavinia. Nuit à Colombo. **3e jour**. Départ pour Negombo et visite d'Anuradhapura. **4e jour**. Visite de Mihintale. Nuit à Dambulla ou à Habarana. **5e jour**. Visite de Polonnaruwa. Nuit à Dambulla. **6e jour**. Dambulla, Sigiriya et Nalanda Gedige. **7e jour**. Les jardins de Peradeniya et Kandy. **8e jour**. Visite des environs de Kandy; le soir, spectacle de danses. Nuit à Kandy. **9e jour**. Visite de Nuwara Eliya et de la région du centre. **10e jour**. Réserve de Uda Walawe ou de Yala. **11e jour**. La côte entre Hambantota et Galle. **12e jour**. Visite de Galle. Nuit à Hikkaduwa. **13e jour**. Farniente sur la côte et visite de Bentota. **14e jour**. Retour à Colombo.

« Une perle à l'oreille de l'Asie »

Les 1 500 km de côtes, principalement sableuses et bordées de cordons littoraux font de l'île un lieu idéal pour les vacances balnéaires. Le cocotier y domine la végétation.

Le Sri Lanka s'est détaché de l'Inde à la fin de la dernière glaciation, il y a 20000 ans. Le cordon de récifs et d'îles sableuses entre Mannar et Rameshwaram, connu sous le nom de « pont d'Adam », semble l'arrimer au continent. Malgré ses particularités morphologiques, l'île apparaît comme un microcosme de l'Inde. Sa position entre les 6° et 10° de latitude nord, au centre-nord de l'océan Indien, en fait une zone charnière entre l'univers terrestre massif du continent proche et celui, maritime, de la route des moussons, des flux migratoires et des influences culturelles. Cette île, Francis de Croisset, auteur de La Féerie cinghalaise, *l'appela la « perle à l'oreille de l'Asie ».*

Un relief concentrique

Au centre de l'île, le **mont Pidurutalagala** culmine à 2524 m. Le **plateau** très tourmenté qui l'entoure, entaillé de profondes **vallées**, offre des paysages magnifiques. Plus bas, les bassins de Kandy et d'Uva s'achèvent en plateaux nettement découpés et rehaussés de pics, comme le Sri Pada (**pic d'Adam**, 2243 m). Puis viennent les grands **glacis** qui descendent doucement vers le littoral et occupent la plus grande partie de l'île. En dessous de 300 m, les **plaines fertiles**, bien arrosées, accueillent les plus fortes densités de population, avant la bordure sableuse ourlée de cocotiers. Les **zones littorales**, avec leurs lacs paisibles, réservent peu d'abris naturels, à part deux rades en eau profonde, à Galle (sud) et à Trincomalee (nord-est). Au nord, la presqu'île de Jaffna et celle de Mannar s'emboîtent, telles les pièces éparpillées d'un puzzle, dans le continent indien.

Un château d'eau

La répartition du relief influe directement sur l'hydrographie générale. Les rivières encaissées descendent du cœur montagneux de l'île en d'impressionnantes cascades. La plus longue, la **Mahaweli Ganga**, s'étire sur 320 km, des environs du **pic d'Adam** jusqu'à son embouchure, près de Trincomalee. Navigable sur 140 km, elle constitue une exception : les cours d'eau du Sri Lanka, indispensables à l'irrigation, sont

Dans la région de Kitulgala, la Kelani Ganga traverse des paysages envahis par la jungle : David Lean a choisi ce décor pour y tourner *Le Pont de la rivière Kwai.*

Le pic d'Adam domine majestueusement la région de Ratnapura.

impropres à la navigation. Pour pallier cette carence, les Hollandais avaient fait creuser des canaux, comme celui de Negombo, déviant le cours naturel des eaux vers les zones sèches de l'île. Plusieurs centrales hydroélectriques ont été aménagées sur le cours de la **Kelani Ganga**, qui se jette dans la région de Colombo. Les fleuves côtiers de la zone sèche se résument à une succession de mares en dehors de la saison des pluies.

Une abondance végétale

Dans le haut et le moyen pays prospèrent les **plantations de thé**, les cultures en terrasses et la **forêt de bois précieux**, teck, acajou, ébène, dominant un sous-bois souvent inextricable de bambous, lianes, orchidées et fougères géantes, abri de milliers de singes et d'oiseaux multicolores. Les régions basses, en dehors des plantations de cocotiers qui s'avancent au nord presque jusqu'à l'eau, et parfois d'hévéas, au sud, sont occupées par le poivrier, le cacaoyer, produits d'exportations, mais surtout par d'immenses rizières que des travaux constants agrandissent chaque année.

Retour de la cueillette du thé aux environs de Nuwara Eliya.

Carte d'identité du Sri Lanka

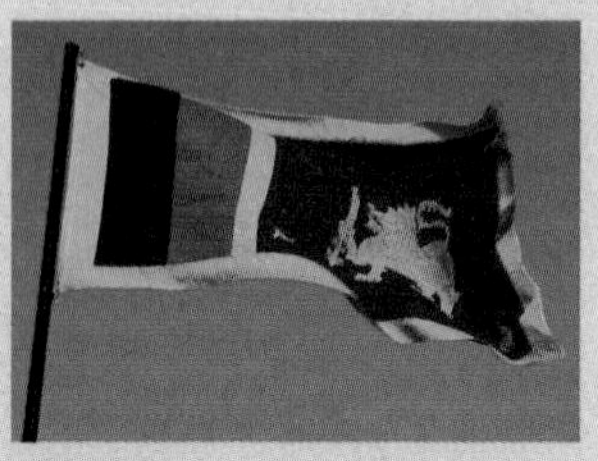

➤ **Situation** : au centre de l'océan Indien, à env. 100 km de l'extrémité S-E du subcontinent indien.

➤ **Superficie** : 435 km de long sur 225 de large, soit 65 600 km^2 (un peu plus de deux fois la Belgique). L'île compte environ 1 500 km de côtes.

➤ **Démographie** : (estimations 2000) 19 millions d'habitants avec une densité de 283 hab. au km^2 (en France 107,1) et un taux de fécondité de 2,2 %. Espérance de vie : 75 ans pour les femmes, 71 pour les hommes.

➤ **Confessions religieuses** : bouddhisme (69 %), hindouisme (15 %), islam (8 %), christianisme (8 %).

➤ **Langues** : le **singhalais** est parlé par les trois quarts de la population. Le **tamoul**, répandu dans l'est et le nord de l'île, est pratiqué par 18,5 %. L'**anglais** est aussi parlé par 10 % de la population. Ces trois langues officielles figurent dans la Constitution. 9,8 % des Sri Lankais sont analphabètes.

➤ **Répartition ethnique** : (chiffres disponibles : 1999) Singhalais (74 %), Tamouls sri lankais (12,6 %), Tamouls indiens (5,5 %), Maures du Sri Lanka (7,1 %), autres (0,8 %).

➤ **Capitale** : Colombo, 800 000 hab. (estimation) est la capitale commerciale. Capitale administrative : Sri Jayawardhanapura (anciennement Kotte), 110 000 hab.

➤ **Régime** : république parlementaire socialiste, composée de 8 provinces et de 25 districts.

➤ **Chômage** : 9,7 % de la population active en 1999.

➤ **Inflation** : 9,4 % en 1999.

➤ **PIB par habitant** : 825 US $ en 1999.

➤ **Principales ressources** : industrie vestimentaire, agriculture (thé, caoutchouc, noix de coco) et pierres précieuses. ❖

L'**archipel des Maldives**, à une heure d'avion de Colombo, se compose d'îles de rêve parfaitement équipées. Ceux qui disposent de vacances suffisamment longues et souhaitent visiter les deux pays auront intérêt à terminer par les Maldives. Ceux qui désirent passer deux semaines aux Maldives pourront effectuer une croisière combinée avec un séjour dans une île-hôtel *(p. 227)*. ■

PARTIR

Quand partir ?

Au Sri Lanka

On distingue deux types de régions climatiques : au nord et au **sud-est**, la « **zone sèche** », où il tombe moins de 1 250 mm de pluie par an, couvre les régions les moins peuplées, où la culture du riz nécessite des systèmes d'irrigation, et où les rivières s'atrophient en mares stagnantes. La végétation est dominée par des fourrés de 5 à 6 m de haut. Sur la **côte sud-ouest** et dans le **centre**, autour de Kandy et des pics, des précipitations supérieures à 5 m par an font parler de « **zone humide** ».

On peut visiter l'île **toute l'année** car il n'existe vraiment ni été ni hiver. La **meilleure saison** pour le tourisme s'étend de fin décembre à fin mars, période la plus propice à la baignade dans le sud-ouest de l'île. La **température** varie très peu : il fait chaud sur le littoral et dans le Nord, plus frais dans les montagnes de l'intérieur. On enregistre fréquemment à Anuradhapura et Polonnaruwa des températures supérieures à 35 °C, principalement pendant notre printemps. Quasi constante, la température de l'eau oscille entre 28 et 29 °C de juin à octobre, et reste presque toujours à 27 °C le reste de l'année.

Les deux **moussons** qui atteignent le Sri Lanka se partagent l'île et laissent donc toujours une zone paisible. Rarement dévastatrice, la mousson n'occasionne qu'une gêne passagère *(voir encadré p. 23)* : les averses, parfois courtes, peuvent être suivies d'un soleil resplendissant, même si le temps reste ensuite lourd et moite (l'humidité peut atteindre 90 %, mais elle est plus supportable que dans la plupart des pays équatoriaux).

Température en °C, précipitations et heures d'ensoleillement sur la côte au sud de Colombo

	J	F	M	A	M	J	Ju	A	S	O	N	D
Temp. ext.	30	31	31	31	30	30	29	29	30	29	29	30
Jours de pluie	7	6	8	14	19	18	12	11	13	19	16	10
Soleil/jour (en heures)	6	6	7	7	4	4	4	5	5	6	6	5

Températures moyennes dans le reste de l'île en °C

	janv.-avril	**mai-août**	**sept.-déc.**
	Max./Min.	Max./Min.	Max./Min.
Colombo	31/23	30/25	30/24
Kandy	30/10	28/21	28/19
Nuwara Eliya	21/9	19/12	20/11
Anuradhapura	31/22	27/24	31/22

Aux Maldives

Sous ce **climat subtropical**, la température oscille entre 26 °C et 35 °C (moyenne à 30 ou 31 °C toute l'année), alors que celle de l'eau se maintient toujours à 27 °C. L'ensoleillement annuel est de 2 800 h environ, soit plus de 7 h par jour. La meilleure période se situe entre décembre et fin avril; évitez juin et octobre, les mois les plus arrosés. En période de pluie, l'eau est trouble, ce qui nuit à l'observation sous-marine. Il existe aussi deux moussons aux Maldives: celle du Nord-Est, ou « mousson sèche » *(iruvai)*, sévit de novembre à fin mai, avec des pluies abondantes en décembre et des vents forts jusqu'à fin janvier; celle du Sud-Ouest, ou « mousson humide » *(hulgangu)*, de mai à octobre, avec de très fortes pluies en juin et juillet. Mais les averses, même diluviennes, sont toujours brèves, et l'atmosphère reste assez sèche. Lorsque la mer est

Le calendrier des nakaille

Les Maldiviens utilisent un calendrier basé sur l'observation du mouvement des étoiles, qui leur permet de prévoir le temps. Il est composé de 27 *nakaille*, périodes de 13 ou de 14 jours portant chacune un nom différent: *Atha, Hitha, Hey, Viha, Nora, Dosha*, etc. Ce calendrier, utilisé aussi en astrologie, permet de déterminer les périodes favorables à la pêche et aux cultures. On sait ainsi que du 6 au 19 mai, lors du **nakaille de Kethi**, le ciel sera couvert de nuages avec des risques de pluies fréquentes alors que du 19 au 31 janvier, lors du **nakaille de Huvan**, le ciel, au contraire, sera dégagé et la mer calme. Dans ce calendrier, basé principalement sur l'observation des éléments naturels et sur la tradition, il entre aussi une bonne part de superstition. Ainsi, certains *nakaille* seraient plus favorables que d'autres à l'entreprise de travaux.

La mousson

Ciel de mousson.

La mousson est un phénomène complexe lié à la circulation des courants en haute altitude et aux différences de pression entre la masse solide des continents et celle, liquide, des océans. En été, une zone de basses pressions se crée au-dessus du continent et aspire l'air humide de l'océan Indien, qui retombe en pluies diluviennes lorsqu'elle aborde les terres. En hiver, une masse d'air froid en provenance d'Asie centrale est aspirée par les eaux tièdes de l'océan Indien. Mais les montagnes centrales de l'île forment une barrière qui contrarie un peu ce mécanisme. En réalité, on observe au Sri Lanka une mousson d'été, la « grande », celle du Sud-Ouest, qui règne de mai à fin juin sur toute la côte occidentale, dans le Sud et sur les terres de l'intérieur ; et une mousson d'hiver, la « petite », beaucoup plus faible, qui sévit de novembre à janvier sur la côte orientale uniquement et d'une façon très variable selon les années.

À l'époque de la « grande mousson », les averses torrentielles se produisent généralement en milieu d'après-midi. D'une violence souvent cataclysmique mais limitées dans le temps, elles peuvent laisser place, certains jours, à un soleil resplendissant. Bien entendu, l'atmosphère est moite, avec une humidité pouvant atteindre 90 %. Mais c'est aussi l'époque où la végétation apparaît dans toute sa splendeur et celle où la lumière, faite de contrastes, avec des ciels presque noirs avant que n'éclate l'orage, est la plus propice aux belles images. ❖

forte à certains endroits, elle peut demeurer parfaitement calme à 1 km de là ; toutefois, les vents sont plus forts, et donc la mer plus agitée, tout particulièrement en octobre. Tout au long de l'année, on compte 5 à 7 jours de pluie par mois – avec un minimum de quelques heures par jour de décembre à avril, et parfois toute la journée en période de mousson. Pour les amateurs de **voile** et de **planche**, voici les moyennes mensuelles de la vitesse du vent dans l'archipel des Maldives.

Vitesse moyenne du vent (en nœuds)

Mois	J	F	M	A	M	J	Ju	A	S	O	N	D
	10	8,6	6,4	7	9,5	8,6	8	8	9,5	9,5	8,2	8,6

Comment partir ?

En avion

➤ **Pour le Sri Lanka. SriLankan Airlines** (compagnie nationale). Paris/Colombo 3 vols/sem. en hiver les mer., ven. et dim. (vols directs, départ de Roissy-Charles-de-Gaulle, terminal 1) en A340 (11 h de vol). Assure aussi des vols au départ de Zurich, Londres, Francfort, Milan et Rome. **Balair**. Paris/Colombo, 1 vol/sem., le lun. *via* Zurich depuis Paris, Marseille, Mulhouse, Strasbourg, Lyon, Nice et Genève. **Royal Jordanian**. Vols Paris/Colombo les mer. et ven. au départ d'Orly-Sud, avec environ 2 h d'escale à Amman. **Gulf Air**. 4 vols/sem. pour Colombo *via* Bahreïn, Mascate ou Abou Dhabi. **Pakistan International Airlines**. Vol sur Colombo *via* Karachi le mer. (passer par une agence de voyages). **Emirates**. Vols Paris/Dubaï/Colombo les mer., ven. et dim. Vols Nice/Rome/Dubaï/Colombo les lun., ven. et dim (changement d'avion à Dubaï). **Kuwait Airways**. 3 vols/sem. avec changement d'avion à Kuwait.

➤ **Pour les Maldives. SriLankan Airlines**. De Roissy-CDG, 1 vol/jour les mer., ven. et dim. avec escale à Colombo. Durée du vol Colombo/Malé : 50 mn. Possibilité de réserver Colombo/Malé depuis Paris. **Emirates**. Au départ de Roissy-Charles-de-Gaulle 1, 3 vols/sem. pour Malé *via* Dubaï les mer., ven. et dim. Également Nice/Rome/Dubaï/Malé les lun. et ven. et 1 vol le dim. avec escale à Colombo. **Balair**, 2 vols/sem., *via* Zurich et Colombo le lun., direct le ven. **Corsair**. Vols charters Paris/Malé, commercialisés par Kuoni, 1 fois/sem. de décembre à mars.

➤ **Compagnies aériennes. Balair**, 67, rue de Montlhéry, Silic 172, 94533 Rungis Cedex ☎ 01.49.79.94.01, fax 01.49.79.27.43, www.balair.ch, bbventes@sairgroup.com. **Corsair**, 2, av. Charles-Lindbergh, 94636 Rungis Cedex. ☎ 01.49.79.49.79, www.corsair.fr. **Emirates**. 5, rue Scribe, 75009 Paris ☎ 01.53.05.35.35, fax 01.53.05.35.25. **Gulf Air** (compagnie nationale des États de Bahreïn, du Qatar, du sultanat d'Oman ainsi que des Émirats arabes unis), 23, rue Vernet, 75008 Paris ☎ 01.49.52.41.41 et 42, fax 01.49.52.03.15, gulfair@gulfair.fr, www.gulfairco.com. **Kuwait Airways**, 93, av. de l'Élysée, 75008 Paris ☎ 01.47.20.75.15, fax 01.47.20.55.08, **Pakistan International Airlines-PIA**, 90, av. des Champs-Élysées, 75008 Paris ☎ 01.56.59.22.60. **Royal Jordanian**, 37, rue Caumartin, 75009 Paris ☎ 01.42.65.99.80, fax 01.42.65.99.02. **SriLankan Airlines**, 18, rue Thérèse, 75001 Paris ☎ 01.42.97.43.44, airlanka@wanadoo.com.

Vols charters et vols à tarif négocié

Les tarifs sont pratiquement les mêmes d'une agence à l'autre. Demandez des tarifs promotionnels, s'il y en a, pour la période concernée.

Look Voyage, 32, av. Félix-Faure, 75015 Paris ☎ 0.803.313.613. Minitel 3615 Look voyages. www.look-voyages.com. Prix imbattables sur les vols secs. Tarifs promotionnels sur vols charters.

Nouvelles Frontières ☎ 0.803.33.33.33. Minitel 3615 ou 3616 NF. **Nouvelles Frontières** met aux enchères sur le Net, www.nouvelles-frontieres.fr, *tous les mardis de 11 h 30 à 13 h*, les invendus de ses vols moyen- et long-courriers. Mise à prix de 200 FF (30,5 €) pour les vols long-courriers. Location de voiture, sélection d'hôtels.

➤ **Sur le web**, gammes de prix très ouvertes. Les tarifs sont d'autant plus attrayants que vous serez plus souple sur les dates de voyage.

Anyway. www.anyway.com ☎ 0.808.008008. Rubriques bons plans et étudiants. Formule hôtel + voiture. Beaucoup de choix en vols secs. Gamme de prix très large, surtout sur les vols « dernière minute ». Spécialiste des États-Unis.

Travelprice. www.travelprice.com ☎ 0.825.026.028. Réservation de vol sec, d'hôtel, de voiture, voyages d'affaires, enchères, bourse aux affaires. Boutique Travelprice.

Ebookers. www.ebookers.com ☎ 0.820.000.011. Service voyageurs. Même fonctionnement que Travelprice et Anyway, mais avec un classement par zone géographique. Coups de cœur, séjours découverte, itinéraires sur mesure. Il faut s'inscrire pour bénéficier des avantages proposés.

Dégriftour. www.degriftour.com, www.reductour.fr ☎ 0.825.825.500, *du lun. au sam. de 8 h à 21 h.* Vols réguliers, charters. Départs de Paris, province, Genève, Zurich, Bruxelles et Luxembourg. Propositions sur les 15 jours à venir, possibilité de choix en fonction de votre budget. Voir aussi www.be.globeclicker.com pour la Belgique (à la place de be, taper ch pour la Suisse, lu pour le Luxembourg).

Bourse des vols. www.bdv.com ☎ 08.36.69.89.69. et Minitel 3615 BOURSE DES VOLS. « Bons plans », vols en promotion, infos aéroports, conseils aux voyageurs.

En voyage individuel

C'est incontestablement la meilleure façon de découvrir l'île, qui ne pose aucun problème surtout si vous parlez anglais. Pour réduire quelques incertitudes sur votre itinéraire et votre hébergement, vous pourrez vous faire aider par des agences spécialisées qui s'occuperont des réservations d'hôtel et vous conseilleront dans le choix des étapes *(voir ci-dessous et p. 124).*

En voyage organisé

Les voyagistes sont nombreux à programmer le Sri Lanka, seul ou en combiné avec les Maldives. Les circuits en groupe sont proposés exclusivement au Sri Lanka tandis que les Maldives sont le royaume des séjours individuels, balnéaires et sportifs.

Les généralistes

Club Méditerranée, 11, rue de Cambrai, 75019 Paris ☎ 0.801.802.803, Minitel 3615 CLUBMED, www.clubmed.com. Circuit en groupe au Sri Lanka et séjour individuel d'une semaine sur deux îles-hôtels des Maldives.

Forum Voyages, 11, av. de l'Opéra, 75001 Paris ☎ 01.42.61.20.20. Nombreuses agences dans Paris.

Fram, 128, rue de Rivoli, 75001 Paris ☎ 01.40.26.30.31, Minitel 3616 FRAM, www.fram.fr. Sri Lanka uniquement. Circuit accompagné en autocar (9 j. ou 13 j.) et circuits à la carte avec véhicule climatisé et chauffeur (11 j.). Possibilité de séjours balnéaires à Bentota.

Havas Voyages Vacances, 3615 HAVAS VOYAGES ou en vente dans les agences.

Hotelplan, 48, rue Vivienne, 75002 Paris ☎ 01.42.33.44.73, fax 01.42.21.14.22. Vols secs pour le Sri Lanka ou les Maldives, forfaits séjour avion + hôtel aux Maldives, réservations pour les îles-hôtels. Atoll Sud, atoll Nord et atoll d'Ari.

Jet Tours, 38, av. de l'Opéra, 75002 Paris ☎ 01.47.42.06.92, fax 01.47.42.57.01, www.jettours.com. Dans la brochure « Séjours et circuits », combiné Sri Lanka-Maldives ou Sri Lanka seul.

Kuoni, 40, rue de Saint-Pétersbourg, 75008 Paris ☎ 01.42.82.04.02, Minitel 3615 KUONI, www.kuoni.fr. Circuits balnéaires et découverte du Sri Lanka. Maldives : 19 îles au choix. Proposent aussi Sri Lanka et Maldives à la carte. En vente dans les agences de voyages.

Nouvelles Frontières, 87, bd de Grenelle, 75015 Paris ☎ 0.825.000.825, www.nouvelles-frontieres.fr. Sri Lanka à la carte, en voiture ou en moto. Deux circuits en groupe (« Découverte du Sri Lanka » en 15 j., « Sri Lanka, joyau de l'océan Indien » en 10 j.) et séjours aux Maldives.

Les spécialistes de l'Inde, de l'Asie et de l'océan Indien

Asia, 1, rue Dante, 75005 Paris ☎ 01.44.41.50.10, fax 01.44.41.50.19, www.asia.fr, Minitel 3615 ASIA. Voyage en groupe ou en individuel. À Lyon ☎ 04.78.38.30.40 ; Nice ☎ 04.93.82.41.41 ; Marseille ☎ 04.91.16.72.32.

Îles du Monde, 7, rue Cochin, 75005 Paris ☎ 01.43.26.68.68, fax 01.43.29.10.00, www.îlesdumonde.com. Ce spécialiste des îles propose des circuits individuels au Sri Lanka, des séjours aux Maldives et des croisières à travers les atolls.

Horizons nouveaux, Centre de l'Étoile, CP 196, CH1936 Verbier,

Suisse ☎ (027) 771.71.71, fax (027) 771.71.75, www.horizonsnouveaux.com. Circuits thématiques (à vélo, colonial) au Sri Lanka, séjours aux Maldives.

Maison des Orientalistes, 76, rue Bonaparte (pl. Saint-Sulpice), 75006 Paris ☎ 01.40.51.95.24, fax 01.46.33.73.03, www.orientalistes.com, info@orientalistes.com. Loin du tourisme de masse, des circuits en groupe ou en individuel conçus sur mesure par des spécialistes : « Celle qu'on appelait Ceylan », « Sri Lanka, nature et découvertes ».

Orients, 29, rue des Boulangers, 75005 Paris ☎ 01.40.51.10.40, fax 01.40.51.10.41, www.orients.com. Circuits à la carte, notamment culturels (route des épices).

La Route des Indes, 7, rue d'Argenteuil, 75001 Paris ☎ 01.42.60.60.90, fax 01.42.61.11.70, indes@easynet.fr. Circuit individuel Sri Lanka ou combiné Sri Lanka-Maldives sur mesure.

Voyageurs en Inde, La Cité des voyages, 55, rue Sainte-Anne, 75002 Paris ☎ 01.42.86.16.90, fax 01.42.61.45.86, www.vdm.com. Vols secs, voyages à la carte en individuel, séjours et circuits culturels.

Les spécialistes de la plongée et des sports nautiques

Aquarev, 52, bd de Sébastopol, 75003 Paris ☎ 01.48.87.55.78, fax 01.48.87.50.81. info@aquarev.com.

Austral, 99, rue La Boétie, 75008 Paris ☎ 01.56.43.43.63, fax 01.56.43.43.66, resa@austral-voyages.fr.

Blue Lagoon, 81, rue Saint-Lazare, 75009 Paris ☎ 01.44.63.64.10, fax 01.40.23.01.43 ; Lyon ☎ 04.78.30.01.06 ; Marseille ☎ 04.91.55.08.69 ; Mulhouse ☎ 03.89.66.23.23. www.blue-lagoon.fr. Séjours balnéaires, croisières aux Maldives. Spécialiste de la plongée.

Collections du Monde/LVO, 43, rue La Condamine, 75017 Paris ☎ 01.42.93.61.16, fax 01.42.93.79.92, lvo@collectionsdumonde.com. Circuits ou voyages à la carte pour tous budgets. Îles-hôtels de luxe aux Maldives.

Force 4, 16, rue d'Argenteuil, 75001 Paris ☎ 01.42.97.51.53, fax 01.42.97.43.58, force4@wanadoo.fr.

Key Largo, 82, rue Balard, 75015 Paris ☎ 01.45.54.47.47, fax 01.45.57.27.08, keylargo@europe.com.

La Maison des Maldives, 3 ter, rue Madirra, 92400 Courbevoie ☎ 01.41.16.93.28, fax 01.41.16.92.12, exotica006@aol.com, www.maldives.org.

MVM, 70, rue Pernety, 75014 Paris ☎ 01.40.47.78.40, fax 01.43.27.78.41, mvm@mvm-voyages.com.

Ultramarina, 37, rue Saint-Léonard, BP 33221, 44032 Nantes Cedex 1 ☎ 02.40.89.34.44, fax 02.40.89.74.89 ; ☎ 0.825.02.98.02, www. ultramarina.com, info@ultramarina.com ; agences à Paris, Bordeaux et Marseille ; programmes revendus dans les principales agences de voyages. Catalogue sur demande. Un spécialiste de la plongée.

Subexplor, immeuble Nereïs, av. André-Roussin, 13321 Marseille Cedex 16 ☎ 0.803.01.30.00, fax 04.91.46.79.66, info@sport-away.com, www.sport-away.com, plongée@sport-away.com.

Formalités

Passeport et visa

➤ **Pour le Sri Lanka.** Votre **passeport** doit être valable encore 3 mois après votre date d'arrivée, et il vous faudra présenter un billet de retour ou de transit. Pas de **visa** pour un séjour inférieur à 1 mois si vous êtes de nationalité française, suisse ou belge. (Pour les autres nationalités, s'adresser à l'ambassade du Sri Lanka.) Les **journalistes** doivent en outre demander une autorisation spéciale à l'ambassade un mois avant leur départ. Pour un séjour supérieur à 30 jours, on obtient une **prolongation** auprès des services d'immigration *(voir p. 126)* en apportant passeport, billet d'avion et bordereaux de change. Prix variable selon les nationalités (environ 180 FF pour les Français).

➤ **Pour les Maldives.** Un **passeport** valable 6 mois après la fin de votre séjour est nécessaire. Un **visa** de

30 jours est délivré automatiquement et gratuitement à l'arrivée dans l'archipel. La prolongation du séjour, de 3 mois maximum, vous coûtera 35 US $ par mois et deux photos d'identité. Un motif sérieux et des garanties financières sont indispensables pour son obtention *(voir p. 225)*.

Assurances

➤ **Pour le Sri Lanka**, assurance bagages et assurance personnelle, couvrant un éventuel rapatriement, sont indispensables. Si ces garanties ne sont pas incluses dans le contrat de votre voyagiste, souscrivez une assurance à titre individuel.

➤ **Pour les Maldives**, faites en sorte que votre contrat couvre, en plus, les accidents liés aux sports nautiques.

Douane

➤ **Au Sri Lanka**. On peut introduire en franchise deux appareils photo avec des pellicules, une caméra, une paire de jumelles. En outre sont tolérés : 200 cigarettes ou 50 cigares, 2 bouteilles de vin et 1,5 l d'alcool, ainsi qu'une quantité raisonnable de parfum. En deçà de l'équivalent de 5 000 US $, les devises ne sont pas à déclarer. Vous devez juste remplir une fiche d'immigration (second volet à conserver jusqu'à la fin du séjour et exigé à la sortie du territoire). L'importation de drogue, de publications érotiques, d'armes à feu et de munitions est strictement interdite.

Au départ, on peut sortir sans taxe du thé jusqu'à 3 kg (au-delà, légère taxe par livre supplémentaire, mais il est possible d'en acquérir encore en salle d'embarquement, en le payant en devises étrangères), des pierres précieuses, dans la limite d'achats privés, et des souvenirs courants, en quantité raisonnable encore. Il est strictement **interdit d'exporter** des antiquités (objets de plus de 50 ans), des manuscrits sur feuilles de palmier, des animaux (oiseaux, reptiles morts ou vivants), des peaux, plumes et cornes d'espèces protégées (léopards, cerfs, crocodiles) et les plantes ou graines répertoriées sur la liste spéciale du Department of Wild Life Conservation *(voir p. 126)*.

➤ **Aux Maldives**. Il est interdit d'introduire aux Maldives de l'alcool, de la viande ou des produits à base de porc (la religion musulmane en interdit la consommation), de la drogue, des brochures et vidéos à caractère érotique (même léger), des armes (y compris harpons et fusils sous-marins), des plantes et... des préservatifs. **Au départ** : tout peut sortir sauf les carapaces de tortue, les coquillages et le corail. On vous rendra même la bouteille d'alcool qui aura été confisquée lors de votre arrivée !

Vaccins

Même s'il n'y a pas de contrôle sanitaire à l'entrée au Sri Lanka ni aux Maldives, et que ces deux pays ne sont pas particulièrement dangereux, il est prudent de vous faire établir un **bilan de santé** avant le départ et de vérifier que vous êtes à jour dans vos **vaccinations** (typhoïde, tétanos). Un contrôle dentaire est également souhaitable avant le voyage. Les vaccinations contre l'**hépatite A** et l'**hépatite B** sont vivement recommandées. Un **traitement antipaludéen** est indispensable pour tout séjour, même bref, au Sri Lanka. En cas de séjour prolongé, la vaccination contre la **rage** est fortement conseillée. *Renseignez-vous auprès d'un médecin spécialisé, de l'Institut Pasteur ou du Centre de vaccination Air France. Voir p. 29 et 44.* Si vous comptez pratiquer la **plongée aux Maldives**, faites-vous établir un certificat médical prouvant votre aptitude. Sur place, il ne s'obtient qu'à Malé.

Monnaie

➤ **Au Sri Lanka**. L'unité monétaire est la roupie (Rs ou LKR), distincte de la roupie indienne. Fin 2000, 1 FF = 10,41 Rs (soit un peu moins de 10 centimes pour une roupie) ; 1 FS = 45,66 Rs ; 1 FB = 1,59 Rs ; 1 US $ = 77,22 Rs ; 1 CA $ = 50,32 Rs ; 1€ = 65,24 Rs.

Votre budget

➤ **Au Sri Lanka.** Si vous voyagez par vos propres moyens, comptez en moyenne la moitié de ce que vous auriez à payer en France. Exemples de prix relevés en 2000 : une voiture climatisée, pour une semaine avec 1 200 km, essence et frais de chauffeur : 1 800 FF ; une chambre double à Colombo, dans un hôtel quatre étoiles : 500 FF ; une chambre double dans un bon hôtel de la côte ou à l'intérieur de l'île : 350 FF ; un repas courant ne dépasse jamais 50 FF, sans la boisson. Si vous vous contentez d'un hébergement simple, prévoyez un budget quotidien équivalent à 200 FF par personne. Attention, aux prix annoncés par les hôteliers et restaurateurs, ajoutez la TVA (12,5 %) et 10 % de taxe pour le service.

➤ **Aux Maldives.** Les prix sont beaucoup plus élevés qu'au Sri Lanka. Aux prix forfaitaires des agences, il faut ajouter les extras : activités sportives et location de matériel qui n'est pas toujours inclus dans le contrat, ainsi que les excursions, les consommations, et même les repas dans certains cas. Une journée dans une île-hôtel pour deux personnes varie de 80 à 3 000 US $, selon les saisons et la catégorie. Une croisière coûte de 70 à 200 US $ par jour et par personne en pension complète. ❖

Au **retour**, les roupies non dépensées pourront être changées à l'aéroport, dans le bureau qui se trouve au-delà de la douane, près des magasins hors taxe.

Munissez-vous de **chèques de voyage** en francs français, monnaies européennes ou dollars, dont le taux de change est plus intéressant que celui des billets de banque. Les francs français sont changés partout. On peut retirer de l'argent dans les **distributeurs** de Colombo et de Kandy, moyennant une commission proportionnelle à la transaction, et dont le montant varie selon votre banque. **Cartes de paiement** acceptées dans presque tous les établissements d'un certain standing.

➤ **Aux Maldives.** La roupie maldivienne, ou *rufiya*, est subdivisée en 100 laaris. Fin 2000, 1 FF = 1,51 Rf (soit 0,66 FF environ pour 1 Rf) ; 1 FS = 6,55 Rf ; 1 FB = 0,25 Rf ; 1 US $ = 11,6 Rf ; 1 CA $ = 7,67 Rf ; 1€ = 9,91 Rf. Sur place, la monnaie la plus appréciée est le dollar américain (le franc français est changé à un taux désavantageux). Comme tout se paie en US $ dans les îles-hôtels (toutes les factures sont établies en dollars), vous n'aurez pas nécessairement besoin de faire du change. Par ailleurs, l'importation et l'exportation de la *rufiya* étant interdites, vous devrez changer l'excédent avant de quitter le pays.

Que faut-il emporter ?

➤ **Cartes.** Les meilleures sont actuellement la carte Nelles et la carte Berndtson, toutes deux au 1/500 000e. Elles sont vendues en France dans les librairies spécialisées *(voir p. 30)*. Sur place, vous trouverez dans toutes les librairies la carte du Survey Department, bien faite et moins chère.

➤ **Chaussures.** Prévoir des chaussures confortables et faciles à ôter : tout monument religieux, même ancien ou désaffecté, se visite pieds nus ; comme les dalles sont parfois brûlantes, emportez aussi une paire de chaussettes. Prévoir de bonnes chaussures pour la marche et, pour la plage, des sandales.

➤ **Vêtements.** Nous ne saurions trop insister sur la nécessité d'une tenue décente. Le short est toléré dans la rue pour les hommes, mais le mini-short de jogging est à proscrire; optez plutôt pour un T-shirt et un bermuda ou un pantalon. Les femmes éviteront les décolletés en dehors de la plage: la tenue idéale sera une robe ou un T-shirt sur une jupe ou un bermuda. En dépannage, vous trouverez toujours sur place des vêtements très bon marché. Dans tous les hôtels, le linge est lavé en 24 heures.

Aux **Maldives**, choisissez des tenues légères, lavables, amples, en coton. Dans les îles-hôtels, votre garde-robe pourra être réduite au minimum. En excursion à Malé ou dans les îles habitées, évitez les vêtements trop courts, moulants et provocants: vous êtes dans un pays musulman.

➤ **PHARMACIE DE VOYAGE.** Pour prévenir et guérir les **troubles intestinaux** dus au changement de nourriture et de climat et aux parasitoses, emportez des médicaments rapidement actifs contre diarrhées et coliques (type Ercéstop®), des pansements intestinaux, ainsi qu'un anti-infectieux. Demandez conseil à votre médecin.

Prévoyez aussi de l'aspirine en comprimés non effervescents, un médicament contre le mal des transports (type Nautamine®) si vous y êtes sujet, des pansements, un désinfectant en spray ou une pommade antiseptique, des antibiotiques à large spectre, un médicament contre les maux de gorge, assez fréquents, du collyre, un somnifère léger pour récupérer du décalage horaire. Si vous suivez un traitement, n'oubliez pas vos médicaments habituels.

➤ **NE PAS OUBLIER...** Un **canif** pour peler les fruits, un **parapluie**, un **pull** pour les excursions en montagne, des **boules Quiès** pour protéger vos nuits, une **lampe de poche** (visites des grottes, fresques, et pannes de courant fréquentes). **Photocopiez billets d'avion et passeports**, et conservez soigneusement le récépissé où figurent les **numéros de vos chèques de voyage**, pour prouver votre identité en cas de perte ou de vol.

Adresses utiles

Office du tourisme

➤ **POUR LE SRI LANKA.** 19, rue du Quatre-Septembre, 75002 Paris ☎ 01.42.60.49.99, fax 01.42.86.04.99, ctbParis@compuserve.com. *Ouv. lun.-ven. 9h-13h et 14h-18h (17h le ven.).* Le www.lanka.net/ctb, site de l'office du tourisme du Sri Lanka, est riche en informations et en liens.

➤ **POUR LES MALDIVES.** Il n'y a pas d'office du tourisme en France, mais il existe un bureau en Allemagne: **Maldivian Government Tourist Information Office**, Munchenerstrasse 48, Frankfurt/Main ☎ (069) 27.40.44.20, fax (069) 27.40.44.22, maldivesinfo.ffm@t-online.de et abdullakhaleel@t-online.de. *Ouv. lun.-ven. 9h30-17h.*

Ambassades et consulats

➤ **EN FRANCE. Ambassade de la République du Sri Lanka**, 15, rue d'Astorg, 75008 Paris ☎ 01.42.66.35.01, mmenu@iway.fr. *Ouv. lun.-ven. 9h-12h30.* Les **Maldives** n'ont pas de représentation diplomatique en France.

➤ **EN BELGIQUE. Ambassade de la République du Sri Lanka**, 27, rue Jules-le-Jeune, B1050 Bruxelles ☎ (02) 344.53.94, sri.lanka@euronet.be. *Ouv. lun.-ven. 9h-12h et 14h-16h.* **Consulat honoraire de la République des Maldives**, 17, Clos des Genêts, B1325 Chaumont-Gistoux ☎ (01) 068.92.12, frederic.drion@euronet.be.

➤ **EN SUISSE. Consulat général de la République du Sri Lanka**, 56, rue de Moillebeau, CH1209 Genève ☎ (022) 919.12.51. *Ouv. lun.-jeu. 9h-14h.*

➤ **AU CANADA. Ambassade de la République du Sri Lanka**, suite 1204, 333, Laurier Avenue West Ottawa, Ontario K1P6H8 ☎ (1) 613.233.84.49 lankacom@magi.com.

Informations santé

L'Institut Pasteur et le Centre de vaccination Air France donnent sur leurs serveurs web ou Minitel la liste des vaccins obligatoires ou conseillés, destination par destination, et informent sur les précautions à prendre en matière d'hygiène, de santé et de prévention. *Voir aussi p. 27 et 44.*

➤ **INSTITUT PASTEUR – CENTRE DE VACCINATION ET DE MÉDECINE DE VOYAGE.** 211, rue de Vaugirard, 75015 Paris ☎ 01.40.61.38.00 ou 01.40.61.39.97, Minitel 3615 SV, www.pasteur.fr. Consultations spécialisées et conseils aux voyageurs sur rendez-vous.

➤ **CENTRE DE VACCINATION AIR FRANCE**, 2, rue Robert-Esnault-Pelterie (aérogare des Invalides), 75007 Paris ☎ 01.43.17.22.00, Minitel 3615 VACAF.

Voir aussi les informations données par le **ministère des Affaires étrangères**, dans les fiches par pays, sur le www.diplomatie.fr/etrangers/avis/conseil/fiches/.

Librairies de voyage

➤ **À PARIS. L'Astrolabe**, 46, rue de Provence, 75009 Paris ☎ 01.42.85.42.95. Un fonds de 35 000 ouvrages. Guides de voyage, beaux livres, cartes et plans. **L'Harmattan**, 16, rue des Écoles, 75005 Paris ☎ 01.40.46.79.10. www.editions-harmattan.fr. Toutes les nouveautés. **IGN**, 107, rue La Boétie, 75008 Paris ☎ 01.43.98.85.13. www.ign.fr. Cartes, plans et guides sur toutes les destinations. **Itinéraires**, 60, rue Saint-Honoré, 75001 Paris ☎ 01.42.36.12.63. Minitel 3615 ITINERAIRES www.itineraires.com. Important catalogue informatisé répertoriant tous les ouvrages disponibles sur chaque destination. **Ulysse**, 26, rue Saint-Louis-en-l'Île, 75004 Paris ☎ 01.43.25.17.35, www.ulysse.fr. Grand choix de guides anciens et de documents inédits. **Voyageurs du Monde**, 55, rue Sainte-Anne, 75002 Paris ☎ 01.42.86.17.38, www.vdm.com. Librairie du tour-opérateur, spécialisée dans les guides.

➤ **EN PROVINCE. BORDEAUX : Mollat,** 15, rue Vital-Carles, 33000 ☎ 05.56.56.40.40. Rayon tourisme ☎ 05.56.56.40.24, mollat@mollat.com. **CAEN : Hémisphères**, 15, rue des Croisiers, BP 99, 14000 Caen ☎ 02.31.86.67.26, -hemispheres.@wanadoo.fr. **CLERMONT-FERRAND : La Cartographie**, 23, rue Saint-Genès, 63000 ☎ 04.73.91.67.75. la.cartographie@worldonline.fr. **LILLE : Le Furet du Nord**, 15, pl. du Général-de-Gaulle, 59800 ☎ 03.20.78.43.43, www.furet.com. Fonds important. **LYON : Flammarion Bellecour**, 19, pl. Bellecour, 69002 ☎ 04.72.56.21.21, www.librairies-privat.com. **MARSEILLE : Librairie de la Bourse**, 8, rue Paradis, 13001 ☎ 04.91.33.63.06. **MONTPELLIER : Les Cinq Continents**, 20, rue Jacques-Cœur, 34000 ☎ 04.67.66.46.70. **NANCY : Atlantide**, 56, rue Saint-Dizier, 54000 ☎ 03.83.37.52.36. **NANTES : Géothèque**, 10, pl. du Pilori, 44000 ☎ 02.40.47.40.68. **NICE : Magellan**, 3, rue d'Italie, 06000 ☎ 04.93.82.31.81. **STRASBOURG : Géorama**, 20-22, rue du Fossé-des-Tanneurs, 67000 ☎ 03.88.75.01.95. **TOULOUSE : Ombres blanches Voyages**, 48, rue Gambetta, 31000 ☎ 05.34.45.53.38, www.ombres-blanches.fr. **TOURS : Géothèque**, 6, rue Michelet, 37000 ☎ 02.47.05.23.56.

➤ **À BRUXELLES. Anticyclone des Açores**, 34, rue du Fossé-aux-Loups, B1000 ☎ (02) 217.52.46, fax (02) 223.77.50. La plus grande librairie de voyage de Belgique. 5 000 guides et 8 000 cartes en stock. **La Route de Jade**, rue Stassart 116, B1050 ☎ (02) 512.96.54, fax (02) 513.99.56, www.laroutedejade.com. Très vaste choix de guides, de cartes et de plans. **Peuples et Continents**, rue Ravenstein 11, B1000 ☎ (02) 511.27.75, fax (02) 514.57.20. Le spécialiste bruxellois des beaux livres sur le voyage.

➤ **EN SUISSE. Librairie du Voyageur**, 10, rue de Rive, CH1204 Genève ☎ (022) 810.23.33, fax 810.23.34. libr.voyageur.ge@bluewind.ch. **Librairie du Voyageur**, 18, rue Madeleine, 1003 Lausanne ☎ (021) 323 65 56. libr.voyageur.lf@bluewind.ch. **Travel Bookshop**, Rindermarkte 20, 8001 Zurich ☎ (01) 252.38.83, fax 252.38.32, info@travelbookshop.ch, www.travelbookshop.ch.

Librairies asiatiques

Fenêtre sur l'Asie, 49, rue Gay-Lussac, 75005 Paris ☎ 01.43.29.11.00. *Ouv.*

Sri Lanka et Maldives en ligne

Les sites Internet sur le Sri Lanka sont nombreux et variés : récits de séjours agrémentés de photos pour un avant-goût du voyage, sites donnant des informations utiles pour préparer son voyage en toute sérénité, informations historiques et culturelles.

www.lanka.net/ctb. *En anglais.* Site officiel de l'office de tourisme sri lankais. Mine de renseignements utiles (administratifs, touristiques et généraux) pour la préparation du voyage et les éventuelles interrogations sur place. Quelques liens.

www.countrywatch.altavista.com. *En anglais.* Propose un tableau général sur le Sri Lanka, en relatant le contexte historique et actuel (population, économie, agriculture, environnement). Pour une prise de contact. Quelques liens.

tourisme.lokace.com/sril.shtml. *En français.* Quelques informations pratiques (vaccinations, climat, électricité...). Plus utile qu'esthétique. Quelques liens.

www.lakdiva.com. *En anglais.* Réservé aux passionnés d'histoire, d'architecture et de numismatique. Liens vers des coupures de presse locales et internationales, notamment.

www.visitmaldives.com. *En anglais.* Site officiel du ministère du Tourisme. Combine informations pratiques et éléments de la culture locale (photos). Présentation un peu confuse. Quelques liens. ❖

lun.-sam. 11h-19h. Guides de voyage, beaux livres, ouvrages en anglais. Excellents conseils, le meilleur choix sur le Sri Lanka (une centaine d'ouvrages et de cartes). **Kailash**, 69, rue Saint-Jacques, 75005 Paris ☎ 01.43.29.52.52, kailash@imaginet.fr. *Ouv. mar.-sam. 14h-19h.* Réédite d'anciens récits de voyages et de savoureux romans exotiques. Des ouvrages en anglais sur le Sri Lanka. **Librairie orientaliste Paul-Geuthner**, 12, rue Vavin, 75006 Paris ☎ 01.46.34.71.30, www.geuthner.com. *Ouv. lun. 14h-18h30, mar.-ven. 9h-12h30, 14h-18h30.* **Oriens**, 10, bd Arago, 75013 ☎ 01.45.35.80.28, www.franceantiq.fr/slam/oriens/. *Ouv. mar.-ven. 14h-18h.* Livres anciens et épuisés. **Librairie du Panthéon bouddhique**, 19, av. d'Iéna ☎ 01.40.73.88.08. *Ouv. t.l.j. sf mar. 10h15-13h et 14h30-17h45.* Grand choix d'ouvrages. **Le Phénix**, 72, bd de Sébastopol, 75002 Paris ☎ 01.42.72.70.31, www.librairielephenix.fr. *Ouv. lun.-sam. 10h-19h.* **Sudestasie**, 17, rue du Cardinal-Lemoine, 75005 Paris ☎ 01.43.25.18.04, sudest@club-internet.fr *Ouv. lun. 14h-18h30, mar.-sam. 9h30-18h30.* Édition et vente de livres anciens et modernes. Incontournable pour tout ce qui touche à l'Asie du Sud-Est.

Musée

➤ **Musée national des Arts asiatiques Guimet**, 6, pl. d'Iéna, 75016 Paris ☎ 01.56.52.53.00. *Ouv. t.l.j. sf mar., 10h-18h.* Si les objets du Sri Lanka y sont rares, la visite des salles consacrées au Cambodge et de nombreuses représentations de Bouddha peuvent constituer une excellente initiation aux arts asiatiques. Au rayon **librairie** installé dans le musée *(mêmes horaires que le musée)*, grand choix d'ouvrages. ■

QUOTIDIEN

ARRIVÉE – CHANGE – COURRIER ET E-MAIL – CUISINE – FÊTES ET MANIFESTATIONS – HÉBERGEMENT – HEURE LOCALE – HORAIRES – INFORMATIONS TOURISTIQUES – LANGUE – MÉDIAS – PHOTO – POIDS ET MESURES – POLITESSE ET USAGES – POURBOIRE – SANTÉ – SÉCURITÉ – SHOPPING – SPORTS – TÉLÉPHONE – TOILETTES – TRANSPORTS – URGENCES – VOLTAGE.

DE A À Z, VIVRE LE SRI LANKA ET LES MALDIVES AU QUOTIDIEN.

Arrivée

➤ **AU SRI LANKA.** Votre avion atterrira à l'**aéroport international de Katunayake**, qui se trouve à 34 km de Colombo. Boutiques hors taxes très intéressantes, surtout pour les alcools. Après la douane, vous trouverez des **bureaux de change** qui pratiquent les mêmes cours que ceux des banques, et des **agences de voyages**.

Toutefois, si vous n'avez pas encore organisé votre séjour, déclinez les offres qui vous seront faites à la descente d'avion et allez plutôt voir les **agences** indiquées p. 124 pour comparer itinéraires et prix. Attention aussi aux faux guides et aux rabatteurs de toute sorte. Un **office du tourisme**, au terminal des arrivées, pourra vous fournir de la documentation, des cartes et des plans. La liaison entre l'aéroport et Colombo est assurée par des **taxis**: compter env. 100 à 140 FF (1 000 à 1 400 Rs) et 1 h de trajet. Pour Negombo (13 km), compter env. 65 FF (650 Rs).

➤ **AUX MALDIVES.** Vous atterrirez sur l'île-aéroport de **Hulule**, où vous trouverez un bureau de change, une cafétéria et un petit bureau de tourisme. Le transfert en *dhoni* (bateau à moteur) de l'aéroport à Malé ou inversement coûte 5 US $ par personne. Des bateaux rapides ou des hydravions vous conduiront directement de l'aéroport à votre île-hôtel.

➤ **Taxe d'aéroport.** Fin 2000, elle se montait à 500 Rs au départ du Sri Lanka, et à 10 US $ pour les Maldives. Pensez à prévoir assez d'argent lors de votre départ pour vous en acquitter.

Change

➤ **Au Sri Lanka.** Tous les hôtels changent les devises, mais le taux dans les banques est plus avantageux.

➤ **Aux Maldives.** Il existe un bureau de change à l'aéroport de Hulule, mais il n'est pas très utile. En effet, on vous fera signer une facture pour les extras durant votre séjour dans l'île-hôtel, et vous pourrez régler la note globale avec votre carte bancaire. Munissez-vous de dollars en petites coupures pour les pourboires et pour les achats dans les îles de pêcheurs. Le taux de change dans les îles-hôtels est sensiblement équivalent à celui des banques. Chez les commerçants, le change est plutôt défavorable et on aura parfois intérêt à régler en *rufiya*. Il existe des billets de 2, 5, 10, 20, 50, 100 et 500 *rufiya*. Il est interdit d'importer ou d'exporter de l'argent maldivien.

Sécurité cartes bancaires

Avant votre départ, procurez-vous auprès de votre agence le numéro à composer pour faire immédiatement **opposition depuis l'étranger**. Notez-le, ainsi que le numéro de votre carte bancaire (mais surtout pas le code confidentiel !). **De France**, vous pouvez appeler le ☎08.36.69.08.80 (**service groupé d'opposition**).

Cartes Bleues Visa ☎0.800.90.11.79. Un numéro aux États-Unis peut être appelé en PCV de presque tous les pays du monde. ☎00 (indicatif du Sri Lanka/des Maldives) + 1.410.581.99.94 (interlocuteurs français sur demande). Minitel 3615 Carte Bleue, www.visa.com.

American Express. En France ☎01.47.77.72.00.

Diners Club. En France ☎01.49.06.17.17. ❖

Courrier et e-mail

Poste

➤ **Au Sri Lanka.** Comptez 10 jours pour l'acheminement d'une lettre. Les aérogrammes bénéficient d'un tarif fixe préférentiel. À la poste, il est indispensable de faire oblitérer le courrier devant soi. On trouve des boîtes aux lettres un peu partout dans l'île, dont certaines, réservées à l'étranger, portent l'indication « Air Mail ».

➤ **Aux Maldives.** Le courrier se remet à la réception des hôtels. Comptez une quinzaine de jours pour son acheminement vers l'Europe.

Cybercafés

Fax et **e-mail** sont très répandus, et de nombreuses sociétés privées sont spécialisées dans leur transmission. Tous les hôtels d'un certain standing, ainsi que toutes les îles-hôtels des Maldives, disposent d'une adresse e-mail. En revanche, les **cybercafés** restent rares ; vous en trouverez deux à **Colombo** *(voir p. 126)*, un à **Kandy** *(voir p. 198)*, et, pour les Maldives, un à **Malé** *(voir p. 225)*.

Cuisine

Au Sri Lanka

Les restaurants locaux ne proposent que du ***rice and curry*** *(voir encadré p. 34)*. Le ***sambol*** est toujours présent sur une table sri lankaise *(voir p. 37)*. On vous servira aussi des *papadams*, galettes frites légères et croquantes, et du ***hopper*** ou ***appa*** qui, accompagné de curry et de piment, fait partie du petit déjeuner des Sri Lankais : il s'agit d'une fine crêpe cuite dans une casse-

Le « rice and curry »

Comme en Inde, la base de la nourriture est le **riz**, accompagné de **curry**, ou cari (du tamoul *kari*). Le curry est un **mélange d'épices** : gingembre, clou de girofle, curcuma, piment, coriandre, etc. Comme en Inde, le curry relève la plupart des plats. Mais au Sri Lanka, on lui ajoute encore au moins une douzaine de saveurs différentes : on le mêle à des herbes aromatiques préparées dans le lait de coco, à de la cannelle, du safran, etc., pour en assaisonner ensuite le poisson, la viande ou les œufs, cuits à l'étouffée ou frits avec une bonne dose d'oignons. Attention au ***chilli***, traître petit **piment rouge** qui colore l'ensemble et dont on se souvient longtemps ! Par prudence, demandez pour commencer un curry blanc *(white curry)*, car plus le curry est rouge, plus il est fort ; si vous oubliez, il vous restera à puiser copieusement dans le plat de riz ou dans la soucoupe de noix de coco râpée posée devant vous pour éteindre les feux du *chilli*. ❖

role concave, qu'on peut agrémenter en cassant un œuf à l'intérieur *(egg **hopper**)*. Le ***string hopper***, lui, est tressé comme de fines nouilles. Le ***buriyani*** est un plat de riz traditionnel des musulmans, avec du poulet ou du mouton.

➤ **POISSONS ET CRUSTACÉS**. Le plus répandu est le *seerfish*, qui ressemble un peu à notre colin (lieu). La langouste, proposée sous son nom anglais de *lobster*, n'est pas toujours d'excellente qualité, et le plus souvent congelée.

➤ **DESSERTS**. Parmi les desserts locaux, citons le ***curd***, yaourt au lait de bufflonne, parfois servi avec du sirop de palme *(honey)*, le ***watalappam***, sorte de pudding garni de noix de cajou, et le ***thalaguli***, à base de sésame. Les ***bibikan***, les ***dodols***, les ***panivalalu*** et les ***aluwas*** sont des pâtisseries fondantes – pas toujours très digestes ! Quant au ***jaggery***, fait de sucre de palme naturel découpé en petits cubes, il vous paraîtra peut-être aussi un peu écœurant.

➤ **FRUITS**. Le Sri Lanka produit d'innombrables fruits savoureux. Malheureusement, les restaurants en proposent rarement, ou de façon très limitée. Vous les trouverez donc au cours de vos promenades sur de fabuleux étalages au bord des chemins ou au marché, à Colombo et à Kandy. Ne négligez pas les plus courants : l'**ananas** a ici une saveur incomparable. Les **bananes**, de toutes tailles, vont du vert tendre au rouge écarlate en passant par toute la gamme des ors. Les **poires**, les **cerises**, et même les **fraises**, délicieuses, viennent de la montagne. Plus exotiques, les **noix de coco** sont dites « royales » *(**thambili**)* lorsqu'elles sont jaunes. Les **mangues** de Korthakolombu dans le Nord et celles de Guira dans le Sud comptent parmi les plus savoureuses.

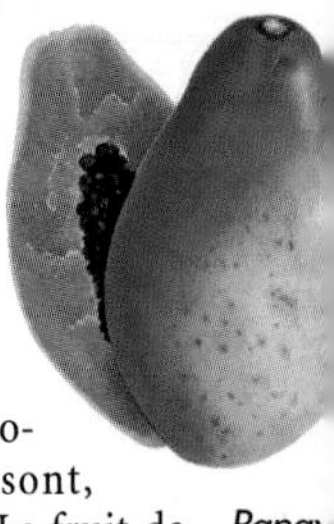

La **papaye**, présente chaque matin au petit déjeuner, a le goût d'une pêche et la forme d'un melon d'eau ; ses propriétés digestives sont, paraît-il, efficaces. Le fruit de l'**arbre à pain**, grosse boule verte couverte de piquants, se mange bouilli en légume. L'énorme **fruit du jaquier**, de même aspect et de la même famille *(Artocarpus)*, constitue une nourriture courante. Assez voisin est encore le redou-

Papay

Durian

table ***durian*** : sa pulpe est exquise, mais l'odeur qu'il dégage a de quoi faire reculer les plus audacieux ! Enfin, régalez-vous de **goyaves**, de **ramboutans**, de **grenades**... et surtout de **mangoustan**, le fruit le plus fin !

➤ **Les boissons.** Les Sri Lankais boivent leur **thé** très fort, et l'adoucissent avec du lait et beaucoup de sucre. Si vous êtes sûr que l'eau a bien été filtrée et bouillie, vous pourrez aussi vous rafraîchir avec des boissons à base de **jus de fruits** frais : oranges, citrons verts *(lime juice)*, ainsi qu'avec la délicieuse *passionna* (à partir de fruits de la Passion). Certains établissements proposent des **eaux minérales** françaises mais vous trouverez aussi de l'eau gazeuse *(soda water)* ou des bouteilles d'eau plate *(table water)* produite sur place. L'**eau de noix de coco**, naturelle et toujours rafraîchissante, est en vente partout pour un prix dérisoire. Toutes les grandes marques de soda sont représentées.

La **bière locale**, nettement moins chère que les marques étrangères, est vendue en bouteilles de 625 ml ou de 325 ml : son degré d'alcool varie entre 4,5 et 5,5°. Le ***toddy***, fait de la sève naturelle du palmier, a un léger goût de cidre. Il peut être bu sitôt récolté, ou fermenté et raffiné : ces opérations donnent un whisky local, l'***arak***, disponible en différentes qualités. Les **vins** sont d'une qualité inégale étant donné les difficultés de conservation. Ils peuvent être servis au verre. Certains restaurants proposent des crus français entre 120 et 200 FF la bouteille. Des vins italiens, portugais et australiens figurent sur la plupart des cartes.

Dans les **supermarchés** et dans les **magasins spécialisés**, on peut se procurer des vins français, du whisky, du cognac, du rhum, du gin, etc. à des prix raisonnables. La **vente de boissons alcoolisées** est prohibée les jours de pleine lune *(poya)*. Les **restaurants** doivent avoir un permis spécial pour pouvoir vendre de l'alcool. Sauf mention contraire, les établissements que nous recommandons possèdent cette licence.

L'art de manger avec ses doigts

Pour apprécier vraiment la cuisine sri lankaise, il faut la manger de façon traditionnelle, avec les doigts. N'utilisez que la main droite ; la gauche, considérée comme impure, ne doit pas toucher les aliments. Sélectionnez les différents éléments du curry et mélangez-les au riz dans votre assiette. Faites-en une boulette que vous pourrez porter à la bouche en la poussant avec votre pouce. Théoriquement, aucun grain de riz ne doit se détacher pendant cette opération. L'extrémité des doigts doit être utilisée à la manière de baguettes. Votre premier essai risque de ne pas être concluant. Persistez, car les recettes locales ont été conçues pour être dégustées de la sorte.

Aux Maldives

Le curry maldivien, base des repas quotidiens, comprend du thon frais ou fumé, des légumes, du riz, parfois du poulet et... toujours des épices. Le *hiki mas*, poisson séché, se mange entre les repas en guise de casse-croûte. Dans les îles-hôtels, on vous servira le plus souvent de la cuisine occidentale mais aussi, au moins une fois par semaine, un buffet maldivien.

➤ **Les boissons.** L'**alcool** est interdit sur tout le territoire, à l'exception des îles-hôtels et des bateaux qui possèdent une licence. Les consommations, alcoolisées ou non, sont toujours chères. Compter entre 3 et 5 US $ pour une bouteille d'eau minérale ou un jus de fruit, qui peuvent s'avérer plus onéreux qu'une canette de bière. Le prix minimum d'une bouteille de vin est de 25 US $. Le vin peut aussi être servi au verre. Pour un whisky, compter entre 5 et 10 US $.

Sri Lanka, terre des épices

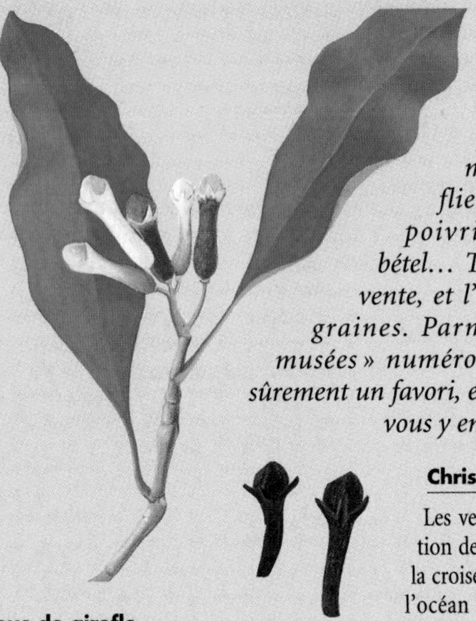

Entre Kandy et Dambulla prospèrent les plantes qui firent la fortune de l'île: cardamome, muscadier, giroflier, cannelier, cacaoyer, poivrier, caféier, arbre à bétel... Toutes les épices sont en vente, et l'on peut en acheter des graines. Parmi tous les « jardins-musées » numérotés, votre chauffeur a sûrement un favori, et il ne manquera pas de vous y emmener!

Les clous de girofle sont les boutons floraux du giroflier.

La fleur de moutarde est reconnaissable à sa couleur jaune.

Christ et épices

Les vents de mousson et la réputation de ses épices ont placé Ceylan à la croisée des routes commerciales de l'océan Indien. Boutres omanais ou indiens, caraques portugaises, vaisseaux hollandais et clippers britanniques se relayèrent au fil de l'histoire pour le transport des précieuses cargaisons.

Lorsque les hommes de Vasco de Gama débarquent à Calicut, dans l'État indien du Kerala, en 1498, c'est au cri de « Christ et épices! ». Les Espagnols partent à leur tour quérir les précieux aromates, précédant de peu les Hollandais, qui fondent le 20 mars 1602 la Compagnie des Indes orientales. Amsterdam devient alors la capitale du monde marchand. Sous l'impulsion de Colbert est créée un peu plus tard la Compagnie française des Indes orientales: la course aux épices est ouverte, et avec elle l'expansion européenne dans tout l'Extrême-Orient. La cannelle a, la première, attiré les Portugais vers Ceylan. Si cannelle, poivre et cardamome n'ont plus leur valeur d'antan, l'île continue pourtant à entretenir des jardins d'épices.

Cannelle et poivrier

Ceylan doit sa renommée à la **cannelle**, l'ancêtre des épices – le *Cinnomomum zeylanicum* qui donna son nom à l'un des quartiers de Colombo. Au IIIe millénaire avant notre ère, les Chinois utilisaient déjà cette écorce aromatique comme médecine et comme condiment. Selon la Bible, elle servait à parfumer les vêtements de l'époux royal. Au Moyen Âge, la cannelle est utilisée pour agrémenter les mets, elle soigne les maux de foie ou d'estomac, et augmente l'ivresse quand on la mêle à du vin. Le cannelier est un arbre de taille modeste dont le feuillage évoque celui du laurier; son écorce dégage une odeur si volatile que les marins prétendaient être guidés par elle, à plusieurs milles des côtes.

Le **poivrier** *(Piper nigrum)* du Sri Lanka est une liane. Quand on fait sécher au soleil le poivre vert, on obtient… le poivre noir. Si on laisse mûrir les petites baies, elles deviennent rouges: on les récolte alors, puis on les plonge dans l'eau bouillante, pour que leur peau rouge se détache et laisse apparaître… le poivre blanc. S'il est complexe, ce processus explique au moins pourquoi le poivre blanc est plus coûteux que le noir.

Le poivrier se présente au Sri Lanka sous la forme d'une liane, et non d'un arbuste.

Les épices et leurs usages

Mélangées en dosages variant d'une cuisinière à l'autre, ces épices composent le *massala*, ou curry, qui relève les plats de la cuisine sri lankaise. On leur reconnaît encore toutes sortes de vertus aromatiques ou thérapeutiques. L'écorce de la **cannelle** s'utilise en Europe dans la pâtisserie. En distillant à la vapeur les feuilles séchées et l'écorce, on obtient une huile utilisée en parfumerie. On fait sécher les **clous de girofle** pour en extraire le parfum et une huile volatile aux vertus antalgiques, l'eugénol, qui a les mêmes caractéristiques que l'huile du cannelier. La **noix de muscade** avait au XVIIIe s. la réputation de faciliter la digestion. Râpée, elle entre comme condiment dans la cuisine. Le **gingembre** est connu pour ses vertus aphrodisiaques. Outre leur valeur culinaire, toutes ces épices, de même que la citronnelle ou la vanille, entrent dans la composition de remèdes contre les maux de gorge, de tête, de ventre ou de peau.

La noix de muscade, noyau d'un fruit à chair non comestible.

Rouge piment

Le *sambol* est un condiment destiné à accompagner les mets et dans lequel le piment n'est jamais oublié. Le plus répandu est le *pol sambol*, à base de noix de coco: celle-ci est mélangée à des piments rouges, du citron des oignons, et, parfois, du poisson séché. Les *chutneys*, quant à eux, ressemblent à de la confiture de piments. Méfiez-vous surtout des « *Devilled* », véritables concentrés de tous les feux de l'enfer!

Piment rouge

Fêtes et manifestations

Si le calendrier grégorien est partout en usage au Sri Lanka, il faut toutefois le lire en parallèle avec le calendrier lunaire, d'après lequel sont réglées les fêtes et **cérémonies bouddhiques**. Le calendrier bouddhique débute en 543 av. J.-C., date présumée de la mort de Bouddha ; le **calendrier de l'Hégire**, lui aussi fondé sur les cycles lunaires et sur lequel sont calées les fêtes musulmanes, débute en 622 apr. J.-C., date de la fuite du prophète Mahomet vers Médine. Quant aux **Maldiviens**, le calendrier des *nakaille* leur sert de base pour tous les événements de la vie quotidienne, festivités comme travaux des champs *(voir p. 22)*.

Le Sri Lanka célèbre aussi bien Noël que la naissance de Bouddha, Pâques et l'Assomption que l'Illumination ou la naissance du Prophète… Les fêtes ont des dates variables, puisqu'elles sont liées au calendrier lunaire. Renseignements à l'Office du tourisme à Paris *(voir p. 29)*.

Poya : les fêtes de pleine lune

Les *poya* (pleine lune), principales occasions de festivités dans les pagodes, ne sont pas forcément des jours fériés, mais, à ces périodes, tout tourne au ralenti. Pratiquement tous les magasins et banques sont fermés, sauf ceux de l'aéroport, qui restent ouverts toute l'année.

Les horaires d'ouverture des magasins et des administrations sont sujets à fluctuations, et il est plus difficile de se procurer des boissons alcoolisées.

➤ **Janvier-février. Navam Perahera** *(poya)*, fêtée avec faste au temple de Gangaramaya à Colombo *(voir p. 112)*. En janvier, **Thaï Pongal**, fête hindouiste en l'honneur du dieu Surya, est célébrée par les Tamouls pour les

Jours fériés

Au Sri Lanka

4 février. Fête de l'Indépendance.

13 et 14 avril. Après la moisson du *paddy* (pousse de riz), se déroule **Avurudu**, la fête du **Nouvel An singhalais et tamoul**, qui marque le début de la mousson du Sud-Ouest. Nombreuses festivités. Dans les familles, on déguste des plats spécialement préparés et on échange des cadeaux.

1er mai. Fête du Travail.

22 mai. Fête nationale des Héros.

30 juin. Jour chômé pour les banques.

25 décembre. Noël.

31 décembre. Fin de l'année grégorienne. Les banques sont fermées.

Aux Maldives

Les fêtes musulmanes et le ramadan sont scrupuleusement respectés.

1er janvier, 6 et 7 juillet. Fête nationale.

26 et 27 juillet. Commémoration de l'indépendance de 1965.

3 novembre. Échec du coup d'État de 1988.

9 novembre. Jour des Martyrs, en souvenir de la mort du sultan Ali VI, tué en 1558 par les Portugais.

11 et 12 novembre. Adoption de la dernière Constitution.

25 décembre. Noël. ❖

Enfants déguisés pour une perahera.

moissons. **Maha Shivaratri**, fête hindouiste, commémore la victoire du Bien sur le Mal.

➤ **FÉVRIER-MARS. Poya Medi.** En mars, le **mystère de la Passion** est interprété par les catholiques dans la région de Negombo *(p. 117)*.

➤ **MARS-AVRIL. Poya Bak.**

➤ **AVRIL-MAI. Poya Vesak.** C'est la *poya* la plus sacrée pour les bouddhistes, car elle commémore la naissance, l'Illumination et la mort de Bouddha, qui toutes trois eurent lieu lors de la pleine lune de mai. Toute l'île est éclairée par des myriades de lanternes en papier et de lampes votives en terre où brûle l'huile de coco. La foule des croyants vêtus de blanc porte des offrandes vers les temples. Dans les rues, des rafraîchissements sont offerts aux pèlerins et aux pauvres. Le lendemain est aussi férié.

➤ **MAI-JUIN. Poya Poson** célèbre l'arrivée de Mahinda et la conversion du roi Dewanampiya Tissa et de son peuple au bouddhisme, en 247 av. J.-C. *(voir p. 58)*. Fêtée dans tout le pays, elle conduit de nombreux pèlerins à **Mihintale** *(p. 143)*.

➤ **JUIN-JUILLET. Esala Perahera** *(poya)*, à Kandy, offre sans doute le plus magnifique spectacle de l'île. La fête dure une dizaine de jours *(voir p. 180)*. À **Kataragama**, des milliers de pèlerins, aussi bien hindouistes que bouddhistes, se rassemblent en l'honneur du dieu Skanda. La plupart témoignent de leur ferveur en se livrant à des pénitences *(voir p. 212)*. Le **festival de Dondra** *(voir p. 208)*, une *perahera* beaucoup moins réputée que celle de Kandy, est aussi moins touristique.

➤ **JUILLET-AOÛT. Poya Nikini.** Le **Vel Festival**, à Colombo, honore Skanda et se déroule durant les 4 jours qui précèdent la pleine lune. Deux processions partent des temples hindous de Pettah pour se rendre aux sanctuaires de **Bambalapitiya** et de **Wellawata**. La statue du dieu est placée sur une sorte de reposoir et exposée toute la nuit à la vénération de la foule.

➤ **AOÛT-SEPTEMBRE. Poya Binara.** Le **15 août**, le **festival Madhu** est fêté par les catholiques.

➤ **SEPTEMBRE-OCTOBRE. Poya Wap.**

➤ **OCTOBRE-NOVEMBRE. Poya Ill.** Lors de **Deepawali**, la fête des Lumières, on rend hommage au dieu hindou descendu sur la Terre pour la réconciliation. Des milliers de lampes à huile sont allumées dans les maisons tamoules, et les enfants font éclater des pétards.

➤ **Novembre-décembre. Poya Unduwap** *(poya)*, est l'occasion de la **fête de Sanghamitta**, qui célèbre la mémoire de la princesse indienne qui aurait introduit au Sri Lanka une bouture de l'arbre sacré de la Bodhi *(Anuradhapura, voir p. 132).*

➤ **Décembre-janvier. Duruthu Perahera** *(poya)*, commémorant la première visite de Bouddha dans l'île, se déroule la veille de la pleine lune dans l'enceinte du temple de Kelaniya, à 10 km de Colombo *(voir p. 115).*

Fêtes musulmanes

Fondé sur les cycles lunaires, le calendrier musulman comporte 354 jours par an. Les fêtes musulmanes sont donc, d'année en année, décalées de 10 à 11 jours par rapport aux dates du calendrier grégorien.

➤ **Id ul-Alha**, ou festival **Hadji** (sacrifice d'Abraham), marque le début des pèlerinages. 6 mars 2001, 23 février 2002, 12 février 2003, 31 janvier 2004, 21 janvier 2005.

➤ **Milad un-Nabi**, anniversaire du prophète Mahomet (férié). 4 juin 2001, 25 mai 2002, 14 mai 2003, 2 mai 2004, 21 avril 2005.

➤ **Début du ramadan.** 17 novembre 2001, 6 novembre 2002, 27 octobre 2003, 16 octobre 2004, 5 octobre 2005.

➤ **Id ul-Fitr**, fin du ramadan. 16 décembre 2001, 6 décembre 2002, 25 novembre 2003, 14 novembre 2004, 4 novembre 2005.

Hébergement

➤ **Au Sri Lanka.** De nombreux **hôtels** se sont construits ces dernières années. Le change, favorable, permet de choisir des établissements confortables et disposant d'installations parfois luxueuses. Des hôtels modestes à prix très corrects existent aussi mais il est prudent de visiter les chambres avant de s'engager. Nos adresses comportent souvent deux numéros de téléphone, dont l'un à Colombo (préfixe 01) pour les réservations. Certains hôtels ne prennent en effet pas de réservations sans passer par une centrale. Seuls les établissements qui possèdent une licence sont autorisés à vendre des boissons alcoolisées. Sauf mention contraire, les établissements que nous recommandons disposent de cette licence.

➤ **Aux Maldives.** Du choix de l'île-hôtel dépend la réussite de votre séjour. Quels sports peut-on y pratiquer? Leur coût est-il inclus dans le forfait? Les bungalows sont-ils climatisés ou ventilés? Quelle cuisine mange-t-on? Seuls les établissements qui possèdent une licence sont autorisés à vendre des boissons alcoolisées. L'environnement de l'île est également déterminant, car les paysages sous-marins varient suivant la profondeur du lagon. Si le lagon est peu profond avec de nombreux coraux, ou si le tombant est proche de la côte, vous pourrez découvrir une faune intéressante dès le bord de la plage, en utilisant simplement un masque et un tuba.

Heure locale

➤ **Au Sri Lanka.** De fin sept. à fin mars, avancez votre montre de 5h, et de 4h les six autres mois. Quand il est midi à Paris, il est 17h au Sri Lanka en hiver; (16h en été). Toute l'année, le soleil se lève vers 7h et se couche vers 19h.

➤ **Aux Maldives.** Avancez votre montre de 4h en hiver et de 3h en été par rapport à la France. Petite particularité qui vous aidera à vous sentir encore plus en vacances: chaque île peut choisir son heure par rapport à celle de Malé.

Horaires

Les horaires indiqués peuvent être sujets à modification.

➤ **Au Sri Lanka.** Les **banques** sont ouvertes du lun. au ven. de 9h à 15h. Les 30 juin et 31 décembre sont chômés. Les **administrations** et les **bureaux** sont en principe ouverts du lun. au ven. de 8h30 à 16h30. Les **magasins** ont des horaires d'ouverture fluctuants, le plus souvent de 10h à 18h. Ils ferment généralement le sam. et le dim. Ceux qui sont tenus par des musulmans n'ouvrent pas le ven. Les **bureaux de poste** sont ouverts en semaine de 8h30 à 17h et, parfois, le sam. de 8 h 30 à 13 h. Presque tout est fermé les jours de *poya* (pleine lune), sauf les boutiques et les banques de l'aéroport.

➤ **AUX MALDIVES.** Le ven. est le jour de repos hebdomadaire. Les **banques** ouvrent du dim. au jeu. de 9h à 13h et le sam. de 9h à 11h, les **administrations** et les **bureaux** du sam. au jeu. de 7h30 à 13h30. La **poste** fonctionne du sam. au jeu. de 7h30 à 13h30 et de 15h à 17h. À Malé, la plupart des **commerces** du quartier du Bazar ouvrent de 7h à 22h30, mais certains ferment dès 18h. Le ven., ils font une pause pour la prière entre 10h30 et 14h.

Informations touristiques

➤ **AU SRI LANKA.** Les offices du tourisme fournissent brochures, dépliants, cartes et plans, mais peu de conseils ou de renseignements précis. Il est préférable de s'adresser à des **agences de voyages**. Celles qui sont recommandées ici *(voir p. 124)* mettent à votre disposition des professionnels ayant une grande expérience du pays. Outre qu'ils ont une grande culture générale, ils connaissent les meilleures adresses pour faire des achats; certes, ils prennent une commission, mais vous serez sûrs ainsi d'avoir des objets de qualité à prix raisonnable. Attention cependant aux **faux guides**, nés de la croissance du tourisme et du chômage, et qui sévissent principalement à Colombo, à Kandy et dans certains sites comme Mihintale ou Sigiriya, ainsi que dans les stations balnéaires où on les appelle *beach boys (voir p. 45).*

Offices du tourisme à Colombo, p. 119; à Paris, p. 29. Voir aussi les pages pratiques de chaque localité.

➤ **AUX MALDIVES.** À l'aéroport de Hulule, un petit bureau de tourisme fournit des informations, mais ne fait pas de réservation. La plupart des îles-hôtels envoient leurs représentants à l'arrivée de chaque avion. *Voir p. 224.*

Langue

➤ **AU SRI LANKA.** Selon l'article 18 de la Constitution, il y a trois langues officielles: le **singhalais**, le **tamoul** et l'**anglais**. D'origine indo-européenne et fortement métissé de toutes sortes d'influences, le **singhalais** *(sinhala)*, est utilisé par les trois quarts des habitants, dans le Sud, le Centre et l'Ouest. Le **tamoul**, langue dravidienne pratiquée par plus de cinquante millions d'Indiens dans le Tamil Nadu, est parlé par une importante minorité, généralement de religion hindouiste, mais aussi musulmane, vivant particulièrement dans les régions de l'Est et du Nord, ainsi que dans la région montagneuse. Le **malais** est encore parlé par une grande partie des musulmans de l'île. L'**anglais**, enfin, est d'abord la langue de la bonne société et de la minorité burgher *(voir p. 82)*; langue du commerce et de la communication, il est compris et parlé par près de 12 % de la population, principalement dans les villes et les lieux touristiques. Le **français** l'est rarement, sauf dans certains hôtels. Des guides parlant couramment notre langue sont à votre disposition dans quelques agences de voyages. Le singhalais et le tamoul figurent côte à côte sur les documents officiels et souvent aussi sur les plaques explicatives près des monuments, avec une traduction en anglais. *Voir lexique p. 246.*

➤ **AUX MALDIVES.** La langue est le **divehi** *(voir p. 96)*, assez proche du singhalais, et où subsistent un peu de hindi et quelques mots arabes. L'**anglais**, très répandu et compris par toutes les personnes en contact avec les touristes, a influencé le divehi.

Médias

Au Sri Lanka

➤ **JOURNAUX.** Outre un certain nombre de journaux en singhalais et en tamoul, il existe deux quotidiens du matin en anglais (*The Island*, journal privé, et *The Daily News*, organe gouvernemental), ainsi qu'un quoti-

L'alphabet singhalais

Les trois alphabets de l'île, le singhalais, le tamoul et l'anglais, réunis sur cette étiquette de bouteille d'arak.

L'alphabet singhalais, composé de caractères provenant du sanscrit et du pali, comporte 52 lettres magnifiquement dessinées. Son écriture arrondie, due aux moines érudits d'Anuradhapura, fut adoptée vers le xe s. Il vous sera difficile de le déchiffrer, tout comme de parler singhalais, mais vous retiendrez quelques mots et formules usuels *(voir p. 246)*, dont le fameux *ayubowan* employé pour dire bonjour, bonne nuit, adieu, amitié. Vous l'entendrez bien souvent dans la bouche des Sri Lankais, qui, les deux mains à hauteur du visage, vous feront avec un large sourire ce salut amical. Littéralement, il signifie « longue vie ». ❖

dien du soir *(The Daily Observer)*. Les principaux journaux ou magazines locaux anglais sont disponibles dans les grands hôtels. La presse européenne n'est disponible que dans de rares points de vente à Colombo *(essentiellement dans les grands hôtels et dans la galerie marchande de Crescat Blvd; voir p. 124)*.

➤ **Radio**. Sur une vingtaine de stations FM, en comptant les stations provinciales, il y en a six qui émettent exclusivement en anglais : EFM, Yes FM, Sun FM, Gold FM, SLBC et TNL.

➤ **Télévision**. Dix chaînes, Rupavahini 1 et 2, Sirasa TV, MTV, Shakthi TV, Swarnavahini, TNL TV, ITN, ETV et Dynavision, émettent exclusivement des programmes en anglais de 5 h 30 à 24 h. L'Alliance française produit une émission, *Bonsoir*, en anglais aussi, le lundi à 20 h sur ITN.

Aux Maldives

À Malé ne sont disponibles que certains journaux anglais. La presse française n'est pas distribuée. La télévision est très répandue. Des antennes paraboliques permettent de voir des programmes comme CNN Tropiques, France 2 et TV5.

Photo

Vérifiez l'état de votre appareil avant de partir et munissez-vous de pellicules en quantité suffisante. Vous en trouverez sur place mais le choix est restreint : il faut les acheter de préférence dans les magasins à grand débit et toujours vérifier la date limite d'utilisation. On peut obtenir des tirages papier rapides (1 h) et très bon marché dans les principales villes. Préservez vos pellicules de la chaleur et de l'humidité.

Les Sri Lankais se laissent volontiers photographier, mais pensez quand même à leur demander la **permission**. Vous pourrez les remercier en prenant leur adresse pour leur envoyer un tirage. Les Maldiviens, quoique musulmans, ne détestent pas être pris en photo. Là aussi, il est plus correct de leur demander l'autorisation; ne pas accéder pour autant aux demandes d'argent.

Poids et mesures

Le Sri Lanka et les Maldives ont adopté le **système métrique**, mais la transition se fait lentement, et les distances peuvent parfois être encore indiquées en miles (1 mile = 1 609 m), et on continue à utiliser l'once (1 once = 28,4 g), la livre (1 livre = 450 g) et le pouce (1 pouce = 2,5 cm).

Politesse et usages

Les Sri Lankais sont très respectueux et les usages tiennent une place importante dans la vie courante. Veillez à ne pas les choquer par une attitude provocante ou une tenue vestimentaire négligée.

Déchaussez-vous et découvrez-vous à l'entrée des **temples** que vous visiterez. Pour une **photo**, ne posez jamais devant une représentation de **Bouddha**, peinte ou sculptée, c'est un manque de respect qui suscitera la réprobation. Les **bonzes** sont des sujets tentants pour les photographes, mais n'oubliez pas que ce sont avant tout des religieux. Pour les **saluer**, joignez simplement les mains, et si vous avez une offrande à faire, faites-le discrètement en la glissant dans le tronc disposé à cet effet. Ne tendez pas d'objets de la main gauche, présentez-les de la **main droite** ou des **deux mains**.

Pourboire

➤ **Au Sri Lanka**. Le pourboire est devenu une institution avec le développement touristique. Dans les hôtels et restaurants, une taxe de 10 % est incluse dans la note, mais la femme de chambre, le bagagiste et le serveur du restaurant attendent quelques dizaines de roupies en échange de leurs services. Pour les guides et les chauffeurs, le pourboire dépendra des services rendus. En règle générale, les chauffeurs sont assez peu payés, les loueurs comptant sur la générosité des touristes. Ces gratifications, facultatives, doivent être calculées en fonction du coût de la vie locale. Est-il nécessaire de rappeler que le revenu moyen des Sri Lankais figure parmi les plus bas du monde? Un salaire mensuel de 5000 Rs, c'est-à-dire 500 FF au maximum, est une rémunération courante. Ceci explique pourquoi dans certains établissements les membres du personnel se comportent parfois en mendiants.

➤ **Aux Maldives**. Les employés des hôtels attendent toujours un pourboire en dollars. Il est à calculer en fonction du service rendu. Même chose envers les équipages des bateaux de croisière: le montant du pourboire est à fixer avec le moniteur de plongée.

➤ **Marchandage**. Au **Sri Lanka**, les prix sont généralement calculés pour les touristes en fonction de leur pouvoir d'achat supposé ou connu. Le marchandage est pratiqué partout et

School pen, bonbon, roupie

« School pen », « bonbon », « roupie » reviennent comme une rengaine dans la bouche des enfants. Les mendiants sont regroupés là où le tourisme les a appelés. Ne vous fâchez pas, répondez avec le sourire. Si on vous a accompagné, offrez une boisson, un menu cadeau (évitez les bonbons, qui ne font le bonheur que des dentistes). Ne donnez de l'argent que pour un vrai service rendu.

la négociation peut être longue et âpre même si elle reste courtoise. Aux **Maldives**, le marchandage est de rigueur. Le prix d'un service doit toujours être fixé d'avance.

Santé

➤ **Eau**. Ne buvez jamais d'eau non bouillie (ni eau du robinet, ni glaçons), évitez les crudités et pelez toujours les fruits. Pour purifier l'eau, utilisez des comprimés type Micropur® ou Chloramine T®. Certains hôtels fournissent une carafe d'eau potable (bouillie). Par sécurité, faites-la renouveler à votre arrivée.

➤ **Moustiques**. Ils sont responsables du **paludisme**, de la **dengue** et de la **filariose**. S'il n'y a plus de **paludisme** aux Maldives, au Sri Lanka, en revanche, un **traitement préventif antipaludéen** est indispensable, même avec des conditions d'hébergement optimales, et même en cas de séjour très bref. Le traitement généralement conseillé consiste en une prise quotidienne de médicaments (type Savarine®), à commencer la veille du départ et à poursuivre 4 semaines après le retour. Consultez votre médecin. La **dengue**, en recrudescence actuellement au Sri Lanka, est elle aussi transmise par les piqûres de moustiques, principalement actifs au coucher du soleil. La période d'incubation est de 5 à 8 jours. Dans les formes bénignes, le diagnostic est difficile car les symptômes ressemblent à ceux d'un état grippal ou d'une fièvre virale. Attention, il n'y a **pas de traitement préventif** contre la dengue (le traitement antipaludéen est inefficace contre cette maladie). La transmission de la **filariose** se fait elle aussi par la piqûre de certains moustiques. Les manifestations aiguës (fièvre, fatigue, œdème inflammatoire douloureux au niveau d'un membre) peuvent survenir entre 9 et 20 mois après l'infection. Les filaires sont actifs sur tout le territoire, mais plus particulièrement sur la bande côtière ouest. La meilleure prophylaxie, dans tous les cas (et la seule en ce qui concerne la dengue) reste donc la **protection contre les moustiques**. Utilisez les répulsifs en spray ou en crème et les spirales *(tiger coils)* dont la combustion lente éloigne les insectes. Dormez toujours sous une **moustiquaire** imprégnée de répulsif. Après votre retour en Europe, signalez à votre médecin votre séjour au Sri Lanka.

➤ **Baignade aux Maldives**. Si vous n'avez pas de palmes, chaussez des **sandales** en plastique pour vous protéger des coraux. En cas de coupure, consultez un médecin (risques d'infection). Méfiez-vous aussi des **blessures urticantes** provoquées par certaines méduses ou anémones de mer, qui entraînent parfois de violentes réactions allergiques.

➤ **Soleil**. Faites attention à votre peau comme à vos yeux, et recourez largement aux crèmes, lunettes et chapeaux. Aux **Maldives**, renforcez ces protections même lorsque le ciel est couvert et méfiez-vous de la réverbération. N'hésitez pas à vous baigner avec un T-shirt.

➤ **Pharmacies**. Elles sont généralement bien approvisionnées à **Colombo** *(p. 125)* et à **Kandy**. Le personnel, qui parle anglais, pourra vous conseiller. Les cachets étant vendus le plus souvent à l'unité, contrôlez sur la boîte la date limite d'utilisation. Attention aussi aux produits de contrefaçon. Aux **Maldives**, vous trouverez des pharmacies à Malé *(p. 225)*. *Voir aussi p. 27 et 29.*

Sécurité

Au Sri Lanka

La criminalité existe comme partout ailleurs, mais elle est surtout liée à des conflits politiques internes. Les vols se sont développés avec l'extension du tourisme et l'étalage parfois ostentatoire des biens de consommation. Le chômage des jeunes et la crise politique en ont accru la fréquence dans les zones touristiques. Mais ne vous inquiétez pas systématiquement, car vous risqueriez de vous couper de la population. Un peu de perspicacité et de prudence devraient vous permettre d'adopter l'attitude appropriée.

La médecine ayurvédique

Les premiers textes de l'*Ayurveda,* nom sanscrit de la « Science de la Vie », remontent au début de notre ère. La thérapie de cette médecine traditionnelle d'origine indienne est fondée sur les cinq éléments : terre, air, « ciel », eau et feu, qui correspondent à différents éléments de notre corps. La médecine ayurvédique utilise les plantes naturelles, sous forme d'huiles pour massages, de fumigations, d'inhalations, et de bains. Elle a toujours joué un rôle important dans la culture singhalaise ; on a en effet retrouvé dans les ruines des anciennes capitales plusieurs baignoires médicinales de pierre (*beheth oruwa*) dans lesquelles on allongeait les patients. La thérapie comprenait aussi des interventions de petite chirurgie : une méthode indienne de greffe de peau a longtemps été utilisée en Europe.

Des écoles, des hôpitaux (le plus connu est le Siddhalepa de Mount Lavinia) et des pharmacies ayurvédiques existent à travers tout le pays. Les Sri Lankais, en effet, ont encore tendance à consulter, en priorité, le *vederala*, médecin local dont la maison est signalée par le svastika (croix gammée) peint sur la façade. L'île compte au moins trois fois plus de praticiens ayurvédiques que de médecins au sens moderne du terme.

Les massages ayurvédiques étant très en vogue auprès des touristes, la plupart des hôtels de séjour ont ouvert un centre de soins. Une séance complète comprend un massage de la tête et du corps, un bain de vapeur dans un coffre en bois (*steam boat*), suivi d'un bain relaxant dans lequel on a fait macérer des plantes. Actuellement, l'un des meilleurs centres est celui du Culture Club de Dambulla *(voir p. 167)* où l'on peut faire des cures de plusieurs jours, sous le contrôle d'un médecin. ❖

Ne laissez rien dans les véhicules ni sur les plages sans surveillance. Déposez toujours passeport, billet d'avion, objets de valeur et devises dans le coffre de l'hôtel. Ne laissez jamais votre fenêtre ouverte dans les hôtels, surtout au rez-de-chaussée. Faites attention à votre matériel photo. Redoublez de vigilance dans les lieux publics et dans les transports en commun. Pour passer des vacances détendues, souscrivez une bonne assurance avant le départ. En cas de problème sur place, adressez-vous à votre agence de voyages ou, à défaut, à la police touristique.

➤ **Les « beach boys ».** Se disant étudiants ou employés d'hôtel en congé et prétendant améliorer leur anglais ou leur français, ils proposent de vous accompagner. Le but de ces modernes chevaliers servants est de vous alléger d'un maximum de roupies suivant des techniques parfaitement mises au point. Leur imagination dans ce domaine est inépuisable. Dès que vous vous déplacez en leur compagnie, les prix augmentent systématiquement de la commission qui leur sera versée. La plupart des *beach boys* ont une prédilection pour les personnes seules et n'hésitent pas non plus, d'ailleurs, à proposer leurs charmes.

➤ **Vie nocturne.** Gardez toujours une pièce d'identité sur vous, les contrôles de police étant fréquents la nuit. Évitez de sortir à pied, même en groupe après 23 h dans Colombo.

Avant votre départ, informez-vous sur les dernières recommandations du ministères des Affaires étrangères sur le site du www.dfea.diplomatie.fr.

Aux Maldives

Dans les îles touristiques, la violence est inconnue et les vols rares. Ne pas oublier toutefois que la meilleure assurance reste la prévention. Comme pratiquement rien ne ferme sur les îles et que l'on y vit comme Robinson, n'emportez ni bijoux ni objets de valeur. Ayez de préférence des chèques de voyage, et utilisez le coffre de la réception. À Malé, les vols ont cependant tendance à se généraliser, soyez donc vigilant.

Shopping

Ne vous attendez pas à des merveilles en matière d'artisanat : le Sri Lanka est loin de présenter la richesse artisanale qui fait la réputation de nombreux pays d'Asie du Sud-Est.

L'**écaille de tortue** fut une spécialité de Galle, notamment à l'époque hollandaise. Sachez que les tortues des mers du Sud sont en voie de disparition, que des lois internationales en interdisent le commerce, et que leur exportation est formellement interdite. Même chose pour les pièces d'ivoire sculpté qui proviennent obligatoirement du braconnage et donc du massacre des éléphants (certaines, proposées aux touristes, ne sont en fait que des imitations en os ou en ivoirine, faciles à déceler). Ne vous mettez pas en infraction.

➤ **Antiquités.** Tout objet de plus de 50 ans est reconnu comme une antiquité et son exportation est interdite. Même remarque pour les livres à feuilles de tallipot *(voir p. 56)*.

➤ **Batiks et saris.** Pour fabriquer les batiks à la main, on applique successivement des teintures différentes suivant un dessin dont on a préalablement masqué certaines parties par de la cire. Ce travail effectué avec tant de patience doit son origine et ses plus belles réalisations à l'Indonésie. Mais la deuxième place revient assurément au Sri Lanka ! Les prix sont très raisonnables.

➤ **Bois sculpté.** Les artisans sri lankais sont extrêmement habiles dans le travail du bois, et fabriquent notamment le classique éléphant d'ébène. Vous apprécierez davantage les masques de danse, peints de couleurs éclatantes ; ce ne sont pas de simples accessoires de théâtre, ils tiennent un rôle primordial dans les cérémonies de magie et d'exorcisme *(voir p. 202)*.

➤ **Broderies et cotonnades.** Nombre de Sri Lankaises ont appris à broder, et exécutent de belles pièces à bas prix. Leur seul défaut est la qualité parfois médiocre du support en coton.

➤ **Instruments de musique.** Ce peut être un souvenir original et authentique. Il y a surtout les tambours, qui accompagnent les processions religieuses ou les danses, comme les cérémonies du temple de la Dent à Kandy *(voir p. 180)*.

Conseils au gemmologue amateur

Un certain nombre de défauts (crapauds ou fenêtres) peuvent faire perdre à une pierre précieuse une grande partie de sa valeur. Prenez garde à la taille irrégulière de certaines pièces qui n'a d'autre but que de cacher leurs imperfections. Il faut donc redoubler de méfiance avec les pierres montées. Méfiez-vous des spinelles, pierres sans valeur et trompeuses, qui sont parfois proposées comme des rubis ou des saphirs. On dit d'un rubis ou d'un saphir qu'il est étoilé lorsque la pierre, taillée en cabochon, fait apparaître un phénomène d'étoiles à six branches. La pierre prend alors une valeur considérable. Attention aux fausses pierres tout de même, si vous n'êtes pas spécialiste ! L'émeraude, le diamant, l'opale et la turquoise sont inconnus dans l'île.

Sarong et sari

Oiseaux de paradis pour un batik aux couleurs de Ceylan.

Il y a quelques années, la majorité des Sri Lankais portait encore le costume traditionnel : sarong pour les hommes et *sari* pour les femmes. Le sarong est une pièce de tissu en forme de tube que l'on enroule autour de la taille, et qui doit former deux plis sur le devant. Dans les campagnes, les hommes portent en guise de sarong une sorte de pagne, l'*amudaya*, qui n'entrave pas leurs mouvements. Aujourd'hui, les jeunes préfèrent l'uniforme international : baskets et jeans... Mais à la maison, le sarong retrouve sa place. Les femmes, elles, se drapent dans les plis savants d'un sari. La présidente donne l'exemple en le portant en permanence comme attribut d'une identité nationale. Le plus répandu était le sari à la kandyenne, composé d'un caraco, d'une longue jupe surmontée d'une jupette donnant l'illusion d'un drapé, et d'une écharpe de 3 m de long prise dans la jupe et rejetée sur l'épaule. Le sari à l'indienne, qui nécessite moins de tissu, est un concurrent sérieux. Il est porté notamment par les hôtesses d'accueil des grands hôtels et par les employées des administrations. De très beaux saris sont en vente dans les boutiques des grands hôtels. Sarongs et saris marquent encore l'identité sri lankaise : lors d'une naissance, il est de coutume d'annoncer aux parents le sexe de l'enfant par l'un ou l'autre de ces deux mots. ❖

➤ **Pierres précieuses.** Faites vos achats chez des commerçants de confiance. Si vous avez l'intention d'acheter une pierre d'un prix élevé, adressez-vous à l'un des joailliers que nous recommandons *(voir p. 124)*, à votre guide ou à l'office du tourisme. Les pierres sont toujours vendues au carat. Pour contrôler la qualité de vos achats, adressez-vous au bureau officiel, **National Gem and Jewellery Authority** *(voir p. 126)*, qui est à la disposition des touristes. Le poids en carats et la qualité de la pierre, mais pas sa valeur, y sont estimés gratuitement. Vous n'aurez pas de problème d'exportation si vous en conservez la facture, mais cela ne vous dispensera pas de payer la TVA à votre arrivée en France si vous déclarez votre achat à la douane. Les **pierres semi-précieuses**, pierre de lune, grenat, aigue-marine, zircon, améthyste, spinelle, quartz, topaze, tourmaline, généralement bon marché, constituent des cadeaux peu encombrants et très appréciés. *Voir p. 51.*

➤ **Thé et épices.** Ils ont fait la réputation de Ceylan et constituent une façon de retrouver, après vos vacances, toutes les senteurs de l'île sur votre table ou dans votre tasse. Ils offrent aussi l'avantage d'être légers dans les bagages.

Choisir son thé

Feuille et fleur du théier. L'arbre à thé fait l'objet de soins constants pour qu'il ne dépasse pas 1,50 m. S'il n'était pas taillé régulièrement, il atteindrait ses dimensions normales : celles d'un arbre !

Les thés ont aussi leurs appellations contrôlées qui correspondent à une classification assez complexe dont il faut apprendre à déchiffrer les sigles sur les paquets. Ces sigles ont tous une origine anglaise, à l'exception du *Pekoe* (P), mot chinois qui, dans le langage du thé, signifie « duvet blanc » et fait allusion au jeune bourgeon. *Orange* (O) évoque la couleur de l'infusion, à moins que les Hollandais n'aient voulu ainsi honorer leurs princes de la maison d'Orange. *Flowery* (F) indique que le mélange contient de nombreux bourgeons terminaux argentés ou dorés. *Fannings* (F) signifie « parcelles » de thé et *broken* (B), que les feuilles ont été brisées.

Les feuilles entières donnent un thé de qualité aux arômes subtils qui a droit à l'appellation FOP *(Flowery Orange Pekoe)* ou OP *(Orange Pekoe)*. Ce dernier est considéré comme le « champagne » des thés de Ceylan. Ces variétés rares et réputées proviennent en majorité de la région de Nuwara Eliya. Les feuilles brisées correspondent au FBOP *(Flowery Broken Orange Pekoe)* et BOP *(Broken Orange Pekoe)*. Ces brisures de qualité supérieure donnent des breuvages de couleur cuivrée puissants et riches en tanin. Le BOPF *(Broken Orange Pekoe Fannings)*, à base de feuilles broyées de grande qualité récoltées dans la région d'Uva, produit une infusion forte et très parfumée. Les *Dust* ou *Fannings*, contenant des poussières de toutes les parties, dégagent moins d'arôme et servent généralement à remplir les sachets.

VANNERIE. Différentes sortes de feuilles de jonc, de rotin, de bambou ou les fibres de la coque de noix de coco (appelées *coir*), sont utilisées. Les meilleures proviennent de Kalutara (feuilles de phœnix), de Jaffna (feuilles de palmier Palmyra) et de Warakapola, sur la route de Kandy. Les paniers permettent d'entasser les achats et de les rapporter en France si vos valises sont déjà pleines !

Sports

La plupart des sports se pratiquent au Sri Lanka : natation, tennis, squash, golf, trekking. Hikkaduwa est connu des surfeurs. On peut aussi y observer les fonds marins, ainsi qu'à Unawatuna et à Polhena. La plupart des grands hôtels disposent de centres de remise en forme. *Pour la* ***plongée aux Maldives****, voir p. 26, 227 et 231.*

Le cricket, sport national

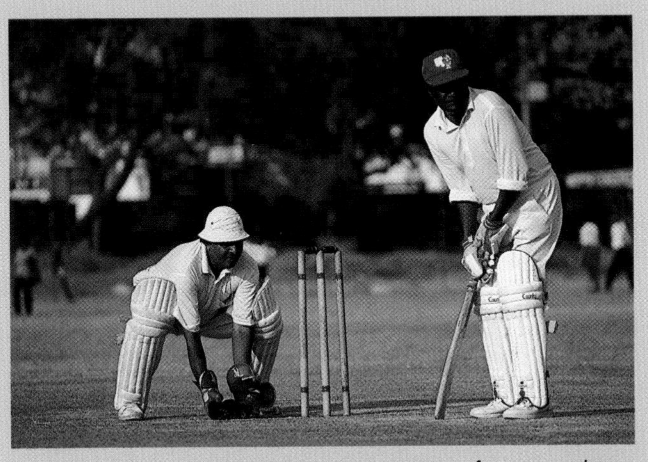

Le cricket, hérité de la présence britannique, connaît un vif succès populaire.

Comme le thé, le cricket fait partie de l'héritage anglais. Dès l'école, les jeunes garçons s'initient à ce sport d'équipe (11 participants) qui se pratique avec des battes et des balles de cuir et dont les règles peuvent paraître bien complexes. Retenons que le jeu se fonde beaucoup plus sur le talent que sur la force physique. Les joueurs de haut niveau sont de véritables vedettes locales. Les matchs retransmis à la télévision obtiennent une audience considérable, surtout depuis que l'équipe du Sri Lanka a remporté la coupe mondiale en 1996, face à l'Australie. Le cricket est la seule discipline que le Sri Lanka ait disputée à un niveau international. Pour découvrir le cricket sri lankais, faites une visite au **Cricket Club Café** de Colombo *(voir p. 121)*. ❖

Téléphone

Renseignements internationaux depuis la France ☎ 32.12.

Au Sri Lanka

Depuis plusieurs années, le Sri Lanka procède à d'importants travaux sur le réseau téléphonique, ce qui entraîne des changements de numéros fréquents. Les lignes étant insuffisantes, de nombreux établissements utilisent des portables (numéros commençant par 074, 075 ou 071, selon les compagnies). Ne vous étonnez donc pas de voir dans une même localité des numéros à 4, 5 ou 6 chiffres avec des indicatifs différents. La liaison par satellite est excellente. On peut louer des **téléphones portables**, mais les liaisons sont parfois très difficiles. On aura le choix entre Celltel, qui bénéficie de la plus large couverture, Dialog GSM, le seul téléphone numérique, et Mobitel.

➤ **Pour appeler l'Europe**, composez le 00 suivi de l'indicatif du pays de votre correspondant (33 pour la France, 32 pour la Belgique et 41 pour la Suisse). Tarifs réduits après 22 h.

➤ **Pour appeler le Sri Lanka.** Depuis l'Europe, composez le 00 (indicatif international) puis le 94 (indicatif du Sri Lanka), suivis de l'indicatif régional, sans le 0, puis du numéro de votre correspondant.

Principaux indicatifs téléphoniques

Ahangama	09	Anuradhapura	025	Bandarawela	057
Bentota	034	Beruwela	034	Colombo	01
Dambulla	066	Dikwella	041	Ella	057
Galle	09	Giritale	027	Habarana	066
Hambantota	047	Haputale	057	Hikkaduwa	09
Kalutara	034	Kandy	08	Kataragama	047
Kitulgala	036	Koggala	09	Kosgoda	09
Matale	066	Matara	041	Mirissa	041
Mount Lavinia	01	Negombo	031	Nuwara Eliya	052
Pinawella	035	Polonnaruwa	027	Sigiriya	066
Tangalle	047	Tissamaharama	047	Unawatuna	09
Weligama	041	Yala (parc national de)	047		

➤ **Pour téléphoner à l'intérieur du pays.** À l'intérieur d'une même ville ou même région, ne pas composer l'indicatif régional ; pour appeler d'une région vers une autre, composer l'indicatif avec le 0.

➤ **Cabines.** Les **cabines à carte** « Lanka Pay Phone », « Metro Card » ou « Super Card » permettent d'appeler de pratiquement partout. Les cartes (de 300 à 800 Rs) sont vendues dans la plupart des commerces. Une carte à 300 Rs correspond à une communication de 3 minutes avec l'Europe. Les tarifs sont minorés à partir de 22 h.

Aux Maldives

➤ **Pour appeler les Maldives.** Depuis l'Europe, composez le 00 (indicatif international), le 960 (indicatif des Maldives), puis le numéro de votre correspondant. La plupart des îles-hôtels possèdent une adresse **e-mail** et un **site Internet**.

➤ **Pour appeler l'Europe.** Depuis les Maldives, composer le 00 suivi du 960 et du numéro de l'abonné. Les communications par satellite sont excellentes mais très onéreuses. Compter pour l'Europe environ 25 US $ pour les trois premières minutes et 8 US $ pour chaque minute suivante.

➤ **Cabines.** On trouve des cabines à cartes à Malé mais rarement dans les îles-hôtels.

Toilettes

Celles des grands hôtels et de certains restaurants sont les plus fréquentables. Il en existe aussi dans certains lieux publics et sur certains sites comme Polonnaruwa. En dehors de ces endroits, vous n'en trouverez pas, ou mieux vaut les ignorer par mesure d'hygiène. Avoir toujours en poche un paquet de mouchoirs en papier s'avère une sage précaution.

Transports

Voir tableau des distances p. 252.

Au Sri Lanka

Le Sri Lanka possède un réseau de 20 000 km de routes goudronnées. Bien que souvent en mauvais état, elles permettent d'aller partout. Le trafic se fait en principe à gauche, mais peu de gens respectent le code de la route. Les chauffeurs locaux sont intrépides, voire dangereux. Les animaux circulent souvent en toute quiétude sur la chaussée, la population traverse sans regarder, et les deux-roues se livrent à

L'île aux gemmes

On connaît au Sri Lanka plus de 25 variétés de gemmes. Si les perles, qui faisaient jadis l'objet d'une exportation importante, ont disparu, on y trouve nombre de rubis et de saphirs, et, parmi les pierres fines ou semi-précieuses, des grenats, des topazes, des tourmalines et des pierres de lune.

L'œil et le sang des dieux

Le **rubis** est, comme le saphir, un oxyde d'aluminium, ou corindon, très dur et limpide, auquel des traces d'oxyde de chrome donnent une coloration rouge. L'éclat de la couleur accroît la valeur de la pierre. Deux rubis célèbres proviennent de l'île: le Rosser (138 carats) et le De Long Star (100 carats).

Les mines de Ratnapura (d'où fut extrait, en 1815, le plus gros saphir de la couronne d'Angleterre: plus de 400 carats!) livrent la plupart des **saphirs**. Un joaillier de Colombo en détiendrait un exemplaire de plus de 480 carats. S'il existe des pierres jaunes, roses, blanches ou dorées, seuls les saphirs bleus ont de la valeur, notamment les bleu roi, les bleu clair étant plus répandus. Le « saphir d'eau », assez clair, n'a de saphir que le nom, sa composition étant beaucoup moins dense que celle de la véritable pierre.

Brillant de mille feux...

Les **grenats** sont des silicates d'aluminium. Sur l'île domine la variété rouge-brun, avec des traces violacées dues à des inclusions d'oxyde de fer et de chrome. Plus lumineux que les rubis, dont ils empruntent parfois le nom, ils n'en ont cependant pas l'éclat et sont d'un prix plus abordable. Pierre populaire, bon marché, la topaze est incolore, jaune ou vert clair. Prenez garde aux topazes fumées: ce ne sont en général que des quartz artificiellement teintés. L'**alexandrite** est une topaze qui, verte à la lumière du jour, devient violette sous un éclairage artificiel. L'**œil-de-chat**, variété favorite des maharajas, donne au cabochon une lumière chatoyante due à la disposition des cristaux en fines bandes parallèles. Une confusion est plus ou moins entretenue avec l'**œil-de-tigre**, un quartz où l'on observe le même phénomène de chatoiement. L'**aigue-marine** est le seul des béryls que l'on trouve dans l'île. Elle produit les plus pures d'entre les **pierres de lune**. Les reflets laiteux et nacrés qui leur ont valu ce nom rappellent ceux de l'opale, dont elles n'atteignent toutefois pas la valeur. Du bleu *(indicolite)* au rouge *(rubellite)* en passant par le jaune *(dravite)*, le vert ou l'incolore *(achroïte)*, les **tourmalines** sont des silicates de composition très variable. Leur nom viendrait de *turamali*, en singhalais, «qui attire les cendres» car, lorsqu'on la chauffe, la tourmaline se charge d'électricité statique, propriété qui la rend très appréciée des cristallothérapeutes. Les **zircons** offrent une grande variété de nuances dans les jaunes et les bruns. Incolores, ils peuvent vous être proposés comme des diamants. Ne vous y laissez pas prendre: il n'y a pas de diamants au Sri Lanka, pas plus qu'il n'y a d'émeraudes. ■

Voir aussi nos conseils d'achat p. 46.

Les chercheurs de pierres s'enrichissent rarement de leurs découvertes. Seuls la taille et le polissage de la pierre lui donnent de la valeur.

Chauffeur, seul maître à bord

La personnalité du conducteur de voiture est aussi importante que l'état de son véhicule. Pendant la durée du circuit, il sera le seul maître à bord. S'il existe de nombreux chauffeurs serviables, honnêtes et désireux de vous laisser un souvenir inoubliable de leur pays, il en est d'autres en revanche qui risquent de vous imposer étapes, restaurants, hôtels, en fonction des avantages qu'ils obtiennent dans ces différents établissements. Préparez votre itinéraire, et discutez-en avec le chauffeur avant le départ, si cela n'a pas été fait avec l'agence. En outre, indiquez le type d'hôtel dans lequel vous souhaitez descendre, c'est-à-dire plus prosaïquement la somme que vous envisagez de dépenser par jour. Insistez aussi sur le fait que vous n'êtes guère amateur de shopping (même si c'est faux), sinon votre véhicule s'arrêtera automatiquement devant le moindre atelier de batik et la plus modeste échoppe d'artisanat. Les chauffeurs ont des commissions sur tous vos achats. Signalez enfin les sujets qui vous intéressent particulièrement : monuments, flore, faune, religion, vie sociale, contacts humains, etc. Et surtout, ne montrez jamais trop de familiarité avec votre chauffeur, ce qui ne vous empêche pas de sympathiser. En observant ces quelques règles élémentaires, vous aurez toutes les chances de réussir votre circuit.

de véritables épreuves de gymkhana. La vitesse est limitée à 64 km/h sur les routes et à 40 km/h en agglomération, mais personne ne respecte ces règles. Dans de pareilles conditions, le klaxon devient un élément vital, et vous comprendrez que l'on vous déconseille ici le bus et les voitures sans chauffeur !

➤ **La voiture avec chauffeur.** C'est la formule la plus sage et la plus économique. La **location d'une voiture** avec chauffeur, tous frais compris (essence, hébergement et rémunération du chauffeur), coûte env. 1 800 FF pour une semaine et pour 1 400 km maximum. La plupart des agences procurent des véhicules en bon état, conduits par des chauffeurs qui parlent anglais sinon français. Comme ils connaissent bien le pays, vous n'aurez pas besoin d'un guide interprète. Se méfier cependant de certaines agences ayant un comptoir à l'aéroport, et ne pas louer de voiture non agréée par l'État.

➤ **La voiture sans chauffeur.** Compte tenu des risques d'accident, les loueurs demandent une importante caution, le permis local et le permis de conduire international. Cela n'exclut pas les mille et un problèmes qui peuvent survenir, depuis l'absence de panneaux indicateurs sur les routes jusqu'à l'emprisonnement en cas d'accident. Déconseillé, donc…

➤ **Les deux-roues.** Il est possible de louer des motos à Colombo et dans tous les centres touristiques. Vérifiez si l'assurance vous couvre en cas d'accident. De nombreux jeunes sous-louent leur moto sans garantie. Les mises en garde pour la conduite de voitures sans chauffeur sont valables *a fortiori* pour les motos. Le port du casque est obligatoire. Dans les stations touristiques, vous pourrez louer des bicyclettes pour vous déplacer sur de courtes distances.

➤ **L'autobus.** Plusieurs milliers d'autobus sillonnent les routes de l'île, roulant très vite et toujours bondés. Les conducteurs n'ont peur de rien, pas même des accidents, pourtant fréquents. Seuls les bus *Intercity Express*, qui assurent les trajets longue distance, sont relativement fiables. Confortables, climatisés, ils relient entre elles les principales villes de l'île. *Gares routières de Colombo, voir p. 126.*

➤ **Le train.** Le réseau ferré compte 1 450 km de voies, construites par les Anglais. Les trains sont fréquents, mais très lents, et les horaires, incertains. Nous vous conseillons les express. Toutes les rames « longue distance » possèdent deux classes (2e et 3e classes). **Horaires des trains et réservations** à la **Fort Railway Station** de Colombo *(voir p. 126).*

Les principales lignes de train

L'*Intercity Express* relie **Colombo** à **Kandy** en 2 h 30. Les places doivent être réservées au moins 24 heures à l'avance. Une réduction est appliquée si l'on achète en même temps l'aller et le retour, qui sont valables 10 jours.

La ligne **Colombo/Badulla** (*Mahanuwara Express*; comptez 10 à 11 h de trajet) dessert Kandy (3 h), Hatton, Nanu Oya, Ohia, Haputale, Ella, Bandarawela, et traverse d'étonnants paysages de collines au pied des montagnes. L'*Udarata Menike* dessert aussi le centre montagneux.

- La **ligne du Sud** dessert toutes les localités de la côte de **Colombo** à **Matara** (entre 3 h 30 et 4 h 30 de trajet) *via* Hikkaduwa et Galle.
- La ligne **Colombo/Vavuniya** dessert Kurunegala et **Anuradhapura** (4 h 50 de trajet).
- La ligne **Colombo/Trincomalee** (environ 8 h) dessert **Habarana**, d'où des bus permettent de gagner Sigiriya et Dambulla.
- Une ligne secondaire relie **Colombo** à **Puttalam** *via* Negombo.
- Deux autres trains express relient **Colombo** à **Kandy** en 2 h 30 et à **Badulla** (6 h 30 à 7 h).

Aux Maldives

Des **hydravions** vous permettront d'amerrir sur plusieurs îles *(voir p. 227).*

Il n'existe aucune liaison régulière entre les îles, mais ne craignez rien : vous pourrez toujours sortir de celle où vous avez choisi de résider. En effet, des **bateaux à moteur** effectuent des excursions et pourront vous déposer sur d'autres îles. À partir de votre île-hôtel, vous pourrez participer à une excursion ou louer un bateau à voile ou à moteur *(dhoni)*, ou encore un *speed boat*, pour passer une journée dans l'archipel.

Urgences

Vous trouverez dans les pages pratiques de Colombo et de Kandy *(p. 125 et 198)* les numéros utiles en cas d'accident. En dehors de ces villes, s'adresser à la police ou à la réception des hôtels.

Voltage

Au Sri Lanka comme aux Maldives, courant alternatif 220-240 V. Un adaptateur pour prise multiple, souvent nécessaire, vous sera fourni par la réception de l'hôtel.

DÉCOUVRIR

Yapahuva,
l'escalier du temple de la Dent,
qui date du XIIIe siècle.

HÉRITAGE

Fresque du Lankatilaka (Kandy).

Pendant vingt-trois siècles, 180 rois se succèdent sur le trône du Sri Lanka, acteurs d'une histoire tumultueuse où des guerres dévastatrices et fratricides alternent avec des périodes exceptionnelles de faste et de prospérité. Entièrement manuscrit sur des feuilles de tallipot, un texte précieux, le *Mahavamsa*, rapporte avec force détails la destinée de l'île durant vingt siècles. Le ***Mahavamsa***, ou *Généalogie de la Grande Dynastie*, fut rédigé en pali, langue ancienne de l'Inde, au VIe s. av. J.-C., par les moines du Mahavihara, le Grand Monastère d'Anuradhapura *(voir p. 132)*. Cette chronique imagée des temps anciens raconte les origines de l'île jusqu'à l'an 352 ; il est complété par le ***Culavamsa***, ou *Généalogie de la Petite Dynastie*, qui traite des événements survenus jusqu'en 1758. Découvertes et traduites par des Anglais au XIXe s., ces Chroniques royales, rédigées dans un style poétique et imagé où se mêlent légendes et faits historiques, sont souvent partisanes et ont nourri le mouvement nationaliste actuel.

Si l'on ajoute à ces chroniques les inscriptions découvertes par les archéologues, on peut penser qu'aujourd'hui, l'histoire complexe du Sri Lanka se présente à nous sans trop de lacunes.

Du mythe à l'histoire : conquêtes et capitales

Les enfants du lion

Des astrologues avaient prédit à un roi de Vanga (au Bengale) que sa fille unique, alors toute petite, serait un jour « l'épouse du roi des animaux ». Effrayé, le rajah séquestra l'enfant. En vain : devenue jeune fille, celle-ci s'enfuit du palais paternel et fit route vers l'inconnu avec une caravane de marchands. Durant la traversée d'une région désertique, le convoi fut attaqué par un lion. Les marchands se sauvèrent. La jeune fille ne put les suivre et fut rejointe par l'animal qui, ému par sa beauté, ne lui fit aucun mal, mais l'emporta dans sa caverne. Ils s'aimèrent, et de cette union naquirent deux jumeaux qui allaient vivre un destin fort aventureux. Après de multiples péripéties contées dans le *Mahavamsa* et le *Dipavamsa* *(voir p. 132)*, leurs nombreux descendants fondèrent le **royaume de Lanka**, dans l'île du même nom. Ce peuple fondateur prit le nom de Sinhala, les « Fils du lion ». De ce mythe des origines, les Sri Lankais conservent l'idée qu'ils sont les descendants d'un lion, qui figure sur le drapeau national.

Plus précisément, c'est **Vijaya**, prince d'origine indo-européenne et chef des Sinhala, qui est considéré comme le fondateur de la race singhalaise. Il serait venu en exil d'un royaume du nord-ouest de l'Inde vers 483 av. J.-C., le jour de la mort du Bouddha *(voir p. 84)*, avec une suite de 700 personnes. Les arrivants ne trouvèrent guère à Lanka que des tribus primitives, vivant dans les montagnes et les forêts. Ils s'installèrent dans la région où se trouve actuellement la ville de Puttalam. Ils avaient apporté avec eux leur langue, le pali, la religion brahmanique, des connaissances réelles de l'agriculture, et un évident esprit d'entreprise. Leurs installations devinrent vite prospères et leur descendance nombreuse, même si la dynastie dura moins d'un siècle.

Terre de légendes

Le Sri Lanka occupe une place toute particulière dans la tradition et la littérature arabes. Les premiers navigateurs, découvrant des côtes riches et hospitalières, fort différentes de leurs rivages arides, pensaient avoir découvert l'Éden.

N'oublions pas que les aventures de **Sindbad le marin** se déroulent en partie sur les côtes de l'île, où **Adam** et ses premiers descendants auraient trouvé refuge après le péché originel. Notre ancêtre serait même enterré à côté d'**Ève** à Talaimannar (littéralement « la tête de Mannar »), à la pointe nord de l'île. Les récifs et petites îles qui parsèment le détroit entre le Sri Lanka et le continent indien sont, selon les musulmans, les vestiges du « **pont d'Adam** » qui reliait autrefois les deux pays.

Les **tombeaux d'Abel et de Caïn**, quant à eux, se situeraient près de Rameswaram, de l'autre côté de cette « chaussée des Géants ». Selon la mythologie hindoue, **Hanuman**, le dieu singe, l'emprunta pour aller prêter main forte à Rama, parti en guerre contre Ranana, le roi de Ceylan qui avait enlevé son épouse Sita.

Les noms de l'île resplendissante

Selon des sources indiennes du premier millénaire avant notre ère, l'île portait déjà le nom de Lanka, qui signifie en sanscrit « la Resplendissante ». Elle prit ensuite celui de Tambapanni, « brillante comme le cuivre », en raison de la latérite rouge mêlée à son sable. Sa position qui la plaçait au carrefour des routes commerciales et des échanges dans l'océan Indien explique les fréquents changements de nom de l'île : chaque nouvel arrivant renommait à sa convenance l'île du Lanka. Le nom de Tambapanni fut ainsi déformé par les Grecs en Taprobane, au IIIe s. av. J.-C. Retour aux mythes de la fondation, l'île retrouva ensuite le nom de Sinhaladipa, « l'île des Lions », mot sanscrit et singhalais qui donna ensuite Singhalam et Singhaladivu en tamoul. Tous ces noms évoquaient les lions, c'est-à-dire les conquérants venus du nord.

Pour les marchands arabes qui y abordèrent au VIIIe s., l'île prit le nom de Serendib, à l'origine du mot *serendipity*, inventé par les Anglais au XVIIIe s., et qui peut se traduire par « le don de faire de bonnes découvertes par hasard ».

Plus tard, des Portugais, poussés par les vents vers cette bonne fortune, nommèrent l'île **Ceilao** ; les Hollandais en firent Zeilan, les Anglais Ceylon, et les Français Ceylan, nom qu'elle porta jusqu'au 22 mai 1972, date à laquelle elle reprit son nom primitif de Lanka, précédé de Sri (joie, bénédiction), qui y ajoute une connotation sacrée. ❖

Anuradhapura, première grande capitale

Pandukabhaya, successeur de Vijaya, fonde en 437 av. J.-C. la ville d'Anuradhapura, qui devient pour dix siècles la capitale du Sri Lanka. C'est là que régna **Dewanampiya Tissa** qui, après avoir reçu le messager du roi Asoka, se convertit lui-même et convertit tout le pays au **bouddhisme** en 247 av. J.-C. *(voir encadré p. 82)*. Aux palais qu'il avait déjà édifiés s'ajoutèrent de vastes monastères et des monuments bouddhiques grandioses. Son règne dura quarante ans, dans une faste tranquillité.

Les Tamouls, des conquérants venus d'Inde

L'arrivée des Tamouls, des conquérants venus du sud de l'Inde, marque les siècles qui suivent. Un de leurs chefs, **Elara** (v. 204-161 av. J.-C.), confisqua le trône d'Anuradhapura et y demeura 44 ans. Bien que de religion brahmanique, il protégea les institutions bouddhiques et acquit ainsi une légendaire réputation d'équité et d'impartialité. Une importante partie de Lanka se trouvait dès lors sous domination tamoule.

Dans la région de **Ruhuna**, où se situe le sanctuaire de Kataragama, régnait sur un minuscule royaume un petit-fils de Dewanampiya Tissa, qui avait lui-même deux fils, **Gamini** et **Saddha Tissa**. Il les plaça devant trois parts de riz et leur fit jurer, quand ils mangèrent la première, de soutenir la communauté des moines ; à la deuxième part, de ne jamais se quereller entre eux ; et à la troisième, de ne jamais prendre les armes contre les Tamouls. Les deux fils avaient souscrit de bonne grâce aux deux premières clauses, mais ils se révoltèrent devant la troisième, et Gamini préféra jeter son riz plutôt que d'accepter cette condition. Le jeune garçon, après **quinze ans de batailles** sans pitié, l'emporta sur les Tamouls en 161 av. J.-C., tua le roi Elara en combat singulier, s'empara de son trône à Anuradhapura et devint le héros national des Ceylanais, l'illustre roi Dutugemunu (161-137 av. J.-C.).

À son tour, il dota Anuradhapura, sa capitale, de nombreux **édifices**, tels le palais de Bronze ou les *dagoba* Mirisavati et Ruvanvelisaya *(voir p. 132 à p. 134)*. Comme sous celui de Dewanampiya Tissa, la civilisation singhalaise connut sous le règne de Dutugemunu une période de grand éclat.

Après Dutugemunu le coléreux, une période de troubles toujours consécutifs aux invasions tamoules valut au royaume d'Anuradhapura des moments difficiles; ils n'entravèrent toutefois pas l'action de certains souverains éclairés, qui poursuivirent notamment la **construction de canaux et de barrages** à travers toute l'île afin de former d'immenses lacs artificiels, seul moyen de **développer l'agriculture**. Cette œuvre colossale unique au monde émerveille les ingénieurs modernes, étonnés par les connaissances des techniciens ceylanais d'il y a quinze siècles en matière d'hydraulique et d'irrigation. Retenons les noms de deux de ces grands constructeurs de barrages : **Mahasena** (v. 276-v. 303) et **Dhatusena** (459-477).

Faxian, moine-pèlerin chinois

Connu au Sri Lanka sous le nom de Fa-Hien, Faxian (v. 340-v. 413 apr. J.-C.) est l'un des auteurs anciens qui contribuèrent le plus à la connaissance et à la divulgation des textes fondateurs du bouddhisme. Parti sur les traces du Bouddha, ce grand voyageur traversa le désert de Gobi et les Himalayas avant d'embarquer d'un port du Bengale pour l'île de Ceylan où il passa deux années, en 410 et 411 apr. J.-C. Avec ses compagnons, il séjourna principalement dans la capitale, Anuradhapura. De ce grand centre religieux où 5000 moines habitaient le monastère d'Abhayagiri *(voir p. 136)*, il rapporta des témoignages précieux et des descriptions hautes en couleur, comme la procession de la Relique de la Dent et la Crémation du grand prêtre du Mahavihara *(voir p. 170)*. Il rédigea sur des tablettes de bambou et des rouleaux de soie le récit plein de rigueur et d'observation de la vie quotidienne des pays traversés.

Durant son périple de treize années (de 399 à 412), qui le conduisit jusqu'en Inde, avant un retour en Chine en passant par Ceylan et Java, Faxian étudia le sanscrit, les règles monastiques et transcrivit des textes inconnus dans son pays, ou en trop mauvais état pour être utilisés, concernant notamment le *Vinaya*, le code de discipline bouddhique. À son retour, ses contemporains découvrirent, entre autres, les Règles du Bouddhisme Theravada, et des ouvrages sur la théorie de la formation de l'Univers. Ce moine érudit consacra sa vie à la diffusion et à la connaissance du bouddhisme. ❖

Le roi parricide de Sigiriya

Un des sites les plus surprenants du Sri Lanka est celui de **Sigiriya** *(voir p. 159)*. Contemporain de Clovis, le roi Kasyapa (477-495), artiste raffiné mais cruel et sans scrupule, s'empara du trône de son père après l'avoir assassiné. Craignant à juste titre la vengeance de son demi-frère, il chercha un lieu inexpugnable où bâtir une résidence fastueuse, et trouva le rocher de Sigiriya. Il y réalisa son projet et demeura dix-huit ans dans le luxe. Cependant, son frère formait une armée en Inde. Il arriva devant Sigiriya avec elle en 495 pour mener une lutte brève, mais terrible. Vaincu, Kasyapa se trancha la gorge.

Polonnaruwa, nouvelle capitale

Pendant cinq siècles encore, des **luttes fratricides** pour la conquête du pouvoir sévirent à Anuradhapura. Les occupations tamoules se multiplièrent également. En 1001, la vieille capitale subit l'une des pires **invasions** de son histoire. Toute l'île, sauf la région de Ruhuna, fut annexée au royaume des **Chola**, une dynastie du sud de l'Inde qui avait construit une formidable **puissance maritime**, dont le rayonnement s'étendait de son centre, au Tamil Nadu, jusqu'à l'ouest de l'archipel indonésien, tandis que le roi Mahinda V était emmené en captivité.

C'est alors que, suivant l'exemple de Dutugemunu (161-137 av. J.-C.), un prince de Ruhuna entreprit et réussit à son tour la **reconquête du pays**. Entrant triomphalement en 1070 à Anuradhapura, il en devint roi sous le nom de **Vijaya Bahu Ier**. En 1073, il transporta sa nouvelle capitale à 80 km au sud, dans la ville de **Polonnaruwa**, qui brilla du même éclat qu'Anuradhapura. Deux souverains retiennent l'attention, dont le souvenir est omnipré-

Le rocher de Sigiriya. Sur ce roc subsistent les ruines du palais grandiose du roi Kasyapa, le palais-forteresse « au milieu des nuages ».

Ibn Battuta, ou le goût de l'aventure

Né à Tanger dans une famille aisée, Ibn Battuta (1304-1368) effectua son premier pèlerinage à La Mecque à l'âge de 21 ans. Ce fut le point de départ d'une passion qui allait dominer sa vie : découvrir le monde. Il parcourut les routes des grandes caravanes en Égypte et en Syrie, se fixa une année en Irak, revint à La Mecque puis s'établit à Delhi, où il fut même nommé juge.

Poursuivant son périple, il atteignit les Maldives et y vécut dix-huit ans. Il y écrivit de très belles pages sur la vie quotidienne et sur les femmes dont il voulait changer les mœurs – il les connaissait bien puisqu'il pratiquait la polygamie. Il dut cependant quitter l'île précipitamment, suite à un différend avec le Grand Vizir.

Ibn Battuta arriva à Ceylan en 1344. Si son séjour dans l'île n'a pas excédé un mois, son témoignage n'en est pas moins précieux, les voyageurs occidentaux ayant été rares au cours des siècles suivants. En bon musulman, Ibn Battuta gravit le pic d'Adam, haut lieu de pèlerinage universel *(voir p. 192)*. Il visita Galle, Colombo et Puttalam où il rencontra le souverain le plus puissant de l'île, le Tamoul Arya Chakravarty, qui l'accueillit avec un régime de faveur et le couvrit de cadeaux : rubis, topazes, saphirs.

À son retour au Maroc, et sur ordre du sultan, Ibn Battuta dicta le récit de ses pérégrinations. Comme son contemporain Marco Polo, le Maure de Tanger fut un véritable aventurier doué d'un talent de conteur. Les pages de son périple ont été traduites en français sous le titre ***Voyages*** (3 tomes, rééd. La Découverte/Poche, 1997). ❖

sent dans Polonnaruwa : le petit-fils de Vijaya Bahu, Parakrama Bahu Ier (1153-1186 ; Bahu signifie « le Grand », *voir encadré p. 149)*, et Nissamkamalla (1187-1196). En 33 ans de règne, **Parakrama Bahu** fut étonnamment actif. Il fit sortir de terre une ville de féerie : fortifiée par deux murailles concentriques, la cité palatiale se doublait, au nord, d'une cité monastique. Palais somptueux et lieux saints furent édifiés au milieu de parcs et de jardins : on doit à Parakrama Bahu l'édification du « **temple de Pierre noire** », le Kalu Gal Vihara *(voir p. 156)*, le complexe monastique de l'Alahena Pirivena *(voir p. 154)*, ou encore la conception des jardins d'agrément du Kumara Pokuna *(voir p. 150)*. Un système d'irrigation approvisionnait en eau la ville et la plaine environnante, grâce à un réservoir d'une telle ampleur qu'il était connu sous le nom de « mer de Parakrama » – Parakrama Samudra, un immense lac qui demeure de nos jours *(voir p. 147)*. **Nissamkamalla** succéda à Parakrama Bahu, auprès de qui il avait occupé une place importante. Lui aussi fut un bâtisseur : outre le palais qu'il se fit bâtir dans la nouvelle capitale *(voir p. 149)*, on lui doit le **Hatadage** qui devait abriter la dent de Bouddha *(voir p. 152)* ou encore le **Rankot Vihara**, le plus grand *dagoba* de Polonnaruwa. Mégalomane, il poussa l'idée d'une capitale prestigieuse jusqu'à la déraison et acheva de conduire le royaume au bord de la faillite – son prédécesseur, dans ses projets de gigantisme architectural, avait déjà largement dilapidé la fortune de la ville.

Un pouvoir itinérant

Vingt ans à peine après le règne de Nissamkamalla, les raids des pirates malais mirent à nouveau à mal le royaume. La brillante cité de Polonnaruwa se dégrada peu à peu pour être abandonnée et devenir la proie de la jungle. Des **capitales nouvelles et éphémères** se succédèrent: **Dambadeniya** (1222-1271, *voir p. 147*), **Yapahuva** (1271-1283, *voir p. 129*), **Kurunegala** (1284-1346, *voir p. 129*), **Gampola** (1347-1410, *voir p. 182*), et enfin **Kotte** (1410-1505, *voir p. 116*), dont les souverains, trop faibles, ne purent jamais retrouver la gloire passée.

Pendant trois siècles au cours desquels des luttes intestines fragilisèrent la situation politique et économique de l'île, le pouvoir se déplaça constamment vers le sud-ouest. Les dissensions au sein du pouvoir, la recherche d'un climat humide propice aux cultures contribuèrent elles aussi à cet exode. Dans leur fuite, les souverains perdaient chaque fois un peu de leur prestige. Mais les reliques sacrées, principalement la **Dent** *(voir p. 179)*, symbole de leur autorité et véritable talisman, ne les quittaient jamais.

Le rayonnement des marchands

Premiers comptoirs portugais

En novembre 1505, une flotte portugaise au service du vice-roi de l'Inde et conduite par **Lourenço de Almeida** prend en chasse des pirates mauresques. Mais les courants contraires de la mousson du Sud-Ouest la contraignent à se réfugier dans le port de Galle. L'aumônier du bord, un moine franciscain, considère comme une intervention divine ce vent qui les conduit à s'abriter dans un comptoir si prospère: la **première expédition portugaise** débarque dans l'île.

Le **roi de Kotte** apprend aussitôt la nouvelle par un messager affolé: «Il vient de débarquer dans notre port des hommes à peau blanche, et qui sont très beaux. Ils portent des gilets et des casques de fer... Ils ne tiennent pas en place... Ils mangent de gros morceaux de pierre blanche et boivent du sang... Ils ont des armes qui font plus de bruit que le tonnerre, et les balles qu'ils tirent peuvent casser un château de marbre à une lieue...» Les nouveaux arrivants mangeurs de pain et buveurs de vin n'étaient que des aventuriers à la recherche de territoires où commercer, sur des routes maritimes qu'ils découvraient, à la suite des explorateurs indiens et arabes. Le pays leur plut. À Negombo, Colombo, Galle ou Puttalam, ils installèrent des **comptoirs**, bâtirent des **forts** (dont celui de Galle, *p. 204*), introduisirent la **religion catholique romaine**, édifièrent des **églises** de style manuélin. Leurs prêtres baptisèrent en grand nombre les nouveaux convertis, ancêtres des Fernando, Pereira ou da Silva actuels. Habilement, ils surent tirer parti, dans leur conquête, des dissensions entre les rois de Kotte et ceux de Kandy; du coup, leur colonie devint si florissante qu'elle suscita l'envie des

Hollandais déjà établis dans l'océan Indien. Disposant de navires rapides et bien armés contre les vents, ceux-ci, dès 1658, prirent la place des Portugais.

Les Hollandais, ancêtres des Burghers

Excellents commerçants comme leurs prédécesseurs portugais, garantis par d'opulentes compagnies, les Hollandais développèrent considérablement le **négoce**, particulièrement celui des **épices**. Ils édifièrent de nombreuses **églises du culte réformé**, comme celle de Wolfendhal à Colombo *(p. 112)*, un culte qui ne parvint toutefois jamais à remplacer celui qu'avaient apporté les Portugais. Ils bâtirent d'innombrables édifices et même des villes, creusèrent des canaux, tracèrent des routes... Certains se marièrent avec des Singhalaises, comme en témoignaient hier encore les **Burghers** (aujourd'hui, nombre d'entre eux ont quitté le pays ; *voir p. 82*).

La suprématie des Hollandais dura jusqu'au début du XIXe s. Les Anglais, installés dans l'Inde voisine, s'intéressèrent vivement à leur tour au Sri Lanka dont ils devinrent les maîtres en 1815.

La fin d'un royaume et la mainmise britannique

Dès 1797, après avoir pris pied successivement à Trincomalee, Negombo, Jaffna et enfin Colombo, l'Angleterre possédait toutes les provinces maritimes de Ceylan. En 1802, à la faveur des guerres napoléoniennes, l'île fut déclarée **colonie de la Couronne britannique**. Mais Sri Vikrama Rajasinha, qui régnait toujours sur la **province de Kandy**, ne cédait pas : il fallut plusieurs années de pour-

« Chasse aux éléphants dans l'île de Ceylan ». Gravure, s. d., archives d'Outre-Mer, Lisbonne.

Les principaux souverains de Ceylan

Vijaya, roi « fondateur » de la race singhalaise (Ve s. av. J.-C.)

Dewanampiya Tissa	250-210 av. J.-C.
Dutugemunu	161-137 av. J.-C.
Bhatiya Tissa	22 av. J.-C.-7 apr. J.-C.
Vasabha	65-109
Dhatusena	459-477
Kasyapa	477-495
Mahinda II	935-938
Mahinda IV	975-991
Mahinda V	XIe s.
Vijaya Bahu Ier	1055-1110
Parakrama Bahu Ier	1153-1186
Nissamkamalla	1187-1196
Parakrama Bahu II	1236-1270
Parakrama Bahu III	1287-1293
Parakrama Bahu IV	1293-1327
Parakrama Bahu VI	1411-1466
Vikrama Bahu Ier	1474-1511
Vikrama Surya	1592-1603
Rajasinha II	1635-1687
Kirti Sri Rajasinha	1747-1782
Sri Vikrama Rajasinha	1798-1815

Ceylan en capitales

Anuradhapura	500 av. J.-C-993 apr. J.-C.
Rohana	993-1055
Polonnaruwa	vers 850, puis 1055-1235
Kandy	vers 1542-1815
Dambadeniya	1222-1271
Yapahuva	1271-1283
Kurunegala	1284-1346
Gampola	1347-1410
Kotte	1410-1505

parlers puis de mises en demeure et enfin de guerres, jusqu'à ce que, le 14 février 1814, les troupes anglaises définitivement victorieuses entrent à Kandy. Le roi se montra d'une cruauté sans pareille dans les derniers mois de son règne. Finalement capturé et déporté sur l'île Maurice où il mourut, il laissa l'**Angleterre** entièrement maîtresse de Ceylan, le 2 mars 1815. Les Britanniques développèrent considérablement l'**agriculture**, entreprenant de rénover les installations d'irrigation laissées à l'abandon depuis des siècles. Ils équipèrent le pays de **routes** et de **lignes de chemin de fer**. Ils luttèrent avec succès contre les maladies, notamment la

L'architecture coloniale témoigne des présences européennes successives au Sri Lanka. Maison de style hollandais.

malaria. Ils s'intéressèrent aux anciennes capitales, presque totalement enfouies sous la jungle, et inaugurèrent la **restauration de nombreux monuments**. Ce sont eux qui développèrent les plantations de cocotiers, introduisirent les cultures de café, d'hévéa, de thé. Les habitants de Lanka leur doivent en outre – sans parler du cricket ! – leur régime parlementaire, et la précieuse langue anglaise qui permit l'expansion des relations commerciales et culturelles à un niveau international.

Vers l'indépendance

Même si les Sri Lankais sont conscients aujourd'hui de tous les apports britanniques, un véritable malaise dans le domaine politico-social se fit sentir dès 1930, quand émergea un mouvement pour l'indépendance du pays. En **1948**, Ceylan obtint au sein du Commonwealth le statut de **dominion**, avec un gouverneur général ceylanais nommé par le roi d'Angleterre, mais aussi un Parlement, composé de deux chambres, et un Premier ministre indépendants ; l'île se dota alors d'un nouveau drapeau *(voir encadré p. 66)*.

Don Stephen Senanayake (1884-1952) fut Premier ministre dans le nouveau gouvernement en 1948. Fondateur de l'**United National Party (UNP)**, ce conservateur réussit à constituer un système où Singhalais, Tamouls et musulmans administraient ensemble le jeune État indépendant. Après quatre années de pouvoir, son fils Dudley lui succéda. Mais un mouvement de mécontentement gagnait peu à peu les classes les plus défavorisées, sous l'impulsion des moines bouddhistes.

Une période troublée

Solomon West Ridgeway Dias Bandaranaike accéda au pouvoir lors des élections de 1956. Ancien collaborateur de Senanayake, il avait rompu avec lui en 1951 pour entrer dans l'opposition et fonder son propre parti, le **Sri Lanka Freedom Party (SLFP)**, composé d'une coalition de marxistes et de bouddhistes. Ce grand bourgeois anobli par les Anglais força ceux-ci à évacuer leurs dernières bases. Il fit voter des nationalisations, prit la défense des plus défavorisés, et tenta une réforme agraire ; mais en décrétant le **singhalais langue officielle**, il provoqua l'hostilité chez les Tamouls. De violentes **luttes raciales** entre Singhalais et Tamouls et des tensions permanentes à l'intérieur du SLFP marquèrent son gouvernement. Assassiné le 26 septembre 1959 par un membre d'un parti d'opposition récemment créé, le **Front uni des Bhikkhu**, il devint un héros national. Sa femme, **Sirimavo Bandaranaike**, qui n'avait jamais fait de politique, devint Premier ministre à sa place, et première femme au monde à porter ce titre. Elle se familiarisa vite avec le pouvoir. S'alliant aux partis de gauche, elle fit évoluer la politique intérieure vers le **socialisme**, nationalisant les écoles, la presse et diverses industries. Les difficultés persistant en économie, les conservateurs l'emportèrent aux élections de 1965. Le pouvoir fut de nouveau confié à **Dudley Senanayake** qui, durant cinq ans, tenta de sortir son pays de la crise, avec l'aide des États-Unis. Mais il fut impuissant à redresser la situation et l'opposition, formée principalement de partis trotskistes et communistes, gagna les élections en 1970.

Le drapeau sri lankais

Lourd de symboles, le **drapeau du Sri Lanka** est formé de deux panneaux juxtaposés, bordés de jaune. Celui de gauche, le plus petit, comporte deux bandes verticales correspondant aux minorités de l'île (en vert : les musulmans ; en orange : les Tamouls hindouistes). Celui de droite reproduit l'ancienne bannière du royaume kandyen avec le lion brandissant un glaive ; aux quatre angles, les feuilles de l'arbre sacré évoquent la religion nationale, le bouddhisme. L'emblème que l'on voit le plus souvent sur les monuments n'est pas le drapeau national, mais celui des bouddhistes, composé des couleurs de l'arc-en-ciel. ❖

Mouvements étudiants

Mme Bandaranaike retrouva ainsi son poste de Premier ministre, dans une conjoncture toujours médiocre, malgré des **nationalisations** massives et une **réforme agraire** qui fixait à une vingtaine d'hectares la superficie maximale pour chaque propriétaire. Au début de 1971, des étudiants prônèrent un **soulèvement contre la bourgeoisie** et se répandirent dans les campagnes. L'armée intervint. On ne connaîtra jamais le bilan exact de cette insurrection, mais les observateurs les plus impartiaux estiment à 5 000 le nombre de morts. Mme Bandaranaike eut beaucoup de difficultés à dépasser cet épisode sanglant qui entachait son second mandat. Recevant des subsides de la Chine, elle ordonna de nouvelles nationalisations, reconnut officiellement les syndicats, invita à Colombo la Conférence des pays non alignés, maintint durant six ans l'état d'urgence et proclama le **22 mai 1972** la **République du Sri Lanka**. Ainsi naquit la république libre et souveraine actuelle, Ceylan reprenant officiellement son ancien nom, l'« île resplendissante ».

L'espoir d'une nouvelle nation...

En dépit de ces efforts, l'**UNP**, le courant conservateur de l'opposition, l'emporta derrière **J.-R. Jayawardene** en juillet 1977. Le 4 février 1978, celui-ci fut élu **président de la République démocratique socialiste du Sri Lanka**. Quoique monocamérale, la Constitution mise en place par le nouveau gouvernement en 1977 est inspirée de la Constitution française de 1958. Le Sri Lanka est une république parlementaire, dont le président est le chef de l'État, élu pour six ans et assisté par un Premier ministre. Le système ne comporte qu'une chambre de 225 membres élus au suffrage universel pour six ans. On vote à partir de 18 ans. Le Sri Lanka est membre de l'ONU.

La décennie 1980 fut marquée par l'action du **Front de libération du peuple**, le **JVP** (interdit en 1983), le mouvement tentant par tous les moyens de **déstabiliser le pays** : grèves générales, attaque de postes de police et de casernes, assassinats de politiciens. Ses militants s'infiltrèrent un peu partout, particulièrement dans le Sud, profitant de manifestations contre la présence des troupes indiennes au Sri Lanka. Fin 1989, l'armée sri lankaise lança une offensive massive contre le JVP. Son chef et ses principaux collaborateurs furent arrêtés, et exécutés en décembre 1989. Avec l'élection à la présidence de la République de **M. Ranasinghe Premadasa**, en 1988, la situation politique s'était un peu stabilisée.

... avec les Tamouls ?

En 1948, une loi sur la citoyenneté rendait apatrides plus de 900 000 Tamouls indiens ; en 1956, le Sinhala Only Act instituait le singhalais comme langue officielle ; en 1970, l'instauration d'une politique de sélection universitaire pénalisait les étudiants tamouls... Bref aperçu des mesures qui traduisent aux yeux des Tamouls un inacceptable impérialisme de la majorité singhalaise. Trop peu nombreux, les députés représentant la minorité tamoule ne parvenaient pas à faire valoir ses revendications : l'organisation de mouvements d'opposition parallèles apparut alors comme la seule façon de signifier les enjeux. Dès 1975, le ton fut donné par les « **Tamils New Tigers** » **(TNT)**, qui affirmèrent leur volonté de changement radical en assassinant le maire tamoul de Jaffna. En 1981, Villupilai Prabakaran (déjà acteur des TNT) fonda les « **Tigres de libération de la patrie tamoule** » (Liberation Tigers of Tamil Eelam, LTTE) et, l'année suivante, déclencha une vague d'attentats. C'est l'embuscade tendue à 13 soldats singhalais dans la **péninsule de Jaffna** en juillet 1983 qui accentua la crise : les représailles singhalaises prirent des allures de pogrom ; les jeunes Tamouls vinrent grossir en masse les rangs des Tigres. La rupture était consommée.

La situation se durcit avec l'**intervention de l'Inde** dans ce conflit apparemment interne. Pendant des années, les Tigres continuèrent d'opérer selon les techniques de la terreur, l'armée singhalaise répéta ses offensives sur la péninsule de Jaffna... et la politique de New Delhi décidait de l'avenir du Sri Lanka. Soutenus, contenus puis combattus par l'armée indienne, les Tigres ne quittaient pas le maquis. Après onze ans de cette guérilla sanglante, la question n'était pas plus résolue d'un côté

Les repères de l'histoire

Au Sri Lanka	Dates	En Asie et dans le monde
VIe-Ve s. av. J.-C. Des Aryens venus du nord de l'Inde peuplent l'île.	VIe-Ve s. av. J.-C.	**563 av. J.-C.** Naissance de Siddharta Gautama Sakyamuni, Bouddha, à Lumbini (actuel Népal).
Ve s. av. J.-C. Fondation de la première capitale, Anuradhapura.		**483 av. J.-C.** Mort, ou *parinirvana* de Bouddha.
Vers 250 av. J.-C. Règne de Dewanampiya Tissa ; introduction du bouddhisme (- 247) par Mahinda.	IIIe s. av. J.-C.	**241 av. J.-C.** Victoire romaine sur Carthage. Traduction de la Bible en grec.
Ier s. av. J.-C. Invasion tamoule. Règne d'Elara. Luttes internes et victoire du Singhalais Dutugemunu sur le Tamoul Elara.	Ier s. av. J.-C.	**58-51 av. J.-C.** Conquête de la Gaule par les Romains. Route maritime entre le monde romain la Chine et l'Asie du Sud-Est.
IIIe s. Période faste. Construction de monastères, de *dagoba* et de réservoirs d'irrigation.	IIIe s. apr. J.-C.	**IIIe s.** Civilisation gallo-romaine fin de la *pax romana*. En Chine, la dynastie des Han s'effondre.
477-495. Règne de Kasyapa à Sigiriya.	Ve s.	
1001. L'île est annexée à un royaume du sud de l'Inde.	XIe s.	**622.** Naissance du prophète Mahomet. Grand empire chinois des Tang.
1153-1186 : règne de Parakrama Bahu. La civilisation singhalaise atteint son apogée.	XIIe s.	**XIIe s.** Quasi-extinction du bouddhisme en Inde après l'invasion musulmane.
1505. Fondation des premiers comptoirs portugais sur les côtes. Essor de l'islam. Introduction du christianisme.	XVIe s.	Progrès de la navigation astronomique : 1492, Christophe Colomb en Amérique.
1639. Les Hollandais chassent les Portugais de Batticaloa et de Trincomalee et veulent s'emparer du royaume de Kandy.	XVIIe s.	**1640-1690.** En Inde, fondation des comptoirs de Madras, Calcutta (anglais) et Pondichéry (français).
1802. Les Anglais héritent de l'île. 1815. Le dernier roi de Kandy est déporté à l'île Maurice.	XIXe s.	**1720.** James Cook débarque en Australie. **1803.** Les Anglais s'emparent de Delhi.
Vers 1840. Arrivés de la deuxième vague d'immigrants tamouls.		**1842.** Hongkong devient colonie britannique.
1848. Tentative de révolte matée par les Britanniques.		**1858.** La Couronne britannique gouverne officiellement les Indes.
1915. Émeutes nationalistes antimusulmanes.	XXe s.	**1904-1917.** Nouveau partage du monde. Guerre russo-japonaise Première Guerre mondiale, Révolution russe.
1920. Début du mouvement nationaliste.	1920	
1931. Autonomie de l'île.		**1933.** Hitler chancelier d'Allemagne
1948. Proclamation de l'Indépendance.	1950	**1947.** Indépendance de l'Inde. Première guerre indo-pakistanaise.

1951. Bandaranaike quitte l'UNP et fonde le Sri Lanka Freedom Party (SLFP, gauche nationaliste).

1956. Le singhalais est institué comme langue officielle.

1959. Mme Bandaranaike est la 1re femme Premier ministre au monde.

1971. Insurrection étudiante réprimée dans le sang. Instauration de l'état d'urgence.

1972. Ceylan quitte le Commonwealth et prend le nom de Sri Lanka.

1977. Le parti conservateur UNP gagne les élections : J.-R. Jayawardene est élu président.

1981. Création des Tigres tamouls militant pour une séparation entre les communautés.

1983-1984. Émeute dans l'île suite au massacre de soldats singhalais par les Tigres. Début du conflit entre Singhalais et Tamouls du nord de l'île. Intervention de l'Inde en faveur des Tigres.

1988. Ranasinghe Premadasa (UNP), l'ancien Premier ministre, devient président.

1989. Élections législatives sous tension, l'UNP obtient une faible majorité.

1990. Retrait des troupes indiennes de la péninsule de Jaffna.

1993. Assassinat du président R. Premadasa. Dingiri Winjetunga lui succède.

1994. Chandrika Kumaratunga, nommée Premier ministre le 16 août, est élue présidente de la République le 9 novembre.

1996. Le Sri Lanka remporte la coupe du monde de cricket.

1997. Élections municipales. Le parti au pouvoir l'emporte avec 48 % des suffrages.

1999. Chandrika Kumaratunga anticipe les élections présidentielles. Elle est réélue avec 51 % des suffrages.

1970

1980

1990

1949. Indépendance du Laos. Mao instaure la République populaire de Chine.

1950-1953. Guerre de Corée.

1955. Conférence de Bandung des pays nonalignés.

1968-1975. Guerre du Viêt-nam.

1971. Indépendance du Bangladesh.

1973. 1er choc pétrolier.

1975. Fin de la guerre du Viêt-nam.

1977. En Inde, Indira Gandhi est écartée du pouvoir.

1980. L'Irak envahit l'Iran.

1984. Assassinat d'Indira Gandhi. Rajiv Gandhi, son fils, lui succède.

1986. Catastrophe nucléaire de Tchernobyl.

1989. Chute du communisme en Europe de l'Est. Chine : répression de la manifestation étudiante prodémocratique de la place T'ian'anmen.

1990. Réunification de l'Allemagne.

1993. Ouverture des frontières européennes au sein de l'Union.

1994. Accords de paix israélo-palestiniens.

1995. Séisme de Kobe (Japon).

1997. Rétrocession de Hongkong à la Chine. Crise financière en Asie.

1999. Crise politique en Indonésie. Chute de Suharto. Macao revient à la Chine.

2000. Ouverture de pourparlers entre Corée du Nord et Corée du Sud.

que de l'autre: en 1987, alors que les rebelles tamouls remettaient leurs armes à la force de paix indienne contre l'assurance d'une très large autonomie accordée à leurs provinces du Nord et de l'Est, l'opposition singhalaise se durcissait contre l'accord. Deux sursauts furent significatifs: l'**assassinat de Rajiv Gandhi** en Inde, dont l'élection imminente représentait un danger pour la cause tamoule (mai 1991), et celui du président singhalais **Ranasinghe Premadasa** (mai 1993), tous deux attribués aux séparatistes tamouls.

Un conflit toujours en quête de solution

Les tamouls revendiquent au nord et à l'est un **État indépendant**, l'**Eelam**. Leur lutte ouverte contre les Sri Lankais, qu'ils appellent *mlechchas* (impurs), reçoit l'appui de plusieurs puissances étrangères. Les Tigres du LTTE, qui ne reculent devant rien, cherchent à mettre en péril la stabilité du pays en s'attaquant à ses instances politiques (attentats périodiques à Colombo depuis 1994), aux membres les plus importants du pouvoir (présidente, ministres, conseillers) et aux symboles religieux singhalais (attentat du temple de la Mahabodhi d'Anuradhapura en 1985, du temple de la Dent à Kandy en 1998).

Les élections législatives du 16 août 1994 ont sonné le glas de dix-sept années de règne de l'UNP en élevant au poste de Premier ministre **Chandrika Kumaratunga**, leader de l'Alliance populaire, une coalition progressiste; celle-ci perpétue la dynastie des Bandaranaike, puisque son père et sa mère ont déjà gouverné le pays à trois reprises. Portée à la présidence le 9 novembre 1994, avec plus de 60 % des suffrages, elle a anticipé les élections en décembre 1999 pour obtenir un second mandat, qui lui a été accordé avec 51 % des voix. La nouvelle présidente, qui a fait ses études à l'Institut d'études politiques d'Aix-en-Provence, a entrepris, dès sa première élection, des négociations avec le LTTE. Mais les Tigres libérateurs refusant tout dialogue, elle a décidé de **reconquérir les territoires rebelles**. En mesure de représailles, après la reprise de Jaffna par les troupes sri lankaises en décembre 1995, le LTTE a provoqué une série d'attentats meurtriers dans la capitale. ■

ACTUALITÉ

Quand la nature s'emballe

En 1925, dans *La Féerie cinghalaise*, Francis de Croisset explique qu'« au Sri Lanka, tout l'effort est d'arrêter la nature; les jardiniers, ici, ne plantent pas, ils arrachent». Il raconte qu'un de ses amis, de retour chez lui après six mois d'absence, eut la surprise de trouver la salle à manger de son cottage transformée en prairie, et deux cocotiers au milieu de son salon.

C'est à peine exagéré: ici, tout pousse à une vitesse hors du commun. Êtes-vous tant soit peu botaniste? Plantes étranges ou rares vous attendent à profusion, comme le tallipot, qui ne fleurit qu'une fois au bout de cent ans pour mourir aussitôt après, ou le banyan sacré aux racines aériennes. La flore comprend environ 3 000 espèces indigènes dont près d'un tiers ne se trouverait nulle part ailleurs dans le monde. À ce chiffre déjà impressionnant, il faut ajouter les plantes provenant de l'étranger, acclimatées ici avec une facilité déroutante. Il serait fastidieux et bien prétentieux de vouloir énumérer toutes les fleurs et plantes qui croissent au

Sri Lanka et que vous pourrez voir, en grande partie, au jardin botanique de Peradeniya *(voir p. 171)*. Vous reconnaîtrez les bougainvillées à leurs grappes de fleurs, les flamboyants de Madagascar, les jacarandas mauves, le cytise avec ses efflorescences jaunes parfumées et les cannas, rouges comme les flammes d'un brasier.

L'arbre à pluie procure une ombre bienfaisante avec son feuillage piqueté de petites fleurs roses. N'oublions pas non plus les bambous géants, les hibiscus, les goyaviers, les aréquiers et les jaquiers. Les orchidées enfin et surtout se trouvent ici en abondance.

Habitants de la jungle

Macaque

On aurait recensé 86 espèces de mammifères au Sri Lanka. Leur domaine, qui couvre le 1/10e du territoire, est celui des grands parcs nationaux protégés par le département de Conservation de la vie sauvage. Certaines espèces sortent des limites de ces zones, tel le **buffle semi-sauvage** qui aime à se prélasser dans les eaux boueuses des lagunes du Sud-Est, ou les singes, qui colonisent les anciennes cités royales, comme le macaque, comiquement coiffé d'une touffe de poils. En saison sèche, il n'est pas rare de croiser un troupeau d'**éléphants sauvages** *(voir p. 172)* dans la région de Sigiriya. L'animal que l'on a le plus de chances de voir en nombre dans les parcs est le **sambhur**, un élan qui vit en troupeaux et dont les mâles portent d'avantageux bois à trois pointes. Tout aussi présent et moins sauvage, le daim est reconnaissable à sa robe brun clair, parsemée de taches blanches. Il faudrait citer aussi les cerfs, le sanglier – dangereux s'il se sent attaqué –, le porc-épic, la mangouste et le chacal.

Les grands prédateurs sont plus difficiles à observer. Le **léopard**, à la robe brun doré et ocellée, demeure le plus grand félin de l'île (le mâle peut mesurer jusqu'à 2 m). Il ne sort généralement que le soir, à la recherche de sa proie, qu'il traque grâce à sa vue et à son ouïe, très développées, son odorat étant faible. La meilleure saison pour espérer les voir se situe entre janvier et mai, dans le parc de Yala. L'ours se révèle le mammifère le plus imprévisible et le plus dangereux, s'attaquant à l'homme sans raison. Le *sloth bear*, c'est-à-dire l'ours paresseux, mérite ainsi bien mal son nom, car il poursuit sa proie jusque dans les arbres pour la mettre en pièces. Son museau lui permet d'aspirer les termites, insectes et larves, mais il est très friand aussi de miel, de fruits et de fleurs.

Léopard à la robe oce

Les dents du lagon

Des lézards d'eau et de dangereux crocodiles hantent les lagunes; il est

Crocodile du Gange

Le cocotier, arbre d'abondance

Le cocotier (Coco nucifera) est originaire d'Asie. Les noix de coco sont récoltées pour le liquide rafraîchissant qu'elles contiennent mais surtout pour leur pulpe qui, râpée et pressée, donne le lait de coco.

De la noix de coco verte, on retient la pulpe blanche qui, râpée, sert dans la cuisine pour le *pol sambol* *(voir p. 36)*. Du coprah, c'est-à-dire de la pulpe desséchée, on extrait de l'huile utilisée dans les industries alimentaires, et en parfumerie pour certains cosmétiques. On en fait aussi du savon. L'enveloppe *(poonac)* sert d'aliment pour le bétail. Les fibres de la coque *(coir)* sont traitées pour la fabrication de nattes, de balais et de cordages imputrescibles. Les feuilles servent à confectionner les toitures des maisons, ou à dresser des palissades. Les feuilles tendres, savamment tressées, forment de beaux motifs décoratifs pour les cérémonies. Le tronc du cocotier devient élément de charpente, et les coques forment un bon combustible. Si on ligature la fleur avant son éclosion, on obtient le *toddy*, sorte de vin légèrement sucré, qui, une fois fermenté, produit de l'arak, cet alcool fort qu'apprécient beaucoup les Sri Lankais. Ce même *toddy*, chauffé avant fermentation, se transforme en un sirop épais *(treacle)* qui, une fois cristallisé, forme le *jaggery*, ou sucre de palme. Le *kiri bath*, un gâteau de riz et de lait de coco, est souvent servi lors des fêtes traditionnelles. Un cocotier peut produire jusqu'à deux pots de *toddy* par jour. L'inconvénient, c'est qu'il faut monter au sommet de l'arbre pour le récolter. C'est pourquoi vous verrez les cimes des cocotiers reliées entre elles par des fils, qui permettent au cueilleur d'aller d'arbre en arbre, comme un équilibriste, pour chercher la précieuse sève sans avoir à redescendre à terre à chaque fois. Un arbre adulte, bien entretenu dans une plantation, peut fournir jusqu'à 70 noix en une année. ❖

donc préférable de ne pas s'y baigner. Le plus grand des sauriens du Sri Lanka peut atteindre jusqu'à 6 m de longueur. Il a un bon odorat, une excellente vue et ne déteste pas la chair humaine, surtout le crocodile d'estuaire qui vit dans les cours d'eau à proximité des côtes. On croise parfois aussi des iguanes (*Varanus salvador*), ces grands lézards gris foncé qui semblent sortir tout droit de la préhistoire et peuvent mesurer jusqu'à 1,50 m. Autre reptile de taille honorable, le varan d'eau se nourrit, entre autres choses, de serpents. Ces derniers comptent quelque 92 espèces, dont 13 sont venimeuses. Les plus dangereuses sont la vipère de Russell et le cobra royal. Les reptiles sont la cause de plusieurs centaines de décès chaque année dans la population rurale.

Grue. Pour les ornithologues, le Sri Lanka constitue un véritable paradis : aux oiseaux indigènes s'ajoutent en effet ceux de l'Inde et tous les migrateurs qui, fuyant les frimas de nos contrées, viennent hiverner dans l'île.

Chants et couleurs du ciel

On a compté au Sri Lanka 398 variétés d'oiseaux, dont 21 espèces et 81 sous-espèces qui n'existeraient pas ailleurs. Les zones marécageuses abritent hérons à aigrette, cigognes, flamants et grues. Les paons abondent à l'état sauvage et lancent leur cri caractéristique dans la jungle. N'oublions pas les oiseaux aux couleurs merveilleuses, comme les perroquets, le rollier, la perruche et toutes les variétés de martins-pêcheurs qui, s'envolant à votre passage, laisseront derrière eux un arc-en-ciel. Le Wilderness Sanctuary, la forêt de Sinharaja *(p. 194)* et le parc ornithologique de Bundala *(p. 210)* constituent les endroits les plus favorables pour observer les oiseaux. La meilleure saison se situe entre septembre et avril. Ceux qui veulent en savoir plus pourront utilement consulter le livre de G. M. Henry, *Guide to the Birds of Ceylon.*

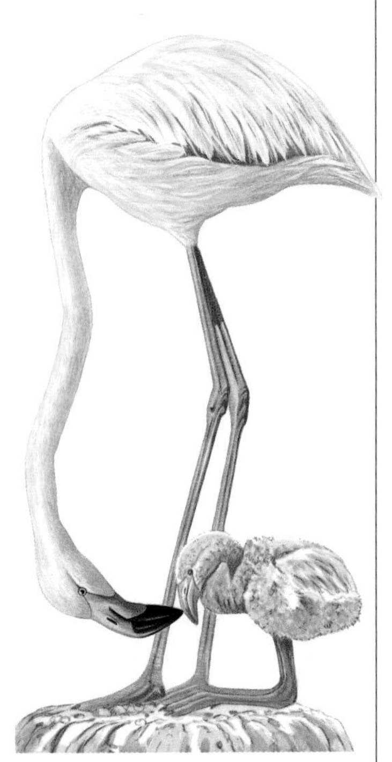

Flamant rose

Les papillons vivent en bandes immenses aux environs de Nuwara Eliya. On en connaît 242 espèces, la plupart vivant dans la région des plateaux, en dessous de 1 000 m. Il faut voir leur migration en mars et en avril, lorsqu'ils volent tous vers Samanala Kanda, le « pic des Papillons », plus connu sous le nom de pic d'Adam *(voir p. 192).*

Attention, la chasse aux papillons est strictement interdite au Sri Lanka. ■

L'héritage des planteurs

Café, thé, hévéa : les colons britanniques transformèrent les jardins botaniques du Sri Lanka en laboratoire d'acclimatation de ces plantes du Nouveau et de l'Ancien Monde, puis une partie de l'île en grandes plantations de ces cultures de rapport. De nos jours, le **thé** *(voir p. 190)* occupe un peu plus de 11 % des terres, soit 220 000 hectares, et vient, en quantité, derrière le riz ou le coco dans l'agriculture sri lankaise ; s'il ne représente que 16 % des exportations, c'est pourtant bien sur lui que repose l'économie de l'île, qui en est le troisième producteur mondial après l'Inde et la Chine. Malgré un accroissement sensible de la production, les bénéfices nationaux n'ont pas énormément progressé : comme les cours mondiaux dépendent des enchères fixées sur les marchés internationaux par de grands groupes, les variations ne sont pas maîtrisables sur place, et se répercutent sur l'économie du pays.

Autre héritage des planteurs et troisième produit clé de l'économie sri lankaise, l'**hévéa**, dont les plantations couvrent aujourd'hui environ 205 000 hectares, fut importé du Brésil par les Britanniques en 1876. Le Sri Lanka occupe actuellement le 4e rang de production dans le monde après la Malaisie, l'Indonésie et la Thaïlande.

Le **riz** demeure la première culture du pays. Les rizières constituent 38 % des terres cultivées. Grâce à l'aménagement du fleuve Mahaweli, le Sri Lanka est parvenu à l'autosuffisance. Les rizières sont encore, très souvent, situées à l'emplacement qu'elles occupaient il y a une dizaine de siècles. On commence à semer, à partir d'octobre, lorsque les réservoirs sont pleins ; la récolte a lieu en janvier-février. S'il reste assez d'eau dans les réservoirs, on pourra procéder à une deuxième culture, semée en avril et récoltée en août. Dans certaines campagnes, les rizières en terrasses ont littéralement sculpté les paysages de l'île.

Avec 416 000 ha, la superficie des **cocoteraies** équivaut presque à la moitié de celle des rizières. Mais la production est surtout destinée à la consommation locale. Exploitées très souvent d'une façon artisanale, les cocoteraies ne nécessitent qu'un seul ouvrier pour 4 ha, soit environ 10 fois moins de main-d'œuvre que dans les plantations de thé. Le Sri Lanka produit aussi du **cacao**, du **poivre**, de

L'hévéa est entaillé de manière à laisser s'écouler le latex qui servira à fabriquer le caoutchouc.

Une civilisation hydraulique

Le fleuve occupe une place toute particulière dans la vie quotidienne des Sri Lankais. Les aménagements hydrauliques effectués au cours des temps ont permis de lutter contre la sécheresse, mais ont aussi contribué à améliorer l'hygiène de vie.

Parakrama Bahu (1153-1186), conscient de l'importance de l'eau dans l'économie de son royaume, s'employa à entretenir et à développer les ouvrages de ses prédécesseurs. Ceylan comptait alors 1 000 km de canaux creusés par l'homme, héritage d'une des plus grandes civilisations hydrauliques du monde antique dont les réalisations étonnent encore nos contemporains.

Stocker l'eau

Anuradhapura, la capitale de l'antiquité, et Polonnaruwa, la capitale médiévale, furent établies dans la zone sèche de l'île. Il était aisé de défricher sa maigre végétation, mais l'alternance de la saison des pluies et de longues périodes de sécheresse gênait la riziculture. Dès le IVe s. av. J.-C., une première réponse à ce problème consista à adapter à grande échelle le modèle des villages de cultivateurs: un lac artificiel (*wewa*, ou *kulama*) permettant le stockage de l'eau après les pluies. Anuradhapura fut ainsi dotée de son plus ancien réservoir, le Basawak Kulama, une étendue de 102 hectares, encore en service aujourd'hui. Commandant à leur tour un réseau de canaux de régulation et d'irrigation, ces retenues d'eau prirent au cours des âges des dimensions colossales. Les digues étaient construites à l'aide d'énormes levées de terre, tassées par les éléphants et couvertes d'un parement de pierres, pour aider l'ensemble à résister à la pression de l'eau. Un écoulement du trop-plein en différents points précis complétait le dispositif. Les grands souverains de l'ancienne Ceylan marquaient leur règne non seulement de prestigieuses fondations bouddhiques, mais aussi de ces ouvrages hydrauliques qui assuraient la prospérité du royaume. Au début de notre ère, le roi Vasabha (65-109) fit creuser une douzaine de réservoirs, doublés d'un réseau de canaux souterrains desservant Anuradhapura. À la fin du IIIe s., Mahasena fit alimenter le gigantesque lac artificiel de Minneriya par dérivation de la rivière Kara. Le Kala Wewa (près du site d'Avukana), aménagé sous le règne de Dhatusena (459-477), déploie sa circonférence sur près de 60 km.

Réguler l'eau

Canaux et chenaux formaient un maillage entre les *wewa* et les terres irriguées. Pour réguler le débit des eaux malgré les dénivellations, les ingénieurs singhalais inventèrent le principe du puits-vanne *(bisokotuwa)*. Ses parois constituées de dalles en pierre étaient tapissées d'un revêtement de briques d'une étanchéité parfaite. La vanne en bois était manipulée verticalement.

L'eau de pluie seule ne pouvait alimenter les grands réservoirs. Dès les environs de notre ère, la technologie des barrages et canaux de dérivation permettait de relier les *wewa* entre eux et de forcer les rivières pérennes du bassin de la Mahaweli. Creusé au Ve s., le canal Jaya Ganga, qui relie le Kala Wewa au Tissa Wewa d'Anuradhapura, témoigne de cette science hydraulique. La pente des 87 km de son parcours fut calculée pour assurer un débit constant, grâce à une déclivité de 10 cm par tranche de 1 000 m. De plus, il alimentait au passage 70 réservoirs de village. La réputation des ingénieurs singhalais était telle qu'au VIIIe s., un souverain du Cachemire fit venir quelques-uns de ces techniciens pour creuser un lac dans son pays.

« Aucune goutte d'eau tombée du ciel ne doit parvenir à la mer avant d'avoir servi au bien de mon peuple », déclarait Parakrama Bahu dans l'une de ses inscriptions.

L'eau dans l'avenir de l'île

Les invasions et l'abandon des capitales anciennes ruinèrent progressivement ce travail colossal et les eaux stagnantes transformèrent les anciennes zones irriguées en marécages impaludés. Cependant, après l'Indépendance, l'assainissement du système d'irrigation des anciens et son développement furent une priorité pour les nouveaux dirigeants dans la lutte contre la sécheresse au nord-est de l'île et la remise en valeur de ces terres désertées.

Le Premier ministre Senanayake ordonna, en 1953, la construction d'un barrage et d'une centrale hydroélectrique sur le Gal Oya. Dès son accession au pouvoir, en 1977, le gouvernement de J.-R. Jayawardene relança le projet qui s'étalait sur trente ans et décida d'accélérer les travaux du Mahaweli Programme. Ils consistaient à créer cinq lacs de barrage grâce à des financements étrangers. Deux réservoirs se trouvent sur la Mahaweli même, deux autres sur ses principaux affluents et le dernier dans un bassin de la zone sèche, à l'est. Quelque 150 000 familles ont bénéficié des nouveaux sols ainsi irrigués. Aujourd'hui, l'ambition de ce plan n'est que partiellement atteinte en raison du conflit. Elle devrait permettre au Sri Lanka d'arriver à moyen terme à une autosuffisance alimentaire et de satisfaire en énergie les besoins grandissants de l'industrie. ■

La maîtrise des systèmes d'irrigation vise à assurer au pays l'autosuffisance alimentaire, tout comme à satisfaire les besoins de l'industrie.

Cacao

la **cannelle**, du **gingembre**, du **tabac**. Mentionnons en outre ses **ressources forestières**, qui sont remarquables, permettant une production de bois d'ébénisterie dont des essences précieuses.

Les nouvelles clés de l'économie

Afin de relancer l'économie de l'île, le gouvernement a créé plusieurs zones franches destinées à inciter les industriels étrangers à investir dans l'île. Mais les événements politiques ont freiné leur développement. Le Sri Lanka, aidé par le FMI et la Banque mondiale, cherche à libéraliser l'économie, à ramener le déficit budgétaire au-dessous de la barre des 10 %, à réduire les taxes et droits de douane, à privatiser une partie des entreprises publiques et à diversifier les exportations, trop dépendantes des fluctuations du marché du thé. Le **textile** représente près de 40 % de l'activité industrielle et 77 % des exportations. La main-d'œuvre, très bon marché, attire de nombreuses entreprises étrangères.

La principale source de devises du pays provient des 950 000 Sri Lankais **expatriés**, pour la plupart dans les pays du Golfe, et appréciés pour leur compétence et leur

Bateau à balancier. Malgré les 1 500 km de côtes du Sri Lanka, la pêche s'y pratique encore d'une façon artisanale (poissons de mer : 240 000 tonnes par an, poissons d'eau douce, près de 30 000 tonnes par an).

efficacité. Cet exode est préjudiciable au pays. Dans bien des domaines, les meilleurs éléments sont partis à l'étranger, tentés par les salaires, plus avantageux, et par un vie meilleure. Le **tourisme** représente une part non négligeable de l'économie. En 1999, 436 000 touristes ont visité l'île. Les Français (près de 35 000) viennent en 3e position après les Allemands et les Anglais.

La pêche

Une grande partie de la flotte se compose de canots à balancier *(voir p. 117)*. Pas de moteur, mais une petite voile triangulaire pour les embarcations étroites à bord desquelles trois ou quatre marins peuvent prendre place. Ces bateaux nous sont plus familiers sous le nom de «catamarans», mot d'origine tamoule ou malaise venant de *kattu* et de *maram*, c'est-à-dire «bois lié». Le bois le plus souvent utilisé est celui de l'*Artocarpus nobilis*, sorte d'arbre à pain. Encore plus artisanale est la pêche à la senne *(voir p. 207)*. Il s'agit d'un large filet qui a la forme de jambes de pantalon auxquelles sont attachées deux cordes de plusieurs centaines de mètres. L'opération consiste à emporter ce filet en mer avec un bateau pour cerner un banc de poissons. Il faut parfois une centaine d'hommes pour le haler ensuite et rapporter sur le sable le produit de la pêche. ■

Les îliens du Sri Lanka

Depuis le tournant du siècle, la population s'est accrue dans des proportions inquiétantes: 2,4 millions en 1871, 3,5 millions en 1911 et plus de 15 millions en 1984. La lutte intensive contre la malaria, la chute du taux de mortalité et la mise en place de mesures sociales en sont les principales raisons. Aujourd'hui, le taux de croissance s'est ralenti: de 19 millions (estimés) en 2000, les Sri Lankais ne devraient pas dépasser les 24 millions en 2025. L'espérance de vie a fait un bond considérable en passant, pour les hommes, de 44 ans en 1946 à 71 ans en 1999. Dans le même temps, celle des femmes passait de 41 à 75 ans. Vers les années 1920, cette moyenne d'espérance de vie ne dépassait pas 30 ans.

Avec ses 283 habitants au km², le Sri Lanka atteint l'une des densités les plus fortes de l'Asie, supérieure à celle de l'Inde, mais la population étant inégalement répartie, cette densité peut varier, selon les régions, de 1 à 500 habitants au km². Plus de la moitié de la population est concentrée dans la partie sud-ouest de l'île.

Un pays jeune

Il n'existe plus dans ce pays que 9,7 % d'analphabètes. Tous les enfants entrent à l'école primaire à l'âge de 6 ans. Si la scolarité obligatoire cesse théoriquement à 12 ans, la majorité des élèves continuent leurs études au moins jusqu'à 16 ans. Des examens sanctionnent la fin de ce premier cycle. Ceux qui réussissent peuvent prétendre poursuivre des études universitaires, mais le nombre de places est limité. Peu à peu, les Sri Lankais prennent conscience des problèmes de surpopulation et de chômage qui menacent l'avenir de leur pays.

Les Tamouls

Les **Tamouls autochtones**, descendants de populations originaires de l'Inde du Sud, constituent 12,6 % de la population. Ils sont installés depuis des siècles dans le Nord et l'Est, jusqu'au sud de Batticaloa, et forment une minorité active importante face à quelque 74 % de Singhalais, non seulement en raison de leur nombre, mais surtout de leur rôle. Ils occupent un certain nombre de postes dans l'administration et dans les professions libérales. Souvent déçus par la « désunion nationale », ils contribuent à entretenir un climat de tension entre les deux ethnies, quand ils ne choisissent pas l'expatriation.

À ces Tamouls autochtones s'ajoute la « **communauté apatride** » des immigrés, celle des **Tamouls indiens** (5,5 % de la population, soit plus d'un million de personnes). La diaspora tamoule compte en effet 59 millions de personnes dans le Tamil Nadu et 62 millions outremer, dont une majorité vit, outre au Sri Lanka, en Malaisie, à Singapour et en Afrique du Sud. Leur histoire sur l'île débute vers 1840, lorsque leurs ancêtres quittent le sud de l'Inde, périodiquement touché par de graves famines, pour tenter leur chance dans les plantations de caféiers. Après un voyage épuisant à travers la jungle du nord de l'île, les hommes atteignaient les cols kandyens pour la récolte. Celle-ci terminée, la plupart repartaient vers leur famille, tandis que d'autres demeuraient sur place, attendant la saison suivante. On estime qu'ils furent, au milieu du XIXe s., environ 70 000 par an à émigrer vers le Sri Lanka pour quelques roupies. Lorsque, vers 1880, la culture du thé, moins saisonnière, remplaça celle du café, ces Tamouls purent s'installer définitivement avec leur famille.

La chique de bétel

Le bétel est une sorte de poivrier grimpant qui ressemble au houblon. De nombreux marchands des rues en vendent des feuilles, fraîchement cueillies, soigneusement lavées, scellées par un clou de girofle, où l'on place un peu de noix d'arec, un peu de tabac, un peu de chaux. Cela donne un masticatoire pimenté, tonique, digestif, antiseptique et légèrement soporifique, qui coupe la faim. Cette mastication provoque une salivation généreuse et rouge, qui teint violemment la bouche et les lèvres… et les trottoirs ! Cette coutume est en voie de disparition.

Le bétel n'a pas qu'un agrément hygiénique. La feuille constitue tout un symbole et on la présente cérémonieusement à tout visiteur qu'on veut honorer, à condition de la tenir du bon côté. Mal présentée, elle peut au contraire être signe de mauvais augure. Au jour de l'An, l'offre de bétel est un geste de politesse signifiant : longue vie, bonne chance et bonheur.

L'école en plein air, mais la rigueur de l'uniforme... Les moins de 20 ans représentent près de la moitié de la population sri lankaise, qui bénéficie du taux de scolarisation le plus élevé de toute l'Asie méridionale : 95 %.

Souvent parqués dans des plantations isolées, en marge de la société, ces Tamouls immigrés n'ont que peu de contacts avec leurs frères autochtones. Mais cette communauté apatride pose un problème social de plus en plus crucial. Dans les années 1970, le gouvernement, pour faire face au chômage, a décidé de rapatrier 500 000 d'entre eux, 300 000 étant naturalisés sri lankais, les autres gardant la nationalité indienne.

Les Maures et les Malais

Dans les villes et dans de nombreux villages se trouvent des mosquées de style dit « oriental », avec coupoles et minarets, le tout recouvert de peinture aux couleurs vives. On en compte plus d'un millier. Les musulmans composent un monde uni autour de la pratique de l'islam sunnite. Mais cette population, qui vient en 3e position dans le peuplement de l'île avec 7,1 % d'individus, regroupe des communautés d'origines diverses.

Les **Maures** (du nom que leur donnèrent les Portugais : *Moros*) descendent des marchands et des

Le système des castes

À l'intérieur de chaque communauté, les castes viennent créer des subdivisions qui s'ajoutent aux divisions d'ordre ethnique. Ce système n'a pas au Sri Lanka la rigueur qu'on lui connaît en Inde. Il est très différent : au lieu de revêtir la forme d'une pyramide avec la caste la plus élevée et la moins nombreuse au sommet, c'est ici le phénomène inverse qui se produit puisque les cultivateurs, les *goyigama*, qui composent la classe supérieure, sont beaucoup plus nombreux (50 %) que ceux de la caste la plus basse, celle des *rodiya* (1 %), ou mendiants professionnels.

Veddas et Burghers : des minorités qui disparaissent

Acculturation... Les **Veddas**, dont le nom signifie « chasseurs », descendent des aborigènes qui occupaient l'île avant l'arrivée des Singhalais et des Tamouls. Ils vivent encore à l'écart du monde et subsistent en partie grâce au produit de leur chasse. Ils ont été décimés par les maladies au cours des siècles et leur nombre aujourd'hui doit se restreindre à quelques centaines seulement, alors que l'on en comptait encore environ 3 000 dans les années 1970.

Émigration... Les **Burghers**, descendants d'anciens colons hollandais ou portugais mariés à des Singhalaises, ne sont plus que 40 000 environ, installés pour la plupart à Colombo. Ils constituaient une minorité de métis instruite et studieuse, dans laquelle se recrutèrent longtemps les fonctionnaires et les employés. Alliés des Anglais, ils ont eu tendance à émigrer après l'indépendance de l'île, en 1948.

colons arabes, venus établir des comptoirs sur les côtes de l'océan Indien dès le VIIIe s., dans le cadre du négoce des aromates, des perles et des pierres précieuses. À leur arrivée, les Anglais traduisirent le *Moros* des Portugais en *Moors*, et c'est ainsi qu'on les désigne encore. Une tradition fait remonter leur installation dans l'île aux descendants de la maison Haschim, chassés d'Arabie par le calife Abd-el-Malik (685-705). Également attirés par le commerce, des **Keralais** venus de la côte indienne de Malabar et convertis à l'islam se joignirent à eux, du XIIe au XVIe s.

Les **musulmans** entretinrent de bons rapports avec les gouvernements successifs (l'un d'eux siégea au conseil d'un roi de Polonnaruwa). L'**occupation portugaise**, au XVIe s., remit en cause cet équilibre. Les nouveaux maîtres de l'île considéraient les musulmans comme des « ennemis de leurs intérêts et de leur foi ». Nombreux furent ceux qui durent fuir les côtes et se réfugier à l'intérieur de l'île. Au contraire, les **Hollandais**, au XVIIe s., firent venir des mercenaires javanais qui se mêlèrent à la communauté musulmane d'origine. Au nombre de 43 000 environ, ces « Malais » vivent aujourd'hui dans la capitale et sur la côte sud-est. Enfin, les musulmans comptent quelques Tamouls, immigrés pour la plupart, et de rares Singhalais.

Malgré leur nombre restreint, une partie de cette communauté occupe une place prépondérante dans l'économie actuelle. Leur *intelligentsia* a toujours collaboré avec les classes dirigeantes sri lankaises, et les musulmans, même tamouls, n'épousent pas les revendications autonomistes des Tigres.

L'île et ses dieux

Pour tous les peuples de l'île, la religion tient une place considérable : la religion bouddhiste, largement majoritaire, regroupe 69 % de la population. Temples, mosquées et églises foisonnent, pour la célébration des rites et des cultes hindous (15 % des Sri Lankais, tamouls essentiellement), la prière des musulmans (8 % de la population, avec les Maures et les Malais) ou celle des chrétiens (environ 8 %, catholiques pour la moitié d'entre eux). Il existe aussi des sanctuaires consacrés à des divinités d'origines diverses, issues des panthéons de l'hindouisme ou du bouddhisme du Grand Véhicule. Ces *devala* correspondent à des cultes primitifs difficiles à situer dans l'univers religieux de l'île. L'ensemble de Kataragama *(voir p. 211)*, lieu de pèlerinage très œcuménique, fait partie de ces lieux qui fédèrent les croyances et les pratiques des diverses communautés religieuses.

Sri Lanka, « fille aînée du bouddhisme »

Le bouddhisme est pratiqué par plus de dix millions de Sri Lankais, singhalais en majorité. Le Sri Lanka est resté fidèle au **bouddhisme originel**, le ***Theravâda***, ou « Voie des Anciens [disciples du Bouddha] ». Cette école de pensée, que l'on retrouve en Birmanie, en Thaïlande, au Cambodge et au Laos, est encore appelée « bouddhisme méridional », par opposition au « bouddhisme septentrional », le ***Mahayana*** (« Grand Véhicule [de salut] »). Celui-ci a pourtant connu des succès épisodiques dans l'île, au IIIe s., puis aux VIe-VIIIe s., à l'origine de belles images, rupestres ou en bronze, de ***bodhisattva***. Ces personnages sont l'une des clés de la doctrine et des cultes dans le bouddhisme du Grand Véhicule. « Êtres d'Éveil », ils ont toutes les qualités de Bouddha, mais renoncent à acquérir

Quand Bouddha voyage à Ceylan

Les Chroniques royales (le *Mahavamsa* et sa continuation, le *Culavamsa ; voir p. 56)* mêlent étroitement l'histoire de l'île à celle du bouddhisme. Elles rapportent que, de son vivant, Bouddha se serait rendu à trois reprises à Ceylan, en empruntant la voie des airs, pour y prêcher en différents lieux qui sont aujourd'hui autant de buts de pèlerinage (*masthana*). À **Mahiyangana**, il aurait remis un de ses cheveux au dieu Saman, qui l'accueillit aussi au sommet du **Sri Pada** (pic d'Adam, *p. 192)* où il laissa l'empreinte de son pied. À Kelaniya *(p. 115)*, il siégea devant une assemblée de génies-serpents (*naga*) et à **Anuradhapura** *(p. 131)*, il médita à l'emplacement de **huit futurs grands sites** (l'arbre Bo, le palais d'Airain et les six *dagoba* – Ruvanvelisaya, Mirisavati, Thuparama, Lankarama, Abhayagiri et Jetavana). Pour les mêmes raisons, les Chroniques font débarquer dans l'île Vijaya et ses compagnons *(voir p. 57)*, ancêtres de la monarchie bouddhiste singhalaise, le jour de la mort de Bouddha. ❖

Bouddha et sa doctrine

Bouddha prêcha pour la première fois à Sarnath, près de Bénarès, dans le parc aux Gazelles. Ce sermon contenait déjà tous les fondements de sa doctrine. L'Éveillé rassembla ainsi ses premiers adeptes, et pendant quarante-cinq ans mena une vie errante, pour répandre son message, autant par l'exemple que par la parole. Il accomplit même divers miracles. Lorsque le Bouddha s'éteignit, en 483 av. J.-C., sa communauté s'était déjà considérablement développée.

L'escalier qui mène au Bouddha Bahiravakanda de Kandy ajoute à la majesté du maître, qui, placé en hauteur, affirme sa position d'Éveillé par rapport au commun des mortels.

La vie de Bouddha

Siddharta Gautama, le Bouddha, appelé aussi **Sakyamuni** (« le sage issu du clan des Sakya »), naquit en 563 avant J.-C, à Lumbini, aux confins de l'Inde et du Népal. Sa mère, la reine Maya, accoucha debout suspendue à une branche et l'enfant sortit de son flanc droit. Siddharta aurait aussitôt fait sept pas dans chacune des quatre directions pour montrer sa suprématie sur le monde. À l'âge de 16 ans, il se maria, et son épouse lui donna un fils. Il vécut dans l'aisance jusqu'à 29 ans, âge où **trois rencontres** lui firent prendre conscience de la souffrance des hommes : la **maladie**, la **vieillesse** et la **mort**. Son chemin croisa enfin celui d'un moine qui lui enseigna la voie du renoncement. Il abandonna alors sa femme et son fils pour adopter la vie d'un religieux errant, dans l'espoir de découvrir une délivrance à tant de souffrances. Pendant six ans, il étudia les doctrines religieuses, se mortifia et surmonta de nombreuses tentations, mais ne parvint pas à acquérir la sagesse recherchée. À l'âge de 35 ans, il se retira à Bodhgaya (Inde) pour méditer. Il lui fallut trois nuits de veille pour que se déchire le voile de l'ignorance et qu'apparaisse la vérité au cours de ce que l'on appelle « l'Éveil » *(Bodhi)*.

Ce que Bouddha médita sous l'arbre Bo

La douleur, l'origine de la douleur, l'extinction de la douleur et la voie de la Délivrance, telles sont les **quatre Saintes Vérités** qui apparurent à Gautama lors de son Illumination. Énoncées dans le premier sermon de Bénarès, elles renferment l'essence de la doctrine bouddhique primitive. Loin d'apaiser aucun tourment, le cycle des renaissances est terrifiant : naissance et mort, séparation d'avec les êtres chers, frustration de ne pas obtenir ce que l'on désire, l'existence n'est qu'une suite de souffrances et pourtant nous pousse à renaître pour assouvir nos désirs. Cette soif inextinguible est le produit de l'ignorance et engendre les **trois racines du mal** : convoitise, haine et erreur, d'où naissent vices et passions. L'extinction *(nir-*

À Colombo, dans le temple l'Asokamaraya, le Bouddha couché donne l'image du *parinirvana* (extinction totale). Les deux autres positions qui s'imposent au sculpteur, debout et assise, expriment respectivement la souveraineté et la concentration.

vana) du désir permet de vivre dans un état de sérénité permanent, à l'abri de la douleur, du doute et de la peur. Seuls les saints atteignent le *nirvana* qui met fin au cycle de leurs vies. Pour y parvenir, il leur a fallu suivre la **voie de la Délivrance**. Noble… et long chemin de l'« **octuple sentier** » que l'on suit au fil de réincarnations multiples : 547 renaissances furent nécessaires à Gautama pour enfin s'extraire de la douleur terrestre. C'est leur récit que content, dans certains monuments, les *jataka*.

Huit voies pour un chemin vers la sagesse

Pour nous approcher de la sagesse, il nous faut veiller à ouvrir notre cœur à la générosité et à la compassion, tout en usant de notre intelligence. Pour cela, il importe de suivre les préceptes de l'octuple sentier. Celui-ci se divise en trois parties :

➤ ***Sila*, les règles de conduite morale** :
- la parole juste (ne pas mentir, jurer, médire…) ;
- l'action juste (ne pas tuer, voler, ni commettre l'adultère…) ;
- les moyens de subsistance justes (gagner sa vie sans nuire à autrui).

➤ ***Samadhi*, la concentration** :
- l'effort juste (développer ses qualités et éviter le mal…) ;
- la conscience juste (être attentif à ses actions et à ses pensées) ;
- la concentration juste (contrôler son mental).

➤ ***Panna*, la sagesse** :
- la compréhension juste (compréhension intellectuelle de l'enseignement) ;
- la pensée juste (compréhension de la réalité du monde et libération de l'illusion). ■

l'Illumination *(voir p. 84)* pour, pareils à des saints, exercer leur compassion envers les hommes et les aider à progresser dans la voie de Bouddha. Dans le *Theravâda*, ce rôle de « guide » n'est dévolu qu'au Bouddha, dont on ne vénère l'image que pour rendre hommage à son enseignement.

Une île promise au bouddhisme

Ayant atteint l'apogée de sa diffusion en Inde au Ve s., le bouddhisme y perdit progressivement la protection des souverains au profit de l'hindouisme, et disparut à peu près complètement de ce pays. La conversion à la doctrine de Bouddha du roi **Dewanampiya Tissa** en 247 av. J.-C. *(voir p. 58 et encadré p. 144)* marque son acte de naissance à Ceylan, où il ne cessa de prospérer. De nos jours, protégé par la Constitution du Sri Lanka, il tient dans le domaine religieux, social et politique un rôle d'une importance considérable. La communauté des moines, ou *bhikkhu*, perpétue l'étude et la transmission de l'enseignement de Bouddha.

La communauté des moines

Le Sri Lanka compte environ 25 300 religieux bouddhistes dont 300 femmes (*bhikkhuni*). Ayant fait **vœu de pauvreté**, les moines ne doivent rien posséder, mais la société d'aujourd'hui leur offre, grâce aux dons des laïcs, beaucoup plus de confort que leurs coreligionnaires d'autrefois (*bhikkhu* signifie d'ailleurs « mendiant »). Hormis le port de la robe, dont les teintes varient du jaune au rouge en passant par l'orange, ils ne sont plus contraints d'aller recueillir chaque matin leur nourriture, en quémandant de porte en porte, avec un bol à aumône. Leur crâne rasé (qui a imposé le port du parapluie pour se protéger des ardeurs du soleil) est, avec la prise de robe, le signe de leur renoncement à la vie séculière.

Les **moinillons** que vous verrez dans les monastères ont été placés par leurs parents, soit pour des raisons économiques, soit pour les préserver de mauvaises influences décelées dans leur horoscope à leur naissance. Ils pourront quitter le monastère à leur majorité, mais peu le feront, leur réadaptation à la vie extérieure étant très difficile. En entrant dans les ordres pour devenir « acolyte » (*semanera* en pali), le novice doit respecter **dix préceptes** de base : s'abstenir de tuer, de voler, de mentir, de s'enivrer, d'avoir des rapports sexuels, de se nourrir quand le soleil a passé midi, de dormir dans un lit confortable, de participer à des divertissements, de se parfumer, de posséder de l'argent. Les **vœux**

Jeune moine bouddhiste.

Panthéon et dévotion

De Brahma, l'être suprême, créateur de l'univers, procèdent Vishnou, le conservateur, et Shiva, le destructeur. L'ensemble de ces trois divinités constitue la trinité hindoue ou *Trimurti*. Shiva est cependant la divinité la plus universellement vénérée dans le sud de l'Inde et au Sri Lanka. Shiva est l'époux de la déesse Parvati et le père de deux fils, Ganesh (le dieu à tête d'éléphant) et Skanda (reconnaissable à ses deux inséparables attributs : le *vel*, la lance sacrée, et le paon ; *voir p. 212*). Skanda est parfois appelé – par erreur – le dieu de la guerre. En vérité, ce dieu, représenté le plus souvent comme un tout jeune enfant, poupin et rieur, n'a rien de belliqueux. Simplement, il a été choisi par les divinités supérieures pour combattre et vaincre les esprits du mal. Dans les temples, on identifie tout de suite la chapelle consacrée à Shiva au *lingam* qui représente – stylisé – l'organe viril, symbole de ce dieu et de sa puissance créatrice. La forme de dévotion la plus courante et la plus visible reste la *tikka*, cet « œil divin » dessiné sur le front de la majorité des fidèles. On apprend ainsi à reconnaître les dévots de Shiva aux trois barres tracées avec de la cendre sur leur poitrine ou sur leur front. Si l'un des fidèles, au contraire, porte sur le front, entre les deux yeux, un *V*, c'est un adorateur de Vishnou. ❖

définitifs ne peuvent être prononcés avant l'âge de 20 ans. Devenu définitivement moine (*upasampada* en pali), le bonze a pour obligation de se plier à beaucoup plus de règles ; manquer à certaines peut le conduire à l'exclusion.

Les **moines actifs**, regroupés dans des monastères, servent de conseillers aux fidèles, mais leur rôle, à la différence des prêtres, n'est jamais celui d'un intercesseur. Les **moines contemplatifs**, une minorité, vivent retirés dans des ermitages, se livrant à l'étude des enseignements de Bouddha. La population porte à ses *bhikkhu* un grand respect, même si leur pouvoir est parfois contesté.

Un conservatoire de la doctrine

Après la mort de Bouddha, en 483 av. J.-C., ses disciples les plus fidèles, ayant appris ses prédications par cœur, furent les principaux garants d'une tradition qui restait orale. Ces enseignements furent transcrits pour la première fois à Ceylan, en 88 av. J.-C., lors d'un rassemblement de 500 moines au temple d'Alu Vihara *(voir p. 165)*. Cinq siècles plus tard, la préparation d'une version définitive fut réalisée à Anuradhapura. Les textes furent rédigés en pali, une langue ancienne de l'Inde septentrionale, qui devint ainsi la langue classique du bouddhisme ancien.

L'hindouisme

Les temples hindous contemporains se signalent par leur *gopuram*, porche en forme de pyramide tronquée où s'entassent des dizaines de divinités bariolées. Leur côté kitsch surprend, surtout lorsque la façade ripolinée se détache sur le tapis vert d'une plantation de thé. L'intérieur, très dépouillé, abrite toujours le *lingam* de Shiva *(voir encadré*

Dieux secourables, horoscopes et pierres précieuses

Profondément religieux quelle que soit leur confession, les Sri Lankais adhèrent également, en quasi-totalité, à des cultes magico-religieux. La plupart d'entre eux, principalement bouddhistes et hindous, attachent une importance considérable aux signes zodiacaux et ne prennent aucune décision majeure sans avoir consulté leur astrologue : construction d'une maison, investissement, voyage, etc. Les hommes politiques les plus haut placés sont les premiers à donner l'exemple. Sitôt qu'un enfant naît, les parents font établir son thème astral *(lagna)*. Quand il veut se marier, l'astrologue vérifie s'il n'y a pas d'incompatibilité avec le signe du futur conjoint. Ce signe figure toujours en bonne place dans les annonces matrimoniales. C'est d'ailleurs l'astrologue qui fixe la date du mariage.

Consulté au moins une fois par an, l'astrologue détermine la pierre la plus bénéfique à chacun. La gemme prescrite doit être en contact direct avec la peau pour laisser passer dans le corps les rayons du soleil. Quand la période est défavorable, l'astrologue peut alors conseiller le port d'une bague de 9 pierres, appelée *navaratna mudda*. ❖

p. 87). La vie de ces temples, souvent modestes, s'anime à l'aube et en fin d'après-midi, pour la *puja*, rite d'offrande par lequel on honore les dieux avec de l'eau, une noix de coco, de l'encens, des fleurs ou la flamme d'une lampe à huile.

Tous deux nés en Inde, l'hindouisme et le bouddhisme partagent certaines conceptions. Leurs adeptes croient, avant toute chose, à la transmigration de l'âme. Toute vie humaine est douloureuse ; chacun doit renaître jusqu'à ce que les fautes qu'il a commises dans la vie précédente soient payées par d'autres souffrances au cours d'une vie nouvelle. Ces renaissances inexorables ne peuvent prendre fin que par une succession de vies particulièrement vertueuses, ou encore par des pratiques ascétiques, comme le yoga. Ces convictions marquent profondément la vie des hindous, tous les jours de leur existence, ainsi que leur attitude devant le déroulement de la vie et la fréquence comme l'intensité des actes religieux auxquels ils s'astreignent.

L'islam

Nous savons ce qu'est la doctrine de l'islam, mot qui signifie l'« abandon et la soumission à la volonté toute-puissante du dieu inspirateur des prophètes ». La révélation divine, apportée par Mahomet dans le Coran, est la révélation définitive, texte sacré qui constitue la bible des musulmans, qui condamne l'avarice, la fausseté, l'orgueil et la méchanceté, et qui interdit l'alcool et le jeu.

Le musulman a le droit d'avoir quatre femmes mais, comme dans toutes les religions, la monogamie est aujourd'hui jugée préférable. La loi islamique a toujours un caractère religieux et règle les rapports au sein de la communauté musulmane. Dans le domaine de l'art, le Coran interdit la représentation humaine.

Le christianisme

En 1995, le pape Jean-Paul II s'est rendu au Sri Lanka, où les chrétiens sont plus d'un million, soit 8 % de la population. Parmi les **églises catholiques** romaines se distingue, à Colombo, la cathédrale Sainte-Lucie *(voir p. 112)*. Le clergé catholique est placé sous l'autorité de quatorze évêques qui dirigent les différents diocèses. Le Vatican est représenté par un nonce apostolique.

Le christianisme fut répandu dans l'île par les Portugais au XVIe s., lors de la *conquista espiritual*, avec les missions jésuites, dominicaines et franciscaines. Les prêtres s'adressaient aux populations dans leur dialecte local, ce qui favorisa de nombreuses conversions. Ils n'hésitaient pas non plus à briser les idoles et à détruire les sanctuaires bouddhiques et hindous.

D'Inde, saint François Xavier (1506-1552) envoya des missionnaires au Sri Lanka. Une tradition locale, bien que démentie par les historiens modernes, prétend que l'apôtre saint Thomas serait venu dans l'île en se rendant sur la côte de Coromandel, en Inde, après la mort du Christ, pour répandre son enseignement. Pour les chrétiens, c'est l'empreinte de son pied qui marquerait le sommet du pic d'Adam *(voir p. 192)*.

L'activité des émissaires **protestants** se développa au début du XVIIe s. avec les missions organisées par la Compagnie hollandaise des Indes orientales, puis avec les **missions anglaises.** ■

PORTRAITS D'ATOLLS

Perles tropicales disséminées par milliers sur un océan d'azur, les Maldives proposent un large éventail d'activités nautiques. Cocotiers à foison, récifs coralliens multicolores et plages de sable blanc sont au programme. Ces îles sont de véritables invitations à la détente.

Une « guirlande d'îles » sur l'océan Indien

Le mot « atoll » est le seul mot maldivien *(atholu)* qui soit passé dans toutes les langues du monde. Il désigne un collier d'îles, d'îlots ou de rochers surgissant de l'eau, sur une superficie pouvant atteindre 1 000 km^2. Chaque atoll de l'archipel est entouré d'une barrière de corail qui laisse quelques rares passages naturels comme points d'entrée et permet aux embarcations de circuler entre le lagon et l'océan. Et dans chaque atoll, une autre barrière de corail protectrice et un lagon peu profond encerclent chaque île. Cette protection naturelle forme un vaste aquarium de corail où vivent une multitude de poissons *(voir p. 94)*.

Une formation géologique originale

Les spécialistes ne sont pas d'accord sur l'**origine de ces récifs** en anneaux. Darwin, qui avait étudié

Carte d'identité des Maldives

➤ **NOM** : vient du sanscrit *màlà*, « guirlande », et *dvipa*, « îles ».

➤ **SITUATION** : presque au centre de l'océan Indien, juste au-dessus de l'équateur, à 595 km au S-O du subcontinent indien et à 670 km du Sri Lanka.

➤ **EMBLÈME** : un cocotier, un croissant de lune, une étoile et deux drapeaux entrecroisés.

➤ **DRAPEAU** : croissant blanc sur fond vert encadré de rouge.

➤ **SUPERFICIE** : 823 km de long sur 131 km de large. 26 atolls regroupant, officiellement, 1 196 îles ou îlots, soit 302 km^2 au total.

➤ **DÉMOGRAPHIE** : environ 300 000 habitants (estimation 2000), répartis dans 203 îles seulement, ce qui donne au pays une densité de 993, 3 hab./km^2. 90 îles sont transformées en hôtels. Espérance de vie : 70 ans pour les femmes et 69 pour les hommes. Taux de natalité : 2,6 % ; taux de mortalité : 0,5 %.

➤ **LANGUE** : divehi ou maldivien, proche du singhalais et mélangé de hindi et d'arabe. L'écriture, le thaana, est apparentée à l'arabe. L'anglais est parlé par 4 % de la population, en contact avec les touristes. 98 % de la population est alphabétisée.

➤ **RELIGION** : islam sunnite. Obligatoire, elle est à la base de la société.

➤ **CAPITALE** : Malé, 80 000 hab. (estimation), plus du quart de la population maldivienne.

➤ **NATURE DU RÉGIME** : république islamique présidentielle sans parti politique mais avec un Parlement composé de 48 députés *(majis)* élus pour 5 ans. 2 députés par atoll, 8 nommés par le président. Celui-ci, à la fois chef des armées et gardien des principes religieux, est élu par référendum tous les 5 ans.

➤ **RESSOURCES** : tourisme et pêche. Exportation : 77 millions de US $; importation : 349 millions (1997). PNB par hab. (1997) : 1 180 US $.

➤ **MONNAIE** : *rufiya*, composée de 100 *laaris*. La *rufiya* vaut env. 66 centimes français *(voir p. 28)*. ❖

différents atolls dans le Pacifique vers 1836, y voyait les vestiges d'anciens volcans affaissés et victimes de l'érosion.

Des expéditions entreprises au début du siècle, puis en 1954 par Mac Nell et en 1974 par Purdy, avec des moyens considérables, tendraient à prouver que les Maldives sont les **vestiges d'une chaîne de montagnes** sous-marine. Émergés à l'issue de la baisse du niveau de la mer, leurs récifs calcaires furent modelés en cuvette par l'érosion des eaux pluviales.

Chaque année naissent de **nouvelles îles**, issues de l'accumulation de débris coralliens et de sable sur le récif, cependant que d'autres disparaissent, lorsque certains pics marins s'effondrent. Comme il est impossible de tenir une comptabilité précise, le gouvernement a décidé d'arrêter le nombre d'îles

Holothuries, les broyeurs de sable

Sur le sable, près du rivage, vous verrez de curieux animaux en forme de boudins, les **holothuries**, appelés aussi « concombres de mer », qui vivent en eaux calmes, là où le courant reste faible. Inanimés, ils semblent inoffensifs ; ils exercent pourtant une fonction essentielle : véritables petits broyeurs, ils se nourrissent de sable et le restituent ensuite après digestion, plus pur et plus fin. Ils contribuent ainsi, avec les poissons-perroquets et les marées, à la formation du sable corallien des îles. Quoique les holothuries aient l'air bien peu comestibles, les Japonais et les Chinois en sont friands. ❖

officiel à 1 196, dont 900 sont désertes. En fait, elles pourraient être au nombre de 2000. Elles sont en général de petite superficie : la plus grande, celle de Gan dans l'atoll Laamu, fait un peu plus de 7 km de long.

Les plongeurs expérimentés peuvent observer les **plates-formes récifales**, ou récifs internes, et des mini-atolls, ou *faro*, prisonniers de lagons parfois profonds de 60 à 80 m. Ils pourront aussi, en descendant à moins de 15 m, voir les premières cavités sur les pentes externes du récif.

Voyages de graines

On se demande parfois comment arbres et plantes ont pu se développer sur des îlots minuscules et fort éloignés les uns des autres. C'est que certaines graines sont capables de flotter sur les eaux durant des semaines, de résister aux tempêtes et d'aller s'échouer sur de petites bandes de sable où elles prennent racine.

D'autre part, les oiseaux contribuent à ce développement, en transportant des graines dans leur plumage, leur bec, ou leurs intestins. Ainsi essaiment le **volubilis**, que l'on retrouve, comme au Sri Lanka, en bordure des plages, et les **pandanus** aux racines si reconnaissables.

Les buissons aux fleurs blanches sont des *Scaevolas* et ceux aux fleurs jaunes des *Tournefortias*, de la même famille. Cette végétation foisonnante est dominée par le **cocotier** *(voir encadré p. 73)*, qui représente 90 % des arbres poussant aux Maldives. Il est si nécessaire aux Maldiviens que ceux-ci l'ont pris comme **emblème**.

On trouvera aussi des **mangroves** et des **arbres à pain**. Dans les îles-hôtels, certaines plantes ont été importées, comme le **bambou**, utilisé dans la construction des maisons, ou le **banyan**, avec ses racines qui pendent des branches comme pour retourner vers la terre.

L'**arbre à guimauve**, dont les fleurs jonchent le sol au matin, le **frangipanier**, les **hibiscus** et les **bougainvillées** apportent des notes colorées dans cet univers à dominante bleue.

Bécasses de mer et crabes de terre

La faune terrestre paraît bien pauvre au regard de la faune marine. Vous verrez tout juste quelques **oiseaux**, bécasses de mer, aigrettes ou hérons gris, perchés

Avec sa tête hérissée d'épines et sa large bouche, la rascasse volante est facile à reconnaître. Elle est l'un des hôtes familiers du monde coloré des lagons maldiviens.

sur les coraux à l'affût de leurs poissons préférés, quelques hirondelles et des cornettes des Maldives. Le soir, les **geckos** se livrent à la chasse aux moustiques. Ces lézards sont aussi friands des cafards qui hantent souvent les salles d'eau des établissements. Pas de serpents venimeux sur ces rivages consciencieusement nettoyés par les **crabes**, qui avalent tous les détritus des plages. Ils sortent la nuit pour se nourrir de petites plantes et laissent sur le sable les empreintes de leur ballet nocturne. Ces crabes amphibies, pour peu que la nuit soit claire, fuient dès qu'on les approche, car ils sont dotés d'une vue perçante.

Gecko

Une culture née des échanges

Les origines du **premier peuplement** maldivien sont assez mystérieuses. Il s'agirait soit de pêcheurs dravidiens de l'Inde du Sud, qui auraient peu à peu dérivé vers ces rivages, soit, sur la base de similitudes culturelles et linguistiques avec le Sri Lanka, d'émigrants singhalais arrivés au ve s. av. J.-C. Certains vestiges étudiés par Thor Heyerdahl, l'auteur de *L'Expédition du Kon Tiki*, prouvent qu'il existait aux Maldives des temples identiques à ceux du Sri Lanka. En outre, au cours des siècles, de nombreux navigateurs d'origines diverses, séduits par la beauté des paysages, décidèrent de se fixer dans cet éden. Rien d'étonnant à ce que certains habitants présen-

Un aquarium géant

Les poissons gros-yeux et les carangues vivent en bande pour se protéger des prédateurs.

Se baigner aux Maldives, c'est pénétrer dans un aquarium géant et découvrir le monde bariolé des récifs coralliens. Des dizaines d'espèces de poissons évoluent par deux ou trois mètres de fond et s'approcheront jusqu'à manger dans vos mains, pour peu que vous entriez dans le lagon avec un peu de pain.

On serre les rangs dans les bancs !

Les espèces les plus répandues vivent en bande. Au bord des plages, les petits **poissons volants** se tiennent en rangs serrés sur plusieurs mètres, puis brusquement s'élèvent au-dessus de l'eau comme en un vol plané. Sous l'eau, les **brèmes de mer** incolores affluent en masse dans tous les lagons. À leurs côtés nagent les **poissons-pyjamas**, dont la robe présente de belles rayures : comme ils se déplacent ensemble, parfois à plus de 100, on ne peut les manquer ! Rouges sont les **rascasses**, pourvues de sortes d'ailes qui les font ressembler à de grands oiseaux. En remontant quelques minutes à la surface, vous bousculerez des **mulets**, petits poissons qui n'apprécient guère les profondeurs, et se livrent à d'incessants ébats aquatiques. Si vous replongez, vous croiserez des **poissons-clowns** en train de se faire toiletter par de microscopiques **labres** qui les débarrassent de leurs parasites. Les **poissons-cochers** possèdent une défense naturelle : ils présentent aux deux extrémités de leur corps une similitude absolue de forme et

Le poisson-perroquet à menton ble
se cache dans un nid de corail pour échapper à la force du courant et surprendre sa proie plus facilement.

de couleur. Magnifiques, les **anges *imperator***, bleu et jaune, se déplacent toujours par deux. D'autres poissons des Maldives se distinguent par leur taille impressionnante, comme les **raies-aigles** ou les **raies manta** *(voir p. 241)*. En dépassant le lagon et en continuant jusqu'au tombant, on pourra voir le **poisson-Napoléon**. Malgré ses proportions (il peut mesurer 1,50 m de long et peser 200 kg), il est tout à fait inoffensif, et sa tête a exactement la forme du fameux chapeau de l'Empereur.

La tête du poisson-Napoléon a la forme du chapeau de l'Empereur.

La loi du lagon

Les **poissons-soldats**, en manteau rouge, se nourrissent exclusivement d'autres poissons, ce qui rend leur chair particulièrement délicate et appréciée. Leurs amusantes mœurs nutritives distinguent les **poissons-perroquets**: avec un peu de chance, vous entendrez le bruit de leur «bec» quand ils grattent la surface calcaire des coraux afin d'en atteindre la partie vivante, dont ils se nourrissent. Ils se repaissent aussi des restes du festin des **anémones de mer**, étant les seuls capables de supporter le contact de leurs tentacules. Redoutables, elles foudroient puis avalent littéralement tous les autres poissons qui ont le malheur de les toucher. La nuit, les poissons-perroquets se cachent dans des cavités, couverts d'un voile de mucus pour se protéger de leurs prédateurs, les **poissons-chirurgiens** par exemple, dont les aiguillons près de la queue évoquent le coupant d'un bistouri; bien qu'il en existe plusieurs variétés, les plus gros sont généralement marron et noir. Les **murènes**, réputées pour leur myopie, ont-elles le temps de les voir arriver? Probablement pas, car elles dorment le jour. Méfiez-vous toutefois, si vous vous approchez de l'une d'elles: elle risquerait de prendre votre doigt pour une denrée alléchante. ■

Un mérou profitant des soins d'une crevette. Le mérou cohabite très bien avec bonites, tazars, dorades et barracudas.

Poisson-ange à tête bleue.

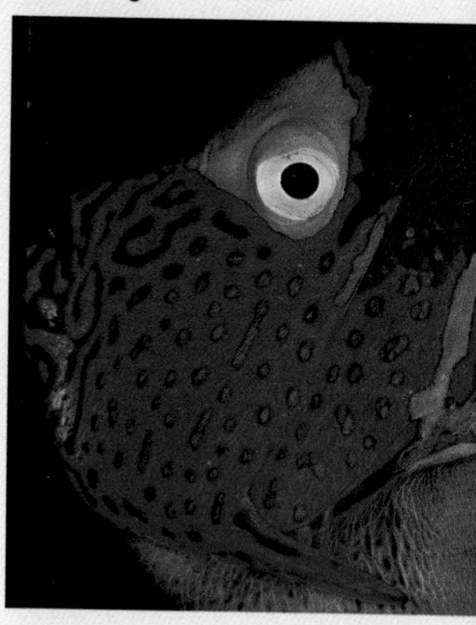

Une nouvelle Atlantide ?

Les Maldives risquent-elles de disparaître de la carte du monde ? En ces temps où il est souvent question du réchauffement de la planète Terre, le sort de ces îlots coralliens, éparpillés sur quelque 90 000 km² dans l'océan Indien, est on ne peut plus incertain.

D'après certains spécialistes de la climatologie, les eaux monteraient d'environ un centimètre par an, et le niveau de l'océan se serait même élevé de 15 cm au cours des dix dernières années – alors que le point culminant des Maldives ne dépasse pas de deux mètres le niveau de la mer…

Voilà de quoi inquiéter sérieusement les autorités locales, qui ont mis en place d'importants dispositifs de protection à titre préventif, comme ces brise-lames qui protègent désormais l'île-capitale de Malé. Mais que faire pour les petites îles que les courants et les marées de plus en plus fortes grignotent lentement, emportant sable et arbustes ? Devant la menace, les autochtones ont pris des dispositions en construisant des digues de corail pour garder leur plage ou en bâtissant leurs bungalows sur pilotis. Tous les moyens sont bons pour éviter à cet étonnant univers de devenir une nouvelle Atlantide. Le président Maumoon Abdul Gayoom s'est fait le porte-parole des États micro-insulaires en péril lors du Sommet de la Terre à Rio, en 1992, et a attiré l'attention du monde sur la menace qui pèse sur son pays. ❖

tent des traits semblables à ceux des Africains, des Malais, des Indiens, ou des Arabes. Situées sur les routes commerciales maritimes, les Maldives entretinrent des échanges avec les principaux comptoirs de l'océan Indien et jusqu'en Afrique noire, payant leurs échanges en cauris *(voir encadré ci-contre)*.

La langue officielle

La langue des Maldiviens, le **divehi**, témoigne également des contacts qui s'établirent entre les atolls et les différentes cultures présentes dans l'océan Indien. Le divehi regroupe des mots d'origine sanscrite, indienne et singhalaise et présente avec l'arabe quelques caractères communs. De nos jours, le divehi ne cesse de s'enrichir, en empruntant des termes anglais qu'il s'approprie en y ajoutant un *u* pour former de nouveaux mots. Ainsi un bureau devient *desku (desk)*, de la musique, *miusicu (music)*, et beurre, *bataru (butter)*. Les formules de politesse sont pratiquement inexistantes, mais l'usage de la langue varie de trois façons différentes selon l'interlocuteur. On ne s'adresse pas à un supérieur comme à ses enfants.

C'est au XVIIIe s. que l'**écriture thaana**, proche de l'écriture arabe, fit son apparition. L'alphabet comporte 24 lettres et les voyelles sont différenciées par des signes placés au-dessus ou au-dessous des consonnes. Les textes se lisant de droite à gauche, la lecture d'un ouvrage débute donc par la dernière page. La transcription du divehi en caractères latins a été établie en 1977.

La société des atolls

La population est passée, selon les estimations, de 103 800 habitants en 1967 à 300 000 habitants en 1999. Cet accroissement spectaculaire est certes dû à une chute du taux de mortalité infantile mais surtout à une augmentation considérable du niveau de vie. La croissance annuelle était de 6,5 % en 1996. Cependant, comme un quart de la population a trouvé refuge à Malé, capitale et seule ville du pays, celle-ci explose littéralement : ne comptant en 1968 que 500 habitants, elle a franchi le cap des 80 000.

L'islam, religion d'État

Bien qu'il existe des preuves que le bouddhisme a été pratiqué aux Maldives jusqu'au XIIe s. et que certains usages religieux d'origine indienne y survivent, les habitants de l'archipel professent tous aujourd'hui la religion musulmane. Celle-ci leur fut apportée en 1153 par un saint personnage venu d'Afrique du Nord, Abu ul-Barakaat Yusuf al-Berbery, toujours objet d'une immense vénération dans tout l'archipel.

L'islam étant religion d'État, on ne peut être citoyen maldivien sans être musulman. La nouvelle Constitution de 1968 a d'ailleurs été proclamée au nom d'Allah. Toute tentative de prosélytisme venant d'une autre religion est sévèrement réprimée par la loi. Les Maldiviens professent le sunnisme, suivant scrupuleusement les enseignements du Prophète et respectant les cinq « piliers » de l'islam. Ils doivent pratiquer la prière cinq fois par jour, l'aumône rituelle, observer le jeûne du ramadan, prononcer leur profession de foi et faire, si possible, le pèlerinage à La Mecque. La consommation de porc et d'alcool est interdite. Tout manquement à ces règles peut être sanctionné par un exil sur une île éloignée, une bastonnade ou même une flagellation en cas d'adultère. La loi interdit aux touristes la consommation d'alcool à Malé et à

Une monnaie de porcelaine

Jusqu'au XVIe s., les Maldiviens utilisèrent en guise de monnaie des cauris *(Cyprea monita)*, des coquillages autrement appelés « porcelaines » et provenant des lagons. Véritable monnaie internationale, il avait cours dans tout l'océan Indien, au Bengale, en Guinée, au Yémen, au Congo et jusqu'en Chine. Au début du XIe s., le navigateur Al-Baruni désignait les Maldives sous l'appellation « îles des Cauris ». Pyrard de Laval *(voir encadré p. 99)*, en captivité de 1602 à 1607, précise que 30 à 40 navires chargés de cette précieuse monnaie quittaient chaque année les Maldives à destination du Bengale. 60 000 coquillages équivalaient alors à un *laari*, une monnaie locale en fil d'argent, aux formes étranges d'épingle à cheveu ou d'hameçon. Jusqu'au début du XIXe s., et quoique la première pièce de monnaie ait été frappée vers 1665, l'impôt au sultan continuait à être versé en cauris. Les Maldiviens d'aujourd'hui sont passés au dollar et à l'usage, très répandu, des cartes bancaires, mais conservent le souvenir de la monnaie de porcelaine, imprimée sur les billets de banque. ❖

Les repères de l'histoire

Aux Maldives	**Dates**	**Dans le monde**
1500 av. J.-C. Traces d'une civilisation assez proche de celle de la vallée de l'Indus.	1500 av. J.-C.	**1500 av. J.-C.** Disparition en Inde de la civilisation de l'Indus. Arrivée des premiers Aryens.
Ve s.-IVe s. av. J.-C. Des Aryens venus du nord de l'Inde peuplent les îles.	Ve s. av. J.-C.	**583 av. J.-C.** Mort du Bouddha.
150. Ptolémée fait mention des Maldives dans sa description du monde.	IIe s apr. J.-C.	Civilisation gallo-romaine.
XIe s. Des voyageurs arabes font escale et laissent des témoignages écrits sur les îles.	XIe s.	**XIe s.** Disparition de la civilisation maya.
1153. La population se convertit à l'islam ; le premier sultan, M. Ibn Abdulah, monte sur le trône.	XIIe s.	Croisades. Épanouissement de l'art roman. En Espagne, début du recul des Arabes (Reconquista).
1343. Le navigateur marocain Ibn Battuta séjourne dix-huit ans sur les îles et en donne à son retour une description détaillée.	XIVe s.	Apogée de l'Empire byzantin. Essor démographique en Occident.
1518. Le Portugal obtient l'autorisation d'ouvrir un comptoir.	XVIe s.	**XVIe s.** Peste noire en Occident.
1602. Le Français François Pyrard de Laval fait naufrage aux Maldives où il reste sept ans.		
1645-1796. Période de domination hollandaise.	XVIIe s.	**1640-1690.** En Inde, fondation des comptoirs britanniques et français (Madras, Pondichéry et Calcutta).
1752-1760. Les Français, qui occupent Pondichéry, sont appelés avec Dupleix à protéger les îles des incursions ennemies.	XVIIIe-XIXe s.	**1803.** Prise de Delhi par les Anglais. 1858 : la Couronne britannique gouverne les Indes.
1796. Début du protectorat anglais.		
1932. Première Constitution démocratique, le sultanat devient une monarchie constitutionnelle avec un Premier ministre.	1920-1940	**Années 1920-1930.** Montée des fascismes en Europe.
1940. Abolition de la monarchie.		**1939.** Début de la Seconde Guerre mondiale.
1948. Le dernier tribut annuel est payé aux Anglais.		**1947.** Indépendance de l'Inde. **1948.** Indépendance du Sri Lanka.
1953. Abolition du sultanat. Première République avec Amin Didi, qui est renversé à la fin de l'année.	1950	**1954.** Fin de la guerre d'Indochine. Début de la guerre d'Algérie.
1954. Rétablissement du sultanat avec Mohammed Farid Didi.		
1965. Proclamation de l'indépendance des îles qui deviennent membres de l'ONU et sortent du Commonwealth.	1960-1970	**1960.** Indépendance du Nigeria, du Togo (ex-colonies britanniques) et du Cameroun (ex-colonie française). **1962.** Indépendance de l'Algérie.

1968. Réintroduction du système républicain par référendum : nouvelle Constitution. Amir Ibrahim Nassir est élu président.		**1968**. Printemps de Prague.
1975. Invoquant une conspiration, Nassir s'octroie les pleins pouvoirs.		**1973**. Guerre du Kippour. 1er choc pétrolier. 1974 : rétablissement de la démocratie en Grèce et au Portugal. 1975 : fin de la guerre du Viêt-nam.
1978. Ancien représentant à l'ONU, Mamoon Abdul Gayoom succède à Nassir qui a démissionné.		**1979**. Accords de Camp David. République islamique d'Iran. Invasion de l'Afghanistan par l'URSS.
1980. Tentative de coup d'État. **1983**. Réélection de Gayoom (à 95,6 %).	**1980-1985**	**1983**. Début des émeutes tamoules au Sri Lanka. 1984 : assassinat d'Indira Gandhi.
1988. Réélection de Gayoom (à 96,4 %). Intervention indienne sur demande du président suite à une tentative de coup d'État.	**1985-1990**	Les émeutes tamoules se poursuivent au Sri Lanka. **1987**. Accord indo-sri lankais destiné à mettre fin au conflit tamoul.
1990. Réunion du SAARC (coopération régionale d'Asie du Sud) à Malé. **1993**. Nouvelle victoire aux élections de l'ancien président. **1998**. 5e mandat de Gayoom.	**1990-2000**	**1990**. Réunification de l'Allemagne. **1991**. Guerre du Golfe ; assassinat de Rajiv Gandhi imputé aux séparatistes tamouls singhalais. **1997**. Crise économique dans le monde asiatique. **1999**. Guerre des Balkans (Kosovo). **2000**. Ouverture de pourparlers entre Corée du Nord et Corée du Sud.

Les aventures de Pyrard de Laval

Le 2 juillet 1602, le *Corbin*, un navire français de 400 tonneaux qui avait quitté le port de Saint-Malo le 18 mai 1601, échoua sur un récif dans l'atoll de Goidhoo, après avoir fait escale aux îles Annobon et à Madagascar. Une quarantaine d'hommes réussirent à atteindre le rivage de Fulhadhoo, à bord d'une embarcation de sauvetage. Là, ils enterrèrent au pied d'un arbre les pièces qu'ils avaient transportées à bord, avant d'être capturés et répartis sur différentes îles. Pyrard (1578 ?-1621 ?), un commerçant originaire de la ville de Laval, fut l'un des quatre survivants de cette funeste équipée et resta prisonnier cinq années avant de pouvoir s'échapper. Assigné à résidence à Goa par les Portugais, il fut enrôlé dans une expédition militaire qui le conduisit, successivement, à Ceylan, au Bengale, en Insulinde et aux Moluques. De retour vers le Portugal, il fit encore escale au Brésil et à Sainte-Hélène. Le rescapé du *Corbin* publia le récit mouvementé de ses aventures dans son *Discours du voyage des Français aux Indes orientales, suivi du Traité et Descriptions des animaux, arbres et fruits des Indes* (1611). Récemment réédité *(voir p. 251)*, son ouvrage est un véritable roman d'aventure et constitue un document exceptionnel sur la vie dans les Maldives au début du XVIIe s. Pyrard fut probablement le premier à répandre en Europe le mot maldivien « atoll ». Ces dernières années, des Français auraient tenté, en vain, de retrouver le trésor du *Corbin* sur l'île de Fulhadhoo. ❖

De fragiles mariages

Les femmes, aux Maldives, ont un rôle important dans la mesure où les hommes sont souvent absents pour de longues pêches. Elles ne portent pas le voile, participent à la vie sociale et construisent leur propre mosquée. Les filles se marient très tôt, vers 16 ans, et les garçons entre 18 et 20 ans. Il s'agit d'une simple formalité qui ne donne pas lieu à cérémonie, et l'on divorce avec autant de facilité ; selon les chiffres officiels, les Maldives seraient, au sein de l'ONU, le pays enregistrant le taux de divorces le plus élevé. Il n'est pas rare qu'une femme de 25 ans ait déjà été mariée quatre fois !

bord des bateaux maldiviens mais la tolère dans les îles-hôtels et sur les bateaux de croisière. Sur votre île-hôtel, vous verrez souvent une petite mosquée à l'usage du personnel; c'est le seul endroit dont l'accès vous sera refusé.

Intérieurs maldiviens

Le mot *ra*, qui signifie « île », est aussi celui qui désigne un village. La moitié des *ra* abritent moins de 400 personnes, regroupées en familles sous l'autorité d'un *khatib*, sorte de maire aux fonctions élargies. Le premier monument d'une île est sa mosquée, dont le muezzin joue aussi un rôle important dans la vie quotidienne. La terre appartient toujours à l'État, aussi la famille n'obtient-elle l'autorisation de construire sa maison dans l'île que si elle y demeure depuis une dizaine d'années au moins. La maison pourra être transmise par héritage, mais ne pourra en aucun cas être vendue. L'intérieur de la maison familiale, abritant de 6 à 8 personnes, est on ne peut plus rudimentaire: un sol de sable, un lit de bois et quelques instruments pour la cuisine. La tôle ondulée remplace aujourd'hui la toiture traditionnelle en palmes. À côté de la bâtisse, l'indispensable balançoire sert de canapé en plein air et de lieu de réunion. Les échanges avec les îles voisines sont assez rares, quoique l'attrait de la capitale soit en train de faire évoluer les choses. L'enseignement primaire est donné sur place par des instituteurs. Si l'enfant veut poursuivre des études, il doit se rendre à Malé et, pour l'enseignement universitaire, à l'étranger. La télévision constitue l'unique distraction, et l'on vit avec le soleil. Les îles sont généralement habitées depuis des générations. Elles ont été choisies pour la fertilité de leur sol et, surtout, pour leur eau douce, provenant de nappes phréatiques. Si celles-ci viennent à s'altérer, l'eau devient saumâtre, et les familles doivent s'exiler.

L'alchimie du corail

Les coraux sont des organismes animaux très primitifs. Ils sécrètent à l'extérieur de leur corps un squelette de calcaire pouvant grandir de 1 à 10 cm par an. Insatiables tubes digestifs, ils se parent des couleurs du zooplancton et des algues qu'ils ingèrent. Celles-ci sont assoiffées de lumière et exigent, pour que vive le récif, des eaux peu profondes laissant passer les rayons du soleil. Il faut des eaux chaudes (21 à 23 °C) pour que prospère ce petit monde qu'El Niño mit en danger, en 1998, en

Ces fausses fleurs de corail

Corail rouge.

On prend souvent les coraux pour des plantes, alors qu'ils appartiennent à la famille animale des madrépores. Nous n'en voyons que les excroissances, qui peuvent atteindre au fil des ans d'impressionnantes proportions, même si les coraux ne grandissent que de 3 cm par an ; le corps, protégé par un squelette extérieur de calcaire, est, quant à lui, vivant et mou.

Carnivore, le corail se nourrit essentiellement de zooplancton et vit en symbiose avec des algues qui lui donnent ses surprenantes couleurs. De l'exosquelette émergent des tentacules urticants capables de paralyser nombre de petits poissons, proies malheureuses si elles approchent trop ces fleurs trompeuses.

Les coraux se comportent de jour comme des végétaux, réalisant la photosynthèse, et de nuit comme des animaux; c'est à ce moment qu'ils s'épanouissent et se nourrissent, d'où l'intérêt pour certains centres d'organiser des plongées nocturnes. Bien qu'ils se développent mieux là où la mer est brassée par les vagues, leurs branches sont fragiles et ne résistent pas aux forts mouvements marins. Quoiqu'elle s'ouvre et se ferme comme une fleur, prenez garde de ne pas confondre la gorgone des mers, ou gorgone-fouet, corail très fragile, avec un végétal.

Vous verrez les plus beaux coraux par 5 à 10 m de profondeur, là où le calcaire se trouve en quantité suffisante et leur permet de se constituer un squelette assez solide pour résister à l'agression des mollusques et des éponges. Toutefois, lorsque leur corps émerge avec le mouvement des marées, les pointes se brisent, formant alors ce sable corallien que l'on trouve sur les îles. Un simple amas corallien suffit à donner naissance à un îlot éphémère qu'emportera la première tempête.

1998 fut l'année « El Niño », du nom de cette perturbation de masses d'air et de courants chauds. Au mois d'août, la température de l'eau à 50 m de profondeur atteignait 30 °C. Cette anomalie a perduré et provoqué un blanchissement généralisé des coraux durs. Ce blanchissement, preuve d'un stress du corail qui expulse son algue symbiotique, entraîne leur destruction. Aux Maldives comme dans d'autres régions de l'océan Indien, certains platiers sont complètement morts. En zone profonde, les coraux ont été moins affectés par ce phénomène. ❖

Le dhoni

Ce bateau, de 10 à 13 m de long, moyen de transport traditionnel et instrument de travail, est presque exclusivement construit en bois de cocotier et adapté aux conditions locales de navigation. En effet, son très faible tirant d'eau lui permet de pénétrer à l'intérieur des lagons. Le barreur dirige l'embarcation depuis l'arrière. De nombreux *dhoni* sont équipés d'une boussole, mais les pilotes préfèrent encore se fier à leur sens de l'orientation. Quand ils ne sont pas motorisés, ils portent une très belle voile triangulaire qui rappelle celle des felouques ; leur proue, elle, les apparente au bateau viking, et leur allure à la gondole vénitienne. Le chef du *dhoni*, le *keolu*, règne sur un équipage d'une dizaine d'hommes au maximum, repère les bancs de poissons et dirige les opérations de pêche. Une partie de son travail consiste à rechercher des appâts vivants (il s'agit souvent de mulets), qui seront conservés à bord du bateau. La motorisation des *dhoni* permet d'étendre le champ de prospection. C'est à l'époque des moussons que les zones poissonneuses, qui varient selon les saisons et les conditions climatiques, sont les plus fructueuses.

Sur les dhoni, ces bateaux aux lignes harmonieuses, on dort, on mange, on fume le narghilé au retour de la pêche. Sa forme s'adapte bien aux franchissements des passes.

élevant jusqu'à 30 °C la température de la mer sur les côtes de l'océan Indien. Nombre de coraux ont péri des suites de ces excès, ne laissant que leur squelette de calcaire blanchi. Mais en attendant que renaissent et grandissent les récifs multicolores, il reste un immense plaisir pour le plongeur. À la mort des coraux a succédé une prolifération d'algues, inépuisable banquet pour les poissons-brouteurs dans leurs livrées colorées qui n'ont jamais été aussi nombreux !

Une économie fondée sur la mer

Jusqu'à ces dernières années, les Maldives figuraient parmi les pays les plus pauvres du monde. Le revenu annuel moyen, passé de 80 US $ en 1979 à 1 620 en 1995 (estimation), n'a pas cessé de progresser depuis, en particulier grâce au développement du tourisme.

Mais la mer reste encore la principale ressource économique, la pêche occupant la majeure partie de la population active. Les *dhoni*, désormais motorisés, ont considérablement amélioré leur rendement *(voir encadré ci-contre)*. Actuellement, certains bateaux frigorifiques étrangers achètent directement aux pêcheurs, et plusieurs conserveries ont été installées sur place grâce à l'aide des Japonais, qui en ont profité pour placer leurs moteurs auprès des propriétaires de *dhoni*.

Une des spécialités de la pêche maldivienne est le *hiki mas*, dont la population est friande. Il s'agit d'une sorte de petit thon, la bonite, dont les filets sont séchés au soleil pendant plusieurs semaines puis fumés jusqu'à devenir aussi solides qu'un vieux morceau de bois. Il est alors possible de les transporter et de les conserver très longtemps, même lors des grandes chaleurs. Actuellement, compte tenu d'une demande sri lankaise, la production de *hiki mas* est en progression.

L'agriculture, dans ce pays qui se résume à des poussières d'îles coralliennes au milieu de l'océan, ne tient pas une place importante. Le sol ne se prête pas à la culture et sa fine couche d'argile ne retient pas l'eau. 3 000 hectares seulement sont cultivables. La principale ressource agricole est celle du cocotier, cet « arbre de vie » dont le bois est parfois exporté. On cultive d'une manière très artisanale, uniquement pour la consommation locale, le coprah, le millet, les patates douces et le poivre. Les seuls fruits sont la banane, la goyave, la mangue, le citron et la papaye, et les légumes doivent être importés. L'État reste propriétaire des terres et les loue en fonction de leur rendement et du nombre de palmiers ! Il n'y a aucune production minière, à part un petit gisement de mica, mais on aurait décelé la présence de pétrole sur le territoire maldivien.

Afin de pouvoir importer les produits nécessaires à son économie sans dépendre des compagnies de navigation étrangères, le gouvernement maldivien a créé sa propre compagnie, dont la flotte sillonne l'océan Indien. La majeure partie des importations vient de Singapour, du Japon, du Sri Lanka, de l'Inde et de Dubaï. ■

SUR PLACE

Dans le haut et le moyen pays du Sri Lanka prospèrent les plantations de thé, les cultures en terrasses et la forêt de bois précieux dont le teck et l'ébène.

COLOMBO ET SES ENVIRONS

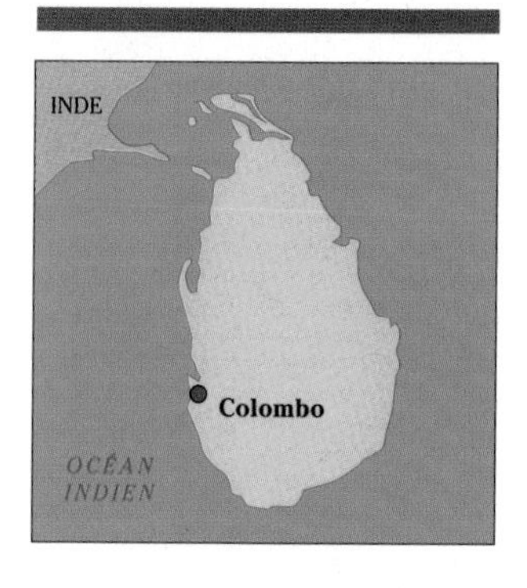

Colombo*

Colombo est-il le cap Zeus décrit par Ptolémée? ou le port de Priapos que mentionnent les marins d'Alexandrie? Une certitude: une inscription datée de 929-930 prouve que des navigateurs arabes abritèrent leur flotte dans l'embouchure de la Kelani Ganga. Plus tard, « Kao-Lan-Pu » est citée. Ibn Battuta *(voir encadré p. 61)*, arrivé à Ceylan en 1344, évoque « la ville de Calenbou, l'une des plus grandes et des plus belles dans l'île de Serendib ». Au XVIe s., un religieux portugais précise que le nom de Colombo est une déformation du mot singhalais *kola amba*, « feuille de manguier », en raison d'un manguier particulièrement feuillu qui servait de point de repère aux navigateurs.

Le comptoir n'était encore au XVIIIe s. qu'un gros village enserré entre mer et lagunes, autour du vieux fort dont les Hollandais s'étaient emparés en 1656. À leur arrivée en 1796, les Anglais le démolirent pour en faire un nouveau quartier commerçant, administratif et résidentiel. Les Ceylanais s'installèrent dans les villages avoisinants alors que les nouveaux occupants, séduits par les plantations de cannelle, y construisaient leurs villas.

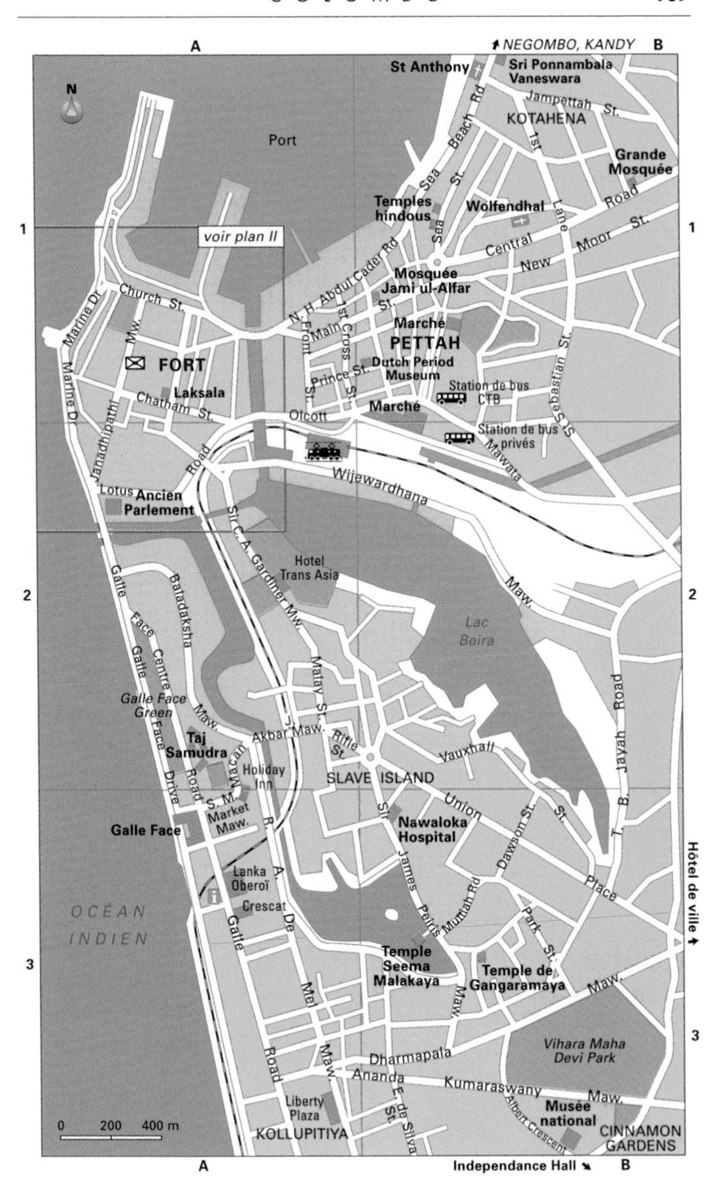

COLOMBO I – PLAN D'ENSEMBLE

La ville s'étendit progressivement le long de la mer. Son développement anarchique n'a pas cessé depuis.

Le contraste entre les quartiers actuels, numérotés en arrondissements, témoigne de ce caractère composite: en quelques minutes de voiture, on passe des larges avenues aux arbres fleuris du très résidentiel «Colombo Seven», aux ruelles de terre battue bordées de taudis le long des rives du fleuve Kelani. Colombo compte 800 000 habitants, et plus d'un million avec ses faubourgs.

S'orienter dans Colombo

Le **quartier du Fort I-A1** est le cœur de la cité, en bordure de mer et non loin du port. La **tour de l'Horloge II-A2** y sert de point de repère. Le quartier populaire de **Pettah I-B1**, ville-bazar, où l'on pourra voir le marché et quelques temples hindouistes, se trouve entre la mer et la rive nord du **lac Beira I-B2**. Il est prolongé à l'est par **Kotahena** avec ses mosquées et ses églises chrétiennes. Enfin, le vaste quartier résidentiel de **Colombo Seven** (C7) **I-B3**, aussi appelé Cinnamon Gardens, s'étend au sud de **Slave Island I-B2**. Ici se situent différents points d'attraction importants, dont le parc **Vihara Maha Devi I-B3**, le **Musée national I-B3**, et des temples bouddhiques.

Galle Road I-A2-3, qui s'étire sur plusieurs kilomètres du **Galle Face Green** à la station balnéaire de **Mount Lavinia**, change de numérotation chaque fois que l'avenue traverse un nouvel arrondissement. Certaines rues portent à la fois leur ancien et leur nouveau nom : ainsi de Duplication Road, connue aussi comme R. A. De Mel Mawatha. ❖

➤ *L'abréviation* **Col** *suivie d'un chiffre correspond aux arrondissements de Colombo. Les coordonnées en* **gras** *renvoient aux plans de Colombo. Plan I: plan d'ensemble, p. 107. Plan II: le Fort, p. 109.*

➤ *Informations pratiques et bonnes adresses p. 119.*

Le Fort et Galle Face Green

Le Fort

Plan II, p. 109.

À l'ombre des tours jumelles du **World Trade Center II-A2** qui le dominent de leurs 34 étages, le **Fort** est avant tout un quartier administratif et le centre des affaires. **Clock Tower II-A2**, un ancien phare (1857) désaffecté, est le point central du quartier.

Pour cette promenade d'une heure, choisissez les heures fraîches et de préférence un jour de semaine, quand tout est ouvert. Ensuite, laissez le hasard vous guider; ne manquez pas toutefois de visiter la **Janadhipathi Mawatha II-A1-2**, ancienne Queen Street. Parmi les grands édifices qui la bordent, vous repérerez vite l'imposante **poste centrale** et, en face, au fond d'un jardin, l'ex-résidence des gouverneurs britanniques. Devant elle se dresse la **statue de sir Edward Barnes II-A1** qui construisit la route de Colombo à Kandy, inaugurée en 1827. Toutes les distances de l'île sont calculées à partir de ce point.

En obliquant dans **Sir Baron Jayatillake Maw. II-AB1-2**, vous verrez d'autres beaux immeubles d'époque, dont celui de la **Bank of India**, et déboucherez dans **York Street II-B1-2**, artère spacieuse et commerçante où se trouve le magasin **Laksala**. Puis, en route vers **Chatham Street II-AB2**, vous passerez devant les grands magasins **Miller & Cargills** (1844), tout en rouge brique.

En revenant sur vos pas dans York Street, vous arriverez à un carre-

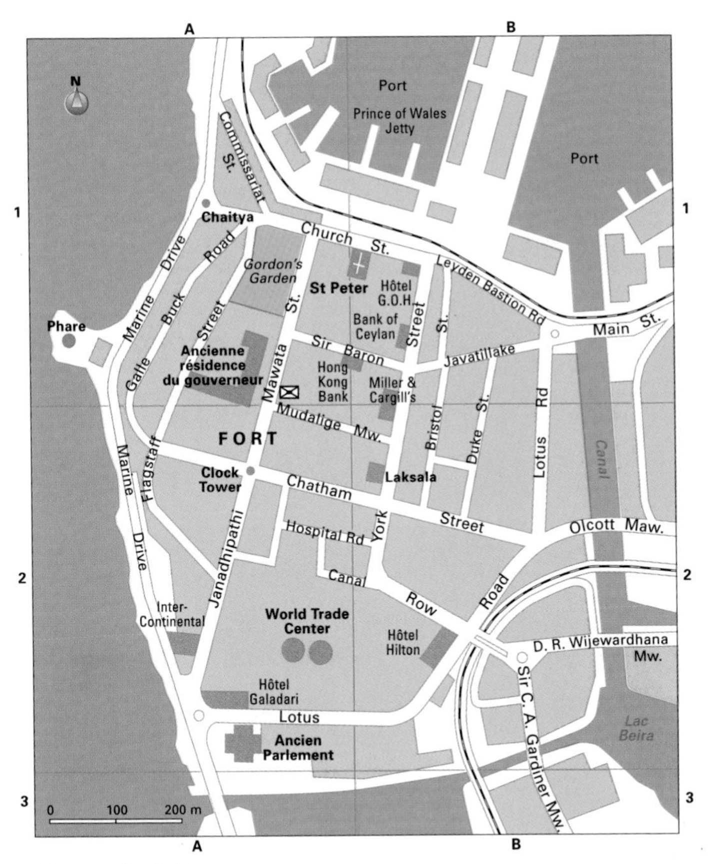

COLOMBO II – LE FORT

four qui compta autrefois parmi les plus élégants de Colombo, avec le *Grand Oriental Hotel* qui domine le port **II-B1**. En longeant le port par Church Street, vous découvrirez l'église anglicane **St Peter II-B1**. Cette ancienne salle de bal faisait partie de la résidence des gouverneurs hollandais.

En laissant à votre gauche la grille de **Gordon's Garden**, vous arriverez devant le **Chaitya II-A1**, ou **Jayanthi Commemorative Tower**, un monument édifié pour le 2 500e anniversaire de la mort de Bouddha. En passant entre les piliers, vous atteindrez **Marine Drive II-A1-2**.

Galle Face Green

I-A2 À l'époque britannique, ce terrain de 1,5 km de long au sud de Marine Drive servait aux manœuvres et aux courses hippiques. Aujourd'hui, l'esplanade, où l'herbe a disparu, ressemble plutôt à un vaste champ de foire dominé par la façade du *Taj Samudra* et celle du premier grand hôtel de l'île, le *Galle Face*. En fin de journée, une foule oisive traîne le long du front de mer parmi les vendeurs ambulants. À la nuit tombée, une partie de Galle Face est envahie par des gargotes qui en font un immense restaurant en plein air.

La Course du thé

Pendant deux siècles, les navires de la Compagnie des Indes ont rivalisé pour faire parvenir au Vieux Continent ces produits de luxe que sont les épices et le thé. Au XIXe s., avec l'industrie du thé, naquirent les célèbres *clippers*, ces longs bateaux à étrave élancée et large voilure qui fendaient les eaux (d'où leur nom, de l'anglais *to clip*, couper). Les *clippers* anglais et américains se disputaient la première place et c'est ainsi que fut créée, vers 1853, la « Course du thé ». L'ouverture du canal de Suez, interdit aux voiliers, et l'apparition des premiers *steamers* devaient mettre fin à cette compétition qui avait poussé les chantiers navals à construire de véritables monstres : le *Cutty Sark*, baptisé en 1869, encore visible dans le port de Londres, pouvait ainsi effectuer le parcours aller-retour entre l'Australie et la Manche en 67 jours seulement. ❖

Des bazars de Pettah* aux sanctuaires de Kotahena

Le damier de Pettah

I-B1 Pettah signifie « à l'extérieur du fort ». On y accède par le carrefour animé de **Main Street** et de **Front Street I-A1** où s'élève une seconde tour de l'Horloge, plus petite que celle du Fort. Avant de vous engager dans **Main Street I-A1**, vous pouvez prendre à dr. **Front Street**, large rue bordée d'un côté par une série d'échoppes. En quelques pas, vous êtes à la **gare centrale I-A2**. Le quartier de Pettah mérite un coup d'œil pour son animation, ses boutiques, ses restaurants et ses hôtels : *Hotel Palace*, *New Colonial Hotel*, et même un

Le quartier de Pettah, organisé selon une structure en damier.

Paris Hotel! Rien de plus normal devant une gare, mais attention : on ne peut pas dormir dans ces établissements, seulement y manger et y boire.

Revenez dans **Main Street**, qui donne accès à de petites rues transversales, dont chacune est numérotée en anglais. Vous verrez dans First Cross Street, à g., le **temple hindou**, décoré de sculptures aux couleurs vives. Plus loin à g., dans Second Cross Street, s'élève **Jami ul-Alfar I-B1** avec ses hauts minarets. Construite en briques blanches et rouges, cette grande mosquée est l'une des plus fréquentées de Colombo et contraste avec celle, verte et blanche, que vous trouverez sur votre dr. cette fois dans Third Cross Street.

On passe bientôt devant le **Dutch Period Museum I-B1** *(ouv. t.l.j. sf ven. 9h-17h)*, installé au n° 11 de Prince Street dans une belle maison hollandaise de 1780. Peu après se trouve l'ancien hôtel de ville de Colombo, derrière lequel se tient un **marché I-B1** consacré à l'alimentation.

Les temples de Sea Street

➤ *Main Street conduit à un autre carrefour où aboutit un faisceau de rues.*

Fifth Street I-B1 est la rue des épices et des remèdes ayurvédiques *(voir p. 45)*. Empruntez ensuite **Sea Street I-A1**, signalée par ses enseignes et consacrée aux prêteurs d'argent ainsi qu'aux bijoutiers.

Dans Sea Street, trois façades sont couvertes d'une profusion de sculptures peintes avec des couleurs franches, représentant une foule de divinités. Les temples de **Ganesh**, le **Old Kathiresan** et le **Sri New Kathiresan I-B1** sont accessibles aux heures de culte *(à 7h et 18h ; se déchausser)*. Du **Sri New Kathiresan** part le char sacré lors de la célèbre **procession** annuelle en l'honneur de Skanda, le dieu de Kataragama *(voir p. 212)*.

Kotahena, quartier œcuménique

➤ **Le Sri Ponnambala Vaneswara**** **I-B1**. *Situé 38, Sri Ramanathan Rd, à 2 km à l'est de Pettah.* C'est le plus beau temple hindou de la ville. Contrairement à ceux de Sea Street, ce bâtiment, construit en 1860, est édifié en granit, dans un style dépouillé (*cérémonie quotidienne vers 18h30 ; pensez à faire une donation*). Au centre, la **chapelle** contient le *lingam* de Shiva. Dans une chambre contiguë se trouve l'image de **Shiva Nataraja**, c'est-à-dire dansant, précédé du taureau sacré **Nandi**. Entre la chapelle de Shiva et celle, voisine, de

Dans un foisonnement de dieux, de déesses et d'animaux sacrés, l'innombrable panthéon hindou s'anime sur les façades des temples de Colombo.

son épouse Parvati, se trouve la ***palli-arai***, ou chambre à coucher de la déesse. À travers la toiture s'élève le mât doré qui désigne l'endroit le plus sacré du sanctuaire. Des piliers finement sculptés de scènes religieuses ou de corbeilles de fleurs soutiennent le toit. Autour du **sanctuaire central**, diverses chapelles sont consacrées à d'autres divinités.

➤ **L'Église St Anthony I-B1**. *Non loin du temple de Ponnambala, sur le trottoir opposé, près d'un **marché au poisson**.* Dans cette petite **église catholique**, de miraculeux pouvoirs sont attribués à la statue du saint par une foule de fidèles de toutes confessions qui viennent l'implorer chaque mardi.

➤ **L'Église de Wolfendhal I-B1** *(f. lun.)*. Cet édifice glacial fut bâti sur un plan cruciforme par les protestants hollandais en 1749. L'entrée se trouve à dr., derrière le chevet. On y voit les pierres tombales des différents gouverneurs hollandais ainsi que, moyennant pourboire, des bibles anciennes dont l'une est datée de 1756.

➤ **La Grande Mosquée I-B1**, 151, New Moor Street, arbore un dôme et un minaret recouverts d'une peinture métallisée, visible de loin.

➤ **La cathédrale Sainte-Lucie hors pl. I par B1**, commencée vers 1876 et terminée après 34 ans de travaux, peut recevoir jusqu'à 6000 fidèles. Elle fut bénie par le pape Jean-Paul II, lors de sa visite en 1995. Œuvre d'un architecte italien, elle abrite derrière sa façade monumentale les tombeaux de trois évêques français. Les œuvres d'art sont très sulpiciennes.

➤ **Le Sri Muthumariamman kovil hors pl. I par B1** se trouve non loin de Sainte-Lucie, au n° 53 de l'étroite rue Kotahena. Ce petit temple hindou est dédié à la déesse Pattini qui aurait le pouvoir de tout guérir, ce qui explique le nombre des fidèles.

De Slave Island à Bambalapitiya

La visite des sanctuaires de la capitale peut se poursuivre tout au long d'une promenade autour des deux lacs et de ce que l'on appelait **Slave Island**, « l'île aux Esclaves » **I-B2**. L'esclavage ne fut aboli qu'en 1855. Pendant l'occupation hollandaise, tous ceux qui travaillaient à la construction du fort étaient logés ici. Pour éviter qu'ils ne s'échappent, on avait placé des crocodiles dans les eaux du **lac Beira I-AB2**.

On peut voir maintenant sur ce lac un très gracieux temple contemporain, le **Seema Malakaya*** **I-B3**, conçu par Geoffrey Bawa, l'un des plus célèbres architectes de l'île.

➤ **Le temple de Gangaramaya I-B3**, sur Lake Rd, avec son décor de plâtre peint très kitsch à l'intérieur, sert de point de départ à la Navam Perahera *(voir p. 38)*. Rivalisant avec celle de Kandy, cette procession rassemble plus d'une centaine d'éléphants et près de 4000 acteurs et danseurs.

➤ **Le temple Asokaramaya****, sur Thimbirigasyaya Rd **hors pl. I par A3**, fut édifié entre 1913 et 1924. Très traditionnel, il abrite pourtant une statuaire étonnante qui n'est pas sans évoquer l'iconographie chrétienne : dans l'encadrement de la porte, un impressionnant Bouddha central semble s'élever en « Assomption ». L'ensemble est régulièrement repeint de couleurs éclatantes.

➤ **L'Isipathana Maha Vidyalaya** se dresse un peu plus au sud, dans la Isipathana Mawatha **hors pl. I par A3**. Son *dagoba* traditionnel, entouré de palmiers tallipots, est décoré de têtes d'éléphant et de fleurs de lotus. Des peintures récentes, un peu dans le style des images d'Épinal, racontent les événements de la vie de Bouddha.

Le parc Vihara Maha Devi et les musées

Le quartier dans lequel se situe le parc Vihara Maha Devi s'appelle **Cinnamon Gardens I-B3**, du nom anglais de la cannelle qui fit la fortune de l'île et que l'on cultivait ici.

Le parc Vihara Maha Devi

I-B3 Connu jadis comme Victoria Park, il porte aujourd'hui le nom de la mère du roi Dutugemunu *(voir p. 59)*, dont la statue est ombragée d'un magnifique *Ficus mysorensis*. Dans ce jardin botanique, devenu le rendez-vous des amoureux et le parking des éléphants, de petits écriteaux indiquent le nom des arbres qui, pour la plupart, fleurissent au printemps.

Au milieu d'un bassin, une statue de Bouddha en plâtre doré fait face à l'**hôtel de ville** de Colombo, pâle réplique du Capitole de Washington construite en 1928. Après avoir traversé ses galeries et ses arcades, vous découvrirez la **mosquée Devatagaha**, flanquée de minarets hollywoodiens.

Le Musée national*

➤ **I-B3** *Albert Crescent* **C7**. *Au sud du parc. Ouv. t.l.j. sf ven. et j.f. 9 h-17 h. Accès payant, taxe pour photographier, flash autorisé mais vidéo interdite. Comptez au moins 1 h pour une visite rapide. Si vous disposez de peu de temps, rendez-vous directement à la* ***salle 24*** *où sont exposées (temporairement) les pièces les plus intéressantes.*

Fondé en 1877 par le gouverneur de Ceylan, le Musée national abrite des collections importantes, malheureusement mal mises en valeur, dans un bel édifice blanc de style colonial. Depuis une vingtaine d'années, le Musée national, objet de polémiques, doit être réorganisé.

Dès l'entrée, on est accueilli par un **Bouddha**** en pierre (IIIe ou IVe s.), un torse de Bouddha, en marbre, provenant de Tissamaharama (VIe ou VIIe s.), et une statue en bois datant de la période kandyenne.

➤ **SALLE 2**. Tentures et tissus.

➤ **SALLE 3**. Quelques très beaux **bronzes**** provenant d'Anuradhapura (483 av. J.-C.-1017 apr. J.-C.).

➤ **SALLE 4**. Collection de **bronzes**** provenant de Polonnaruwa et datant des Xe et XIIe s. : statuettes de Shiva et Parvati, du taureau Nandi, éléphants, *naga* et, la plus belle pièce, un **Shiva Roi de la Danse** *(Shiva Nataraja)***.

➤ **SALLES 6 ET 7**. Armes, objets usuels de bronze, de bois, d'ivoire et d'écaille, quelques belles porcelaines chinoises… et des cadeaux officiels, nettement moins splendides !

➤ **SALLE 8. Trésor**** de Sri Vikrama Rajasinha, roi de Kandy (1798-1815). La pièce principale en est le trône de son ancêtre Rajasinha II (1635-1687), entièrement recouvert de feuilles d'or ciselées et de pierres précieuses. La couronne, le sceptre et le sabre du souverain sont dus à des orfèvres ceylanais. Ce trésor, auquel s'ajoutent aujourd'hui des armes et des vêtements d'apparat, avait été emporté par les Britanniques au château de Windsor en Angleterre. Il fut restitué au Sri Lanka en septembre 1934.

➤ **SALLE 9**. Chapiteaux, colonnes et quelques pierres de lune *(voir p. 140)* y sont exposés, en désordre.

➤ **DANS L'ESCALIER ET LA SALLE DU 1er ÉTAGE**, collection de **masques*** et d'**instruments de musique**.

➤ **SALLE 21**. Marionnettes.

➤ **SALLE 22**. On y voit suspendu au plafond l'impressionnant squelette d'une baleine échouée à Ambalangoda en 1894.

➤ **SALLE 24**. Collection de **pièces***** venant des sites du Triangle culturel *(voir p. 128)*. La plus importante, en bronze doré, du VIIe s. ou du VIIIe s., représente un **bodhisattva*****. On y voit aussi des bijoux dont une **boucle d'oreille***** trouvée à Sigiriya (Ve ou VIe s. av. J.-C.), une figure de Parvati (XIe ou XIIe s.) et trois pages du manuscrit sur feuilles d'or (IXe s. av. J.-C.) mis au jour dans le Jetavana Vihara d'Anuradhapura.

Autour du Musée national

➤ **LE MUSÉE D'HISTOIRE NATURELLE I-B3**. *Ouv. t.l.j. 9h-17h.* Situé derrière le Musée national, il rassemble des collections plus intéressantes pour les élèves sri lankais que pour les touristes.

➤ **LE THÉÂTRE ET LA GALERIE LIONEL WENDT hors pl. I par B3**, à côté, dans Guildford Crescent, abritent des expositions temporaires en souvenir de cet homme de loi (1900-1944) qui fut également un grand pianiste et un photographe de renommée internationale.

➤ **L'INDEPENDENCE HALL hors pl. I par B3** s'élève à 700 m au sud-est du Vihara Maha Devi Park. C'est dans le décor de cette salle à colonnes de style kandyen que, le 4 février 1948, le duc de Gloucester ouvrit la première session du Parlement sri lankais au nom de la Couronne britannique. Devant l'édifice, la statue de Don Stephen Senanayake, Premier ministre indépendant, « père de la nation » *(voir p. 65)*, est placée au centre d'un bassin reproduisant le *Bain aux lotus* de Polonnaruwa. ■

Les environs de Colombo

Le jardin zoologique de Dehiwala

➤ *À 11 km du Fort, à la limite S de Colombo. Le mieux est de s'y rendre en taxi. Ouv. 8 h 30-18 h, payant ; taxe pour appareils photo et caméras.*

La grande attraction de ce jardin, riche en oiseaux et en poissons (dont plus de 500 variétés sont rassemblées dans un aquarium), est le jeu des éléphants qui se produisent chaque jour à 17 h 15.

Mount Lavinia*, la roche aux Mouettes

➤ *À 11 km au S de Colombo et à 3 km au S du jardin zoologique.* ***En train****, départs fréquents de la gare centrale, ou de celles de Kollupitiya et de Bambalapitiya, si on se trouve sur Galle Rd ou dans ces quartiers.* ***En voiture****, prévoir de 45 à 60 mn.*

➤ *Informations pratiques et bonnes adresses p. 126.*

Les navigateurs hollandais avaient baptisé cette belle plage de sable « la Jeune Fille enceinte » en raison de sa forme arrondie. Son nom actuel vient d'une déformation de *lihinia kanda*, la « roche aux Mouettes ». Son succès tient à sa proximité de la capitale et à son équipement hôtelier, mais la voie ferrée qui la longe la rend bruyante et, en raison de violents courants, elle peut être dangereuse par endroits.

Kelaniya*

➤ *À 10 km à l'E de Colombo par la route de Kandy (A1). Ouv. 6 h 30-18 h (22 h 30 les jours de pleine lune). Les cérémonies rituelles* (puja) *ont lieu à 6 h 30, 11 h 30 et 19 h. La Duruthu Perahera, à la pleine lune de janvier, y attire des milliers de fidèles.*

Le Raja Maha Vihara détache sur un fond de verdure la masse

Kelaniya est un haut lieu de pèlerinage bouddhique. C'est dans cet endroit particulièrement sacré que Bouddha serait apparu pour la première fois sur le sol sri lankais, entouré de 500 disciples, huit ans après son illumination.

Une île, deux capitales

Si Colombo est bien la capitale commerciale du Sri Lanka, c'est Kotte, à 11 km de Colombo, qui en est la capitale administrative et parlementaire.

Inaugurée en 1984 sur l'emplacement de l'ancienne capitale du XVe s. par le président Jayawardene, elle porte désormais le nom de **Sri Jayawardhanapura**. Au milieu du lac Dyawanna Oya, le **nouveau Parlement** est l'œuvre de Geoffrey Bawa. ❖

imposante de son *stupa** datant de 1300, bel exemple de l'art bouddhique. Ce *stupa* a la forme d'un tas de riz; il est censé recouvrir le trône orné de pierres précieuses offert à Gautama. À l'intérieur, de **grandes fresques***, exécutées entre 1935 et 1945 par Soliyas Mendi, représentent des épisodes tirés du *Mahavamsa*.

À côté du *stupa* s'élève la construction récente, mais élégante, du **sanctuaire**. Sur les murs extérieurs, on retrouve des éléments inspirés des sculptures de Polonnaruwa, principalement du Tivanka *(voir p. 157)*, et des figures du panthéon hindou.

À l'intérieur, dans la salle de dr., se trouve un immense Bouddha couché; dans celle de g., un reliquaire d'or et, dans le fond du temple, une représentation de Bouddha assis, objet d'une grande vénération. À côté du temple, et faisant pendant au *stupa*, se dresse **l'enclos de l'arbre Bo**.

Le jardin botanique d'Henaratgoda

➤ *À 39 km au N-E de Colombo. À la sortie de Colombo, après le pont sur la rivière Kelani, commence un long faubourg, puis se succèdent cocoteraies et plantations d'ananas, entrecoupées de rizières et d'étangs couverts de lotus. Au km 29, à Miriswatta, une route secondaire conduit en 10 km au jardin botanique d'Henaratgoda.*

Le **jardin botanique d'Henaratgoda**, remarquable pour ses arbustes tropicaux, est aussi le berceau de l'hévéa sri lankais, né de graines provenant du Brésil et apportées en fraude de la forêt amazonienne par un Britannique, vers 1880. Les premiers plants, d'abord expérimentés à Londres, furent ensuite transportés ici dans une terre appropriée pour devenir de splendides arbres, pouvant produire une trentaine de kilos de latex par mois. Les plus anciens sont les n° 2 et 26, sur le sentier central.

Negombo*

➤ *À 37 km au N de Colombo (à l'O de l'aéroport international). Quitter Colombo par la route A3, qui dessert aussi l'aéroport de Katunayake. À ce parcours direct mais sans charme vous pouvez préférer un autre itinéraire qui, via Hendala, suit le canal creusé par les Hollandais entre Colombo et Puttalam (soit 120 km) par une route pas très bonne mais intéressante.* ***Train****: la ligne* ***Colombo/Puttalam*** *passe par Negombo.*

➤ *Informations pratiques et bonnes adresses p. 127.*

Si vous optez pour le parcours long, vous pourrez observer sur les rives la vie des pêcheurs et voir de belles embarcations à l'ancre. Vous

L'oruwa, une embarcation primitive

Depuis des générations, les maîtres charpentiers de la côte ouest, principalement ceux de Negombo, construisent des embarcations capables d'affronter l'océan Indien. La plus remarquable est l'*oruwa*, avec sa coque taillée dans un tronc de jaquier ou d'arbre à pain, son balancier relié par deux bras arqués et sa voile triangulaire. Pas un seul clou n'est utilisé dans sa construction. Seules quelques chevilles et des cordes de *coir* fixent l'ensemble, lui donnant une certaine souplesse nécessaire dans les ressacs. L'*oruwa*, probablement d'origine africaine, semble remonter à la nuit des temps.

passerez ensuite devant de nombreuses églises catholiques du XVIIIe s., dont les façades baroques sont peintes de couleurs pistache, framboise ou vanille. La région est habitée par des Tamouls originaires de l'Inde, les Karavas ; convertis massivement au catholicisme par les missionnaires, ils ont donné à la contrée son surnom de « **Petite Rome** ».

Installé entre un vaste lagon et la mer, **Negombo** fut, à partir de 1640, l'un des centres les plus importants du commerce de la cannelle. De la splendeur du temps des épices ne restent que les vestiges d'un **fort hollandais** et son portail de 1672.

Aujourd'hui, le tourisme s'est emparé de ses plages, qui ne sont pas sûres en toutes saisons. Un minimum d'attention doit être accordé aux indications données par les hôtels à propos de la baignade.

La principale attraction est le **retour des pêcheurs*** et la vente à la criée sur la plage, le matin. Pour découvrir le quotidien des villageois, vous pourrez gagner, par la chaussée, la **presqu'île de Duwa**. Un festival de la pêche a lieu fin juillet. Durant la Semaine sainte, on peut assister au mystère de la Passion, naïf et très réaliste mais peu conformiste, dans les rues du village.

Du thé aux enchères

Colombo est avec Mombasa et Calcutta l'une des dernières villes du monde où se pratique la vente de thé aux enchères. Les séances bihebdomadaires (la première vente eut lieu en 1883) permettent de contrôler la production et d'empêcher l'exportation de thés de qualité médiocre. L'opération débute par la dégustation des crus en provenance des différentes plantations. Les goûteurs, *tea tasters*, au palais infaillible, peuvent déceler l'origine d'un thé et ses défauts de fabrication. Un thé de grande qualité comme le *flowery tips*, constitué de bourgeons argentés et dorés, peut atteindre à la Bourse de Colombo 1 000 FF le kilo.

Pour les appellations de thé, voir aussi p. 48 et p. 190.

Chilaw

➤ *À 77 km au N de Colombo. À 7 km après Negombo, la route franchit le Maha Oya, qui atteint ici près de 100 m de largeur.*

Un grand nombre d'**ateliers de batik** ont été implantés dans la région à partir de **Marawila**. Certains sont de véritables usines rassemblant plusieurs centaines d'employés. Chaque atelier a son magasin. **Chilaw**, petit village de pêcheurs construit sur un estuaire, mérite un arrêt pour son marché au poisson que l'on atteint en traversant le lagon. Le 2 août s'y déroule le Vel des hindouistes, festival en l'honneur du dieu Skanda *(voir p. 39 et p. 211)*.

Munneswaram

➤ *À 3 km de Chilaw.*

Au temple hindou de Munneswaram, on peut assister à un *puja* (vers 12h et vers 17h). En juillet, la fête pour la pleine lune de l'Esala rassemble des fidèles bouddhistes et hindouistes.

La route longe ensuite les eaux boueuses du **lac Mundal**, aux rives bordées de cocotiers. À partir de **Puttalam**, elle traverse une région inhabitée jusqu'à **Kala Oya**, porte d'accès de la réserve de **Wilpattu** *(fermée pour des raisons de sécurité)*. Couvrant 1000 km², elle est parsemée de nombreux lacs et abrite des éléphants, des ours, des léopards et des crocodiles. ■

Colombo

Étant donné l'instabilité de la situation politique actuelle et les problèmes de sécurité qui en résultent, nous vous conseillons de limiter au strict minimum votre séjour à Colombo. Voir avertissement en début d'ouvrage.

L'abréviation Col suivie d'un chiffre correspond aux arrondissements de Colombo. Les coordonnées en gras renvoient aux plans de Colombo.

Plan I: plan d'ensemble, p. 107.
Plan II: le Fort, p. 109.

Indicatif ☎ *01*

ℹ à l'aéroport de Colombo *(ouv. de façon aléatoire)*. **Ceylon Tourist Board**, 80, Galle Rd, face à l'hôtel *The Lanka Oberoï*, **Col3 I-A3** ☎ 43.75.71, www.lanka.net/ctb. *Ouv. lun.-ven. 9h30-16h30, sam. et j.f. 9h-12h30.* Brochures et dépliants, mais peu de conseils ou de renseignements précis. Adressez-vous plutôt aux agences de voyages *(voir p. 124)*. **Cultural Triangle Office**, pour les permis d'entrée et de photo sur les sites, Bauddhaloka Maw., **Col7 hors pl. I par B1** ☎ 58.79.12 et 50.07.33. Le permis est également en vente dans les agences de voyages.

Circuler

➤ À PIED. C'est la meilleure façon de découvrir le Fort et Pettah. Sachez cependant que les trottoirs sont inexistants ou pleins de pièges et la traversée des rues toujours dangereuse: les passages pour piétons ne sont jamais respectés. Pensez à vous protéger du soleil et évitez de porter vos sacs en bandoulière. Si vous devez séjourner un certain temps à Colombo, achetez le répertoire des rues *A to Z Street Guide* de Arjuna's.

➤ EN TAXI. Utilisez de préférence les radio-taxis, qui sont rapides, confortables, climatisés, équipés de compteurs et plus économiques. La prise en charge comprend aussi le premier kilomètre. Comptez 35 Rs du km, environ. Deux compagnies à retenir: **Kool Kangaroo** ☎ 58.85.88 et 50.15.02 et **GNTC** ☎ 68.86.88 et 68.21.26. Les grands hôtels ont toujours leur réserve de taxis, mais ils sont plus chers.

➤ EN THREE-WHEELER, BAJAJ, OU TUCK-TUCK. Ce sont des tricycles à moteur, dans lesquels on peut monter jusqu'à trois (sans bagages). Les chauffeurs ne parlant pas anglais, assurez-vous qu'ils ont bien compris la destination. Négociez toujours le prix auparavant. Valables en dépannage pour les toutes petites courses, ces engins, conduits par des chauffeurs intrépides, sont très polluants.

➤ EN AUTOBUS. Déconseillé *(voir p. 52)*. Si vous tentez l'aventure, prenez garde aux pickpockets!

Hôtels

Les hébergements de catégorie moyenne, peu nombreux et sans charme particulier, restent chers par rapport aux prestations qu'ils proposent. Si vous disposez d'un budget restreint, nous vous conseillons de séjourner plutôt à Mount Lavinia *(voir p. 126)*, où vous aurez un choix d'hôtels et de guesthouses à des prix raisonnables, tout en étant à proximité de Colombo. À Colombo même, vous bénéficierez de meilleurs tarifs en effectuant votre réservation par le biais d'une agence *(voir p. 124)*.

▲▲▲▲ **Colombo Hilton** ♥, 64, Lotus Rd, Echelon Square, **Col1 II-B2** ☎ 54.46.44, fax 54.46.57/58 hilton@sri.lanka.net. *387 ch.* Vue magnifique sur la ville. Piscine très agréable et équipements sportifs prestigieux. **Restaurants** de cuisine française, sri lankaise, japonaise, chinoise et italienne. Boutiques. Somptueux salons. Service exceptionnel. Billard, pub anglais et discothèque… Rien ne manque pour le plus prestigieux hôtel de Colombo.

▲▲▲▲ **Trans Asia** ♥, 115, Sir Chittampalam A. Gardiner Maw., **Col2 I-A2** ☎ 54.42.00, fax 44.91.84, tah_asia@sri.lanka.net. *353 ch.* et *25 suites* ayant toutes vue sur la mer ou sur le lac Beira. **3 restaurants** de cuisine chinoise, thaïlandaise et continentale. Tennis, squash et la plus belle piscine de Colombo. **The Library**, club privé où les résidents sont acceptés, est un endroit très confortable *(ouv. 8h-2h du matin)* ; tenue correcte exigée.

▲▲▲ **Galadari**, 64, Lotus Rd, **Col1 II-A2** ☎ 54.45.44, fax 44.98.75 galadari@sri.lanka.net. *446 ch.* dont la plupart ont vue sur l'océan. Bien situé et salons agréables. Sauna et club de remise en forme. Pas de jardin et piscine à l'étroit au-dessus de la rue.

▲▲▲ **Galle Face**, 2, Kollupitiya Rd, sur Galle Face, **Col3 I-A3** ☎ 54.10.10 à 16, fax 54.10.72 et 74 gfhguest@itmin.com. *65 ch.* Monument historique fondé en 1864 qui accueillit l'empereur Hiro-Hito, Vivian Leigh, Ursula Andress, Ali Khan, le duc d'Édimbourg, etc. Un beau jardin intérieur, une petite piscine d'eau de mer et **2 restaurants** en terrasse sont les principaux atouts de cet hôtel qui fut laissé à l'abandon durant des décennies. Travaux de réhabilitation des chambres en cours.

▲▲▲ **The Lanka Oberoï**, 56/2, Galle Rd, quartier de Kollupitiya, **Col3 I-A3** ☎ 43.74.37 et 32.00.01, fax 44.92.80 ikoberoi.bc@netgate.mega.lk. *600 ch.* avec vue sur la mer et sur le quartier résidentiel. Elles sont bruyantes. Magnifiques salons et beaux jardins. Plusieurs **restaurants**, piscine, sauna, bains turcs, squash, night-club sur le toit, galerie marchande.

▲▲▲ **Taj Samudra**, 25, Galle Rd, **Col3 I-A2** ☎ 44.66.22, fax 44.63.48, taj@sri.lanka.net. *400 ch.* Belle architecture face à la mer, sur le Galle Face. Salons décorés avec goût, chambres sur la mer très confortables avec des tentures indiennes. **3 restaurants** de cuisine française, chinoise et indienne. Night-club, tennis, squash, centre de remise en forme.

▲▲ **Grand Oriental**, York Street, **Col1 II-B1** ☎ 32.03.91 à 93, fax 44.76.40. goh@sltnet.lk. *30 ch.* Un des plus anciens hôtels de Colombo. **Restaurant** avec vue sur le port. Ensemble peu entretenu, ni piscine ni jardin, mais c'est le meilleur établissement dans cette catégorie.

▲▲ **Holiday Inn**, 30, Sir Mohammed Macan Markar Maw., **Col3 I-A2-3** ☎ 42.20.01, fax 44.79.77, holiday@sri.lanka.net. *100 ch.*, petites mais fonctionnelles. Piscine. Petit *coffee shop* ouv. 24h/24. Bon **restaurant** de cuisine moghole.

Près de l'aéroport

▲▲▲ **Airport Garden** ☎ 25.29.50/51/52, fax 25.29.53, agh@slt.lk. *120 ch.* très confortables. Piscine. **Restaurants**. Bar. Tennis.

▲▲▲ **Tamarind Tree** ☎ 25.38.02, 25.42.97 et 25.64.28, fax 25.42.98, jetho@sri.lanka.net. *30 ch.* dans des bungalows et *16* dans un bâtiment central. Piscine.

Restaurants

Cuisines française et continentale

♦♦♦♦ **Gables** ♥, dans l'hôtel *Hilton* ☎ 54.46.44. Irréprochable table dans un élégant décor. Menus avec choix de spécialités. *Business lunch* économique du lun. au ven. Brunch le dim. Service impeccable. Le soir, un pianiste accompagnera votre dîner. Belle carte des vins.

♦♦♦ **Chesa Swiss**, Deal Place, **Col3 hors pl. I par A3** ☎ 57.34.33. L'hospitalité suisse autour d'une table de spécialités de ce pays. Une des très bonnes tables de Colombo. *Dîner seulement. F. le lun.*

♦♦♦ **Gallery Cafe** ♥, Alfred House Rd, **Col3 hors pl. I par B3** ☎ 58.21.62. Installé dans l'ancien atelier de l'architecte Geoffrey Bawa. Décor exceptionnel et table de qualité. Carte variée, belle sélection de vins. Le service pourrait être plus souriant. Une galerie d'art précède le restaurant. Adresse très courue : il est préférable de réserver pour le dîner.

♦♦♦ **Le Palace**, Gregory's Rd, **Col7 hors pl. I par B3** ☎ 69.59.20. *Ouv. t.l.j. 7h-24 h.* Restaurant et salon de thé d'un chef français, dans une très belle maison coloniale. La carte varie chaque jour. Grand choix de desserts. Spécialité de jus de fruits.

♦♦♦ **Il Ponte**, au bord de la piscine de l'hôtel *Hilton* ☎ 54.46.44. Cadre agréable et la meilleure table italienne de la ville.

♦♦ **Cricket Club Café** ♥, 34, Queens Rd, **Col3 hors pl. I par B3** ☎ 50.13.84. Dans une belle demeure coloniale avec jardin. Les deux salles et le bar sont décorés de trophées, de photos et d'objets évoquant ce sport national. Adresse très agréable servant une cuisine simple mais de qualité (excellentes frites). Direction australienne. *Ouv. 11h-23h.*

♦♦ **Delifrance**, galerie marchande Crescat Boulevard, 89, Galle Rd **Col3 I-A3** ☎ (075) 55.33.54. Un véritable café français: pâtisseries, plat du jour, viande, sandwiches, vins...

♦♦ **Don Stanley's**, DHL Tower (15e étage), 42, Nawam Maw., **Col2 I-A3** ☎ (074).71.91.91. Ce restaurant, auquel on accède par un ascenseur panoramique, propose un bon buffet au déjeuner. Belle carte, plats du jour. Terrasse. Très belle vue. *Ouv. 12h-minuit.*

♦♦ **Garden Café Barefoot**, 706, Galle Rd, **Col3 hors pl. I par A3** ☎ 58.93.05. Traverser les salles d'une galerie pour atteindre le jardin intérieur et le restaurant. Décoration raffinée et bonne cuisine. La carte change tous les jours. *Ouv. lun.-sam. 10h-19h.*

♦ **Don's Café**, 69, Alexandra Place, **Col7 hors pl. I par A3** ☎ 68.64.86 et 69.56.21. *Ouv. 11h-15h et 19h-23h.* Barbecue moghol. Agréable.

♦ **Verandah**, dans l'hôtel *Galle Face* ☎ 54.10.10 à 16. Les repas sont servis dans un cadre très agréable. Menu du jour économique, carte. Cuisine correcte. Vaut surtout pour le décor et l'ambiance. Il y a aussi un autre restaurant dans le jardin, le **Sea Spray**.

Cuisines indienne et ceylanaise

♦♦♦ **Alhambra**, dans l'hôtel *Holiday Inn.* Cadre reposant, carte de qualité. Buffet le ven. soir.

♦♦♦ **Ibn Battuta**, dans l'hôtel *Trans Asia* ☎ 54.42.00. Spécialités sri lankaises de curries. Buffet au déjeuner du lun. au ven.

♦♦ **Curry Leaves**, 66, W.A. Silva Maw., Wellawata, **Col6 hors pl. I par A3** ☎ 58.02.23. Tenu par un joueur de cricket. Ne sert que de la cuisine indienne.

♦♦ **Khayaban**, 286, Galle Rd, **Col3 hors pl. I par A3** ☎ (071) 361.93. Cuisine pakistanaise: brochettes de viande *(kebabs)* et blancs de poulet marinés et grillés *(tikka).*

♦♦ **Saras**, 450 E, R. A. De Mel Maw., **Col3 I-A1** ☎ 57.52.26. Cuisine indienne, cadre agréable.

Cuisines chinoise et thaïe

♦♦♦♦ **Long Feng**, dans l'hôtel *Trans Asia* ☎ 54.42.00. Bonnes recettes cantonaises et sichuanaises. Beau décor. Déjeuner et dîner.

♦♦♦ **The Royal Benjarang**. Dans l'hôtel Trans Asia. Trois cuisiniers thaïlandais vous feront découvrir les spécialités de leur pays. Cuisine authentique et fine.

♦♦♦ **The Wok**, dans l'hôtel *Hilton* ☎ 54.46.44. Déjeuners et dîners. Cadre agréable. Excellente table.

♦♦ **Flower Lounge**, 3, Bagatelle Rd, à Kollupitiya, **Col3 hors pl. I par A3**. Dans une belle maison coloniale. Décor très agréable et cuisine réputée.

♦ **Kinjou**, 33, Amarasekara Maw., à l'angle de Havelock Rd, **Col5 hors pl. I par B3** ☎ 58.94.77 et 59.17.28. Excellente cuisine chinoise. Salles et jardin agréables. *Ouv. midi et soir.*

Cuisine japonaise

♦♦ **Moshi Moshi**, 110, Duplication Rd, **Col5 hors pl. I par A3** ☎ 50.13.97. Jardin, karaoké. Adresse prisée des Japonais.

♦♦ **Nihon Bachi**, 11, Galle Face Terrace **I-A3** ☎ 42.36.13 et 14. Tenu par un Sri Lankais d'origine japonaise. Ouv. 11h-14h et 18h-24h (bar karaoke).

♦♦ **Sakura**, 14, Rheinland Place, **Col3 hors pl. I par A3** ☎ 57.38.77. Bon rapport qualité-prix.

Cuisine coréenne

♦♦ **Arirang**, 16, Abdul Caffoor Maw., **Col3 hors pl. I par A3** ☎ 57.51.86. Spécialités de viande et de poisson au barbecue.

♦♦ **Han Gook Gwan**, 25, Havelock Rd, **Col5 hors pl. I par A3** ☎58.79.61 et 58.14.18. Barbecue sur la table.

♦♦ **Kolio**, 383, R. A. De Mel Maw., **Col3 hors pl. I par A3** ☎57.49.30. Servent aussi de la cuisine chinoise.

POISSONS ET FRUITS DE MER

♦♦ **Beach Wadiya**, Railways Avenue, à la station de Wellawata, **Col6 hors pl. I par A3** ☎58.85.68. Directement sur la plage. Bonne carte des vins. Le meilleur restaurant de poissons de Colombo. Très agréable pour le dîner. Réservation indispensable.

♦ **Seafish**, Sir Chittampalam A. Gardiner Maw., **Col2 II-B2** ☎32.69.15. Table très simple, à proximité des grands hôtels.

Sports

La plupart des hôtels ont un *health club* (**centre de remise en forme** et de **gymnastique**) avec sauna, massage, bains à remous, etc., de même qu'une piscine (les plus belles sont celles du *Hilton*, du *Lanka Oberoï* et du *Trans Asia*), et des courts de **tennis** éclairés le soir. Les hôtels *Lanka Oberoï*, *Taj Samudra* et *Trans Asia* ont des salles de **squash** et reçoivent des membres temporaires sous certaines conditions. Réservation indispensable pour le tennis et le squash.

➤ GOLF. **The Royal Colombo Golf Club**, Model Farm Rd, **Col8 hors pl. I par B3** ☎69.54.31, est un très beau terrain de 18 trous. Le club accepte des membres temporaires. Restaurant réservé aux adhérents.

➤ PLONGÉE SOUS-MARINE. Safaris sous-marins, location de matériel de plongée à **Underwater Safaris**, 25, Barnes Place, **Col7 hors pl. I par B3** ☎69.40.12.

La **plage** la plus proche se trouve à **Mount Lavinia**, à 11 km *(voir p. 115)*. Comptez 45 mn à 1 h en taxi ou en autobus. Plus rapide par le train.

Loisirs et spectacles

➤ CINÉMA. L'**Alliance française** projette des films français sous-titrés en anglais *(voir p. 126)*.

➤ DISCOTHÈQUES. Chaque hôtel possède la sienne. Se renseigner à la réception sur horaires et conditions d'admission. Tenue correcte exigée.

➤ GALERIES D'ART CONTEMPORAIN (peinture, sculpture, photo, dessin). Galerie **Dominic Sansoni**, 706, Galle Rd, à Bambalapitiya, **Col4 hors pl. I par A3** ☎58.93.05. *Ouv. 10 h-19 h, sam. 10 h-14 h.* **Paradise Road Galleries**, 2, Alfred House Rd, **Col3** (jouxte le restaurant **Gallery Cafe**) **hors pl. I par B3** ☎58.21.62. *Ouv. 10 h-21 h.* **National Art Gallery**, 106, Coomaraswamy Maw., **Col7 I-B3** (en face du musée). *Ouv. 9 h-17 h.*

➤ THÉÂTRE ET CONCERTS. La vie culturelle se déroule principalement dans les centres culturels étrangers : **Alliance française**, **British Council** et **Goethe Institut**. Concerts et pièces de théâtre se déroulent généralement au **Lionel Wendt Theatre**, 18, Guildford Crescent, **Col7 hors pl. I par B3** ☎69.57.94.

➤ SPECTACLES FOLKLORIQUES. Programmes annoncés dans la presse ou affichés à la réception des hôtels. Les représentations les plus intéressantes sont celles du **Sama Ballet**.

Shopping

➤ SOUVENIRS, DÉCORATION ET ARTISANAT. **Barefoot ♥**, 706, Galle Rd, à Bambalapitiya, à 3 km de Galle Face, sur la route de Mount Lavinia, **Col4 hors pl. I par A3** ☎58.93.05. *Ouv. 10 h-19 h, sam. 10 h-14 h.* Barbara et son fils Dominic Sansoni sélectionnent les meilleures productions locales : tissus, vêtements, jouets, sacs, linge de maison, meubles et souvenirs. **The Oasis Company**, 18, Bambalapitiya Station Rd, **Col4**, à côté du Majestic City **hors pl. I par A3** ☎59.70.97. *Ouv. 10 h-19 h.* Choix de beaux objets, bijoux, meubles dont une partie provient de l'Inde. **Odel Home**, 38, Dickman's Rd, **Col5 hors pl. I par A3** ☎59.04.35. *Ouv. lun.-sam. 10 h-19 h, dim. 10 h-14 h.* Objets. Décoration. Adresse de qualité. **Paradise Road ♥**, 213, Dharmapala Maw., **Col7**, près de l'hôtel de ville **hors pl. I par B3**

Les tambours mènent les danses

Sourds ou tonnants, les tambours sont encore de toutes les fêtes, accompagnant danses et processions.

Connu 500 ans avant notre ère, le **tambour** constitue la base de la musique sri lankaise. Certains joueurs de la caste des batteurs *(beravayo)* atteignent une dextérité surprenante. Leurs ancêtres se livraient d'ailleurs à de véritables compétitions et recevaient, en guise de récompense, des baguettes d'ivoire ou d'or. Si l'on a recensé par le passé une cinquantaine de **percussions** à simple ou à double face, frappées avec une baguette ou avec les mains, il n'en subsiste plus aujourd'hui qu'une dizaine. Le *bumbiya*, simple pot de terre recouvert d'une membrane, est le plus ancien et le plus sommaire. Le *gete bere* est un double tambour, dont les cylindres sont tendus d'une peau de bœuf et d'une peau de singe. Le *tammetam* possède aussi une double timbale que l'on martèle avec deux maillets de rotin courbes. L'*udakkiya*, en forme de sablier, a la particularité de pouvoir se régler en cours d'exécution grâce à des lanières de cuir. Le *davula*, qui servait jadis à proclamer les décisions royales, se résume à un cylindre que l'on frappe d'un côté avec un bâton, et de l'autre à main nue.

Toutefois, les orchestres ne seraient pas complets sans les petites **cymbales**, le **gong**, la **conque marine**, la **flûte** nasillarde dont l'embouchure est faite en feuille de palmier ou le ***vinhas***, viole à deux cordes tendues sur une noix de coco. ❖

☎ 68.60.43. *Ouv. t.l.j. 9h-19h.* Choix d'objets exceptionnels présentés dans une belle maison ancienne. Cafétéria. Succursales dans l'hôtel *Trans Asia* ☎ (074) 79.38.05 et au Jaic Hilton Tower Shopping Mall, 200, Union Place, **Col2 I-B3** ☎ 30.06.42. **Serendib Gallery**, 36 1/1, Rosmead Place, **Col7 hors pl. I par B3** ☎ 69.74.67. *Ouv. 9h-18h ou sur r.d.v.* Très belles antiquités. Objets, meubles, livres et cartes anciennes. **Thimble**, 32, R. A. De Mel Maw., **Col4 I-A3** ☎ 59.71.86. Belles tentures peintes à la main, et cadeaux à prix raisonnables.

➤ ANTIQUITÉS. **Villa Saffron**, 411, Sri Jayawardenapura Maw. (Parliament Rd) **hors pl. I par B3** ☎ (075) 33.16.51 et **Raux Brothers**, 7, Fonseka Rd, **Col5 hors pl. I par B3** ☎ (075) 33.90.16 peuvent se charger des expéditions vers l'étranger. **Kandyan Antiquities**, 36, Flower Rd, **Col7 hors pl. I par B3** ☎ (074) 51.09.81. Objets, statuettes et bijoux anciens à des prix intéressants.

Le lent et patient travail du batik.

➤ Centres commerciaux. **Crescat Boulevard**, 56/2, Galle Rd, **Col3 I-A3**, à côté de l'hôtel *Lanka Oberoï*. Ce centre, le plus récent et le plus luxueux, satisfera les plus exigeants. On y trouve de tout. **Majestic City**, à Bambalapitiya, **Col4 hors pl. I par A3** abrite plusieurs dizaines de magasins. Le **Liberty Plaza**, 259, Duplication Rd, **Col3 I-A3**, est assez central mais ses boutiques conviennent davantage à la vie quotidienne de la population locale.

➤ Vêtements. **Odel ♥**, 5, Alexandra Place, Lipton Circus, **Col7 I-B3** ☎68.27.12. *Ouv. 10h-19h, dim. 10h-15h.* Grand choix de vêtements (hommes, femmes et enfants) à des prix très intéressants. Également des jouets, des bagages, etc. Cafétéria. Succursales dans l'hôtel *Trans Asia*, dans le Liberty Plaza, (*voir ci-dessus*), et dans le Majestic City. **Coton Collection**, 40, Sir Ernest de Silva Maw. (anc. Flower Rd), **Col7 I-B3** ☎57.68.82, propose des vêtements originaux. Succursales dans le Liberty Plaza et le Majestic City. **Cholie**, 75, Galle Rd, dans la galerie marchande du Crescat, 1er étage, **Col3 I-A3** ☎(075) 53.55.15 et **Saree Kingdom**, centre commercial Majestic City, boutique 2-24, **Col4 hors pl. I par B3** ☎58.23.67 : grand choix de saris.

➤ Livres. **Barefoot**, 706, Galle Rd, **Col3 hors pl. I par A3** ☎58.93.05, barefoot@eureka.lk. *Ouv. 10h-19h, sam. 10h-14h.* Choix considérable d'albums et de textes sur le Sri Lanka. **Vijitha-Yapa**, Galle Rd, Unity Plaza, **Col4 hors pl. I par B3** et Crescat Blvd, Galle Rd **I-A3**, vijiyapa@sri.lanka.net, excellents points de vente qui distribuent aussi la presse française. **Lake House Bookshop**, Sir Chittampalam A. Gardiner Maw., **Col2 I-A2**, et dans le Liberty Plaza : bon choix de littérature générale et d'ouvrages sur le Sri Lanka.

➤ Pierres précieuses. **Jewel Qudsi**, dans l'hôtel *Galle Face* ☎33.69.46. Une très bonne adresse. **Premadasa Jewellers**, 75/7, Ward Place, **Col7 hors pl. I par B3** ☎67.20.91/92. **Premadasa and Co**, 560, Galle Rd, **Col3 hors pl. I par A3** ☎59.51.78 et 79 ou 59.53.53.

➤ Thé. On vous en proposera un peu partout. Celui de chez **Mlesna**, l'un des meilleurs, est vendu au Crescat, à l'hôtel *Hilton*, au *Liberty Plaza*, au *Majestic City* et à l'aéroport.

Adresses utiles

Agences de voyages

Quelques **voyagistes spécialisés dans la clientèle francophone** présentant toutes les garanties :

Connaissance de Ceylan, 58, Dudley Senanayake Maw., **Col8 hors pl. I par B3** ☎68.55.64, 68.56.01 et 02, 68.43.73 et 69.83.46, fax 68.55.55 et 83.43.72, cdctrv@slt.lk, www.connaissanceceylan.com. Sérieuse et dynamique. Professionnels parlant français. Toute prestation à la demande.

ACME, galerie marchande de l'hôtel *Trans Asia* ☎33.26.74 et 34.56.91, fax 33.26.73 et 786.685.78, acmesl@sri.lanka.net, acme@sol.lk, www.acmetravels.com. On y parle français, et les individuels y sont particulièrement bien traités. Demander Shan.

Lion Royal, Sampath Centre, 3e étage, 110, Sir James Peiris Maw., **Col3 I-B3** ☎ (074) 71.59.96, fax (074) 71.59.97, lionroya@slt.net.lk. Tenue par Nilan, excellent guide francophone, cultivé et dynamique. Tous types de circuits.

Paradise Holidays, 160/2, Bauddhaloka Maw., **Col4 hors pl. I par B3** ☎ 59.10.94, fax 50.21.10. Agence sympathique tenue par Sam Tegal qui connaît parfaitement son métier.

Andrews Travel, Duplication Rd, **Col3 I-A3** ☎ 57.41.66 et 57.44.53, fax 57.52.14, andrews@sri.lanka.net. Habitué à travailler avec la clientèle belge et française.

D'autres agences spécialisées dans les voyages en groupe sont les correspondants des tour-opérateurs français : **Aitken Spence**, 13, Sir Baron Jayatillake Maw. **Col1** ☎ 43.67.35/55. **Ceylon Tours**, 8a, Sir Ernest de Silva Maw. **Col3** ☎ 57.45.89, fax (075) 33.16.06. **Hemtours**, Hemas House, 75, Braybrooke Street, **Col2** ☎ 30.00.01/02. **Walkers**, 130, Glennie Street, **Col2** ☎ 42.11.01-15. **Whitehall Boustead**, 148, Wauxhall Street, **Col2** ☎ 45.53.74 et 43.65.23.

SANTÉ

➤ URGENCES. **Accident Service** (relié à l'hôpital central de Colombo), **Col7** ☎ 69.11.11. **Ambulances** ☎ 42.22.22. **Police touristique** ☎ 42.11.11 (poste 365).

➤ HÔPITAL. Le meilleur est le **Nawaloka Hospital**, 23, Sri Sugathodaya Maw., **Col2 I-B3** ☎ 54.44.44 et 54.62.58. Établissement privé, service d'urgence ouvert jour et nuit. Avant toute hospitalisation, prendre conseil auprès de l'ambassade de France *(voir plus bas)*.

➤ PHARMACIE. **Osu Sala**, Union Place **Col2 I-B3**. *Ouv. 24h/24.*

➤ MÉDECINS. Ils se rendent à votre hôtel sur demande. Tarifs occidentaux. **Dr Kaluarachi** ☎ 68.51.28 et 69.91.55. **Dr Navarathne** ☎ 57.33.22 et ☎/fax 57.35.77 (médecin de l'ambassade de France et correspondant des compagnies d'assurance internationales). **Dr Mrs Perera** ☎ 69.94.99. **Medi Calls** ☎ 57.54.75. Cabinet médical ouv. 24h/24. Tarifs un peu plus élevés que la moyenne, mais bon service. Se déplacent de jour et de nuit.

➤ DENTISTE. **Dr Chinniah**, 84, St Anthony's Maw, **Col13 I-B1** ☎ 57.37.28. Cabinet propre, bons diagnostics.

➤ DERMATOLOGUE. **Dr Upendra Da Silva**, 17/2 Lauries Rd **Col4 hors pl. I par A1** ☎ 58.86.79.

➤ OPHTALMOLOGUE. **Dr Anandarajah**, 55, Ward Place, **Col7 hors pl. I par B3** ☎ 69.33.33. Cabinet *ouv. 9h-11h et 16h-18h.* **Dr Waryapola** au Nawaloka Hospital **I-B3.**

SERVICES ADMINISTRATIFS

➤ AMBASSADES. **France**, 89, Rosmead Place, **Col7** ☎ 69.88.15 et 69.97.50, fax 68.87.90. *Ouv. lun.-jeu. 8h30-18h (13h le ven.). Permanence assurée le w.-e.* Consulat de **Belgique**, Police Park Terrace, **Col5 hors pl. I par B3** ☎ 50.43.51. Consulat de **Suisse**, 63, Gregory's Rd, **Col7 hors pl. I par B3** ☎ 69.51.17/27/28. Délégation du **Canada**, 6, Gregory's Rd, **Col7** ☎ 69.58.41 et 69.58.45. Délégation des **Maldives**, 23, Kaviratna Rd, **Col5 hors pl. I par B3** ☎ 58.67.62 et 50.09.43.

➤ BANQUES. Avec une carte bancaire, retrait d'argent possible 24h/24 aux distributeurs de la **Hong-Kong and Shanghai Bank**, 24, Sir Baron Jayatillake, près de la poste, **Col1 II-A1**, 38, Galle Rd, à Wellawata, **Col6 hors pl. I par A1**, 271, Ward Place, **Col7 hors pl. I par B3** et à ceux **du Jaic Hilton Tower**, Shopping Mall, 200, Union Place, **Col2 I-B3** ou du **Liberty Plaza**, 259, Duplication Rd **Col3 I-A3**. Les agences bancaires sont *ouv. lun.-ven. 9h-13h ou 17h.* En dehors de ces horaires, vous pouvez changer vos devises à plusieurs guichets : **Bank of Ceylon**, au r.d.c, près du *Grand Oriental Hotel*, York Street **II-B1**, *lun.-ven. 9h-18h, sam.-dim. 9h-16h.* Retrait possible au guichet de change avec la carte VISA, sans chéquier. Autre bureau dans Pettah, Prince Street, **Col11 I-A1**. *Ouv. 8h-20h.* **Hatton National Bank**, 64, Lotus Rd **II-A2**. *Ouv. aussi sam. 9h-17h et dim. 9h-12h.* Change au **Night**

Service Unit People's Bank, Headquarter Branch, Sir Chittampalam A. Gardiner Maw., **Col2 I-A2**, *ouv. mar.-ven. 15h30-19h, sam. 9h-13h*, et à l'**aéroport de Katunayake**, *ouv. sans interruption.*

➤ DEPARTMENT OF WILD LIFE CONSERVATION ☎ 86.70.86 et 82, Rajamalwatta Rd, Battaramulla, **Col15**. Délivre les autorisations nécessaires pour séjourner dans les parcs et réserves.

➤ DOUANES. Dept Times Building, Sir Baron Jayatillake Maw, **Col1 II-A1** ☎ 42.11.41 à 49.

➤ NATIONAL GEM AND JEWELLERY AUTHORITY, 25, Galle Face, **Col1 I-A3** ☎ 32.92.95. Pour faire estimer vos achats de pierres précieuses.

➤ PROLONGATION DE VISAS. « Star Tower », Station Rd, à Bambalapitiya **Col4 hors pl. I par A3**, devant le Majestic City ☎ 59.75.11/12. Y aller dès 9h du matin, avec passeport, billet de retour et bordereaux de change ; prévoir une longue attente.

➤ POSTE. **General Post Office**, Janadhipathi Maw., **Col1 II-A1**. Ferme tard (pas d'heure fixe). Poste restante, cartes téléphoniques et timbres de collection. **Central Telegraph Office**, Duke Street, **Col1 II-B2** ☎ 32.62.67. *Ouv. 24h/24.* Téléphone, fax. Mieux vaut pourtant appeler d'une cabine avec une carte.

SERVICES CULTURELS

➤ CENTRES CULTURELS. **Alliance française**, 11, Barnes Place, **Col7 hors pl. I par B3** ☎ 69.41.62. Bibliothèque de prêt, concerts, conférences, cours de langue et de civilisation françaises, projections de films français sous-titrés en anglais le mer. à 18h et le ven. à 15h à l'auditorium. Programme dans la presse et par téléphone. **The British Council**, Alfred House Gardens, **Col3 hors pl. I par A1** ☎ 58.11.78.

➤ CULTES. Messes catholiques, en anglais, dans plusieurs églises de la ville et à la cathédrale Sainte-Lucie (prêtre français).

TRANSPORTS

➤ AÉROPORT international de Katunayake *(voir p. 32)*. **Rens. sur les vols** ☎ (073) 55.55. **Rens. SriLankan Airlines** ☎ 45.22.81. **Informations touristiques** ☎ 45.24.11. Taxe d'embarquement (500 Rs) payable en roupies après l'enregistrement.

➤ COMPAGNIES AÉRIENNES. S'adresser aux agences de voyages.

➤ GARES FERROVIAIRES. **Fort Railway Station, Col1 I-A2** ☎ 43.42.15. Consigne *ouv. 6h-20h*. **Réservations** ☎ 43.29.08. Pour la ligne du Sud *(voir p. 53)*, stations à Kollupitiya, Bambalapitiya et Wellawatta.

➤ GARES ROUTIÈRES. **Central Bus Station**, Olcott Maw., **Col1 I-B1** ☎ 32.80.81. **Private Bus Stand**, E.W. Bastion Maw., **Col1 I-B2** ☎ 42.17.31. Bus des compagnies privées. *Conseils de sécurité, voir p. 53.*

➤ LOCATION DE VOITURES. S'adresser aux agences de voyages.

DIVERS

➤ COIFFEUR. **Fi'nomenal**, dans la galerie marchande de Crescat Boulevard, 75, Galle Rd, r.d.c., **Col3 I-A3** ☎ (075) 54.04.00. Le coiffeur parle français.

➤ CYBERCAFÉS. **Speed Internet Library**, 57 Galle Rd, **Col4** ☎ (074) 51.33.32. **Tribel Cyber Cafe**, 5 R. A. De Mel. Maw., **Col5** ☎ (074) 51.79.99. Voir aussi les **Business Centers** des grands hôtels.

➤ RÉPARATION DE MATÉRIEL PHOTOGRAPHIQUE. **Photoflex**, 451/2, Galle Rd, **Col3 hors pl. I par A1**, au 1er étage ☎ 58.78.24.

■ Mount Lavinia

Indicatif ☎ 01

Hôtels

▲▲▲ **Mount Lavinia** ♥ ☎ 71.52.21-28, fax 73.07.36 et 73.82.28, lavinia@sri.lanka.net. Ancienne résidence d'un gouverneur anglais (de 1805 à 1812) transformée en hôtel en 1877 et rénovée en 2000. Charme et site exceptionnel. Grande salle à manger. Piscine avec bar et solarium, au-dessus de l'océan Indien. **Restaurants** de cuisine orientale et de fruits de mer. La plage est belle mais dangereuse.

▲▲ **Berjaya Mount Royal Beach**, 36, College Avenue ☎ 71.40.01 à 03 et 73.96.10 à 15, fax 73.30.30, berjaya@sri.lanka.net. *95 ch.* climatisées. Piscine, plage, **restaurants**. Toutes les chambres. ont un balcon sur la mer, mais la voie ferrée passe devant l'hôtel.

▲▲ **Rivi Ras**, A. De Saram Rd ☎ 71.77.31/86. Chambres dans des cottages, jardin calme, près de la plage.

Nombreuses *guesthouses*, dont certaines sont agréables. ▲ **Cottage Gardens**, 42, College Avenue ☎ 71.30.59, *5 bungalows* simples mais confortables avec un jardin à proximité de la plage.

Restaurants

♦♦ **Frankfurt Lavinia Garden**, 34/8, A. De Saram Rd ☎ 71.60.34. Excellente table et décor très agréable. Les amateurs de viande seront comblés. Carte variée et bons vins.

■ Negombo

Indicatif ☎ *031.*

Lewis Place est l'ancien nom de Poruthota Rd.

Hôtels

▲▲▲ **Blue Oceanic**, à Ethukala (4 km du fort) ☎ 790.00/03. bluer@sri.lanka.net. *106 ch.* avec climatisation et *2 suites*. Plage privée, petit jardin, piscine, tennis.

▲▲▲ **Ranweli Holiday Village**, à Waikkal (13 km au N de Negombo) ☎ 773.59, fax 773.58, ranweli@sri.lanka.net. À 3 km de la route, au milieu du lagon: on y accède par bac. *84 chalets* avec clim. dans un parc animalier de 8 ha. Piscine, tennis.

▲▲ **Browns Beach**, 175, Lewis Place, à 3,5 km du fort ☎ 220.31/32 et 220.76, fax 243.03. *132 ch.* avec clim. Piscine. Plage privée. **Restaurant** en plein air. Tennis.

▲▲ **Camelot Beach**, 345-347, Lewis Place (3,5 km du fort), à côté du Browns Beach ☎ 223.18, 358.83, 358.84 et fax 382.85 camelot@itmin.com. À 20 mn de l'aéroport et à 2 km de Negombo, sur la plage. *85 ch dont 70 climatisées.* Toutes les chambres ont vue sur la mer avec un balcon privé. Beach volley, piscine, aire de jeux pour enfants, restaurant et bar avec billard. Centre ayurvédique.

▲▲ **The Club Dolphin**, Kammala South, à Waikkal (10 km au N de Negombo) ☎ 33.129. *74 ch.*climatisées. dans un jardin-palmeraie avec une des plus grandes piscines d'Asie. Tennis, animation, sports nautiques.

▲▲ **Icebear**, 103-2, Lewis Place (2,5 km du fort) ☎/fax 338.62. Réserver. Guest house dans une belle maison ancienne. Confortable, air cond., propre. Jardin, bon restaurant. Adresse de charme.

▲▲ **Royal Oceanic**, à Ethukala (4 km du fort) ☎ 790.00/03, fax 799.99. *91 ch.* avec clim. et balcon sur la mer. Belle architecture et piscine originale.

▲▲ **Sunset Beach**, à 1,5 km du fort ☎ (075) 54.57.11 et fax (074) 87.06.23. jethot@sri.lanka.net. *40 ch.* avec ventilateur donnant sur la mer. Piscine, pêche et plage privée; grand choix de sports nautiques en hiver.

Restaurants

En dehors des restaurants des hôtels, Negombo possède quelques tables spécialisées dans les poissons et fruits de mer, dont le **Star Beach**, le **Sea View** et le **De Phani**, tous sur Lewis Place. La qualité de ces établissements peut varier d'une saison à l'autre. ■

CEYLAN DES ROYAUMES

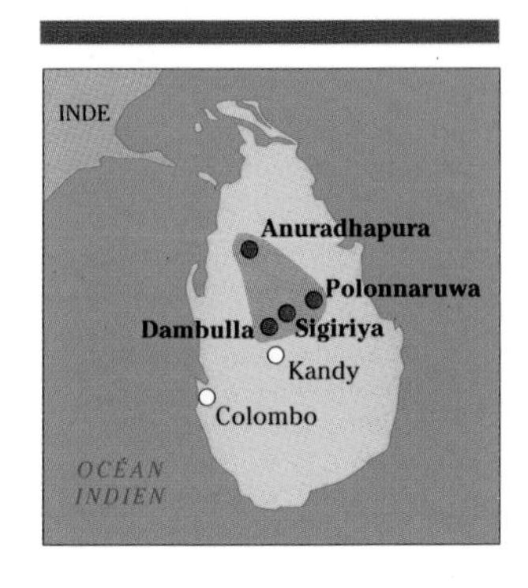

Dès le début du XIXe s., des historiens portugais, des cartographes hollandais, des ingénieurs anglais et la branche singhalaise de la Royal Asiatic Society commencèrent à recenser les trésors architecturaux des cités enfouies. Un inventaire photographique est dressé par Lawton vers 1870. La première mission archéologique, subventionnée en 1868, aboutit à la création de l'Archeological Survey of Ceylon. H.C.P. Bell, son premier commissaire, publia des ouvrages qui restèrent des références pour tous ceux qui allaient lui succéder à partir de 1912. Avec le développement du tourisme, un siècle plus tard, les Sri Lankais ont pris conscience de la richesse de leur patrimoine et s'efforcent de le mettre en valeur. Mais les sites et les édifices, laissés parfois à l'abandon depuis leur découverte, nécessitent des soins constants d'entretien. Le gouvernement a décidé, en 1980, avec la participation financière de l'Unesco, la création du « Triangle culturel » dont le but est de fouiller six sites dans trois villes anciennes. Celui de Sigiriya a nécessité la présence de 600 ouvriers pendant dix ans; autant de personnes ont participé au dégagement des restes du monastère d'Abhayagiri, à Anuradhapura; des dizaines d'experts et plus de 200 restaurateurs ont contribué à sauver les fresques de Dambulla. Des centaines de monuments religieux ou séculiers ont ainsi été restaurés dans l'île. Les nombreuses découvertes effectuées au cours des fouilles ont permis de mieux comprendre l'histoire de l'ancienne Lanka, et des pièces exceptionnelles sont venues enrichir les collections des musées. Mais le coût du projet n'a cessé de croître, engloutissant des sommes considérables, et ce malgré un droit d'accès très élevé demandé à tout visiteur étranger.

De Colombo à Anuradhapura

Cet itinéraire passant par Kurunegala permet de faire de nombreuses excursions tout au long du parcours, en visitant les sites historiques de Panduwas Nuwara, Arankele, Yapahuva et Rajagane. Comptez 200 km pour aller directement à Anuradhapura, mais la visite de tous les sites qui ponctuent cet itinéraire peut prendre un temps considérable.

La route A1 qui conduit à Kandy (115 km) passe à proximité du temple de Kelaniya *(voir p. 115)*. Elle traverse le village de **Pasyala**, pays des noix de cajou, vendues le long de la route. Les villages suivants sont spécialisés dans la vannerie. Au km 60, à Ambepusa, quittez la A1 qui continue vers Kandy et empruntez la A6 en direction d'Anuradhapura.

Kurunegala

➤ *À 48 km au N-O de Colombo.* ***Train*** *: la ligne* ***Colombo/Vavuniya*** *dessert* ***Kurunegala*** *puis Anuradhapura.*

Construite au centre d'une vaste dépression, Kurunegala fut capitale de l'île de 1284 à 1346, avant que ce rôle ne revienne à Gampola, de 1347 à 1410. De sa splendeur, il ne subsiste aucun vestige. Les énormes rochers des montagnes qui l'entourent évoquent par leurs formes certains animaux : éléphants, crocodiles, tortues.

Panduwas Nuwara

➤ *À env. 40 km au N-O de Kurunegala. Suivre la route de Puttalam jusqu'à Wariyapola, puis tourner à g. en direction de Chilaw.*

Ce site, une des nombreuses capitales temporaires de l'île, fut construit par **Parakrama Bahu Ier** *(voir p. 61)* au XIIe s., avant qu'il ne fonde Polonnaruwa. De sa citadelle, dont les murs de brique de plus de 10 m d'épaisseur étaient entourés de douves, subsistent quelques vestiges et un urinoir, sculpté dans la pierre.

Arankele

➤ *Revenir à Wariyapola et tourner à dr. après avoir traversé Hiripitiya. Le site est à 30 km de la route principale.*

Cet ancien **complexe monastique** conserve un chemin de méditation bordé de pierres, des grottes où méditaient les bonzes, un bassin auquel on accédait par des marches, un bâtiment avec un urinoir et un autre équipé de mortiers qui devaient servir à la préparation des herbes médicinales. Le sommet de la colline offre une très belle vue.

♥ Yapahuva**

➤ *À 46 km de Kurunegala et 60 km au S d'Anuradhapura. Sur l'A28, tournez à dr. après Batalla en direction de Maho. Le site est à 7 km. Les voies d'accès ne sont pas en bon état. Entrée payante. À visiter de préférence le matin pour la lumière.*

Yapahuva fut, de 1271 à 1283, la capitale des rois de Ceylan. Chassés de Polonnaruwa, les souverains avaient provisoirement transporté leur résidence à Dambadeniya, à 29 km de Dambulla, où ils demeurèrent de 1222 à 1271, avant de trouver refuge ici et d'y construire un temple pour la dent de Boud-

Formées de gracieuses volutes et dominées par un bestiaire protecteur, les rampes du grand escalier de Yapahuva évoquent, par leur mouvement et leur ornementation, l'art cambodgien.

dha. Par la suite, des ermites devaient occuper les lieux ; un **monastère** subsiste encore à l'entrée du site.

Le majestueux **escalier**** de granit aux marches très raides qui conduit au sanctuaire est bordé de deux rampes sculptées, exceptionnelles par la richesse de leur décoration. De la petite plate-forme où se dressent encore quelques beaux piliers aux chapiteaux qui rappellent ceux de l'Égypte, on découvre une **vue**** sur la nature à perte d'horizon.

En redescendant, vous trouverez une grotte abritant d'anciennes fresques et un **modeste musée**, où ont été rassemblées les trouvailles faites sur le site. La plus remarquable est une **fenêtre*** (XIe ou XIIe s.) ornée d'animaux, de figures grotesques et de danseuses. Les fouilles ont permis de mettre au jour des débris de porcelaines chinoises et de nombreuses pièces de monnaie de même provenance, tendant à prouver que des ambassadeurs chinois visitèrent cette capitale au temps de sa splendeur. Des photographies anciennes présentent l'état du site avant restauration.

Rajagane

➤ *À 36 km de Maho sur la route d'Anuradhapura. Tournez à g. à Mahagalkadawala. Le site est à 3 km.*

Les ruines de cet **ancien monastère du VIe s.** se résument à une **maison de l'image** *(voir p. 249)* en pierre et à un reliquaire circulaire bâti sur un socle carré entre deux masses rocheuses. La première, à laquelle on accède par deux escaliers (l'un est taillé dans la roche), présente au sommet quelques piliers et les ruines d'un édifice. Le second comporte encore à la base un Bouddha d'argile. En atteignant le sommet, on voit des grottes où les moines se réfugiaient pour méditer. Le grand bassin servait probablement à leurs ablutions. ■

Anuradhapura**

Anuradhapura fut pendant plus de 1 300 ans la première cité de l'île, capitale de 90 rois de Ceylan. Les souverains bâtisseurs firent d'elle le foyer d'art et de spiritualité le plus actif et le plus brillant de leur royaume. Dans cette ville sainte par excellence, on vénère l'arbre issu d'une bouture de celui sous lequel Bouddha médita. C'est l'un des huit sites sacrés du pèlerinage à Anuradhapura *(voir encadré p. 83)*. La ville fut abandonnée au Xe s., à la suite des invasions des Chola de l'Inde du Sud. Petit à petit, une forêt épaisse, parfois impénétrable, la recouvrit, et elle devint le repaire des animaux sauvages. En 1817, l'Anglais Ralph

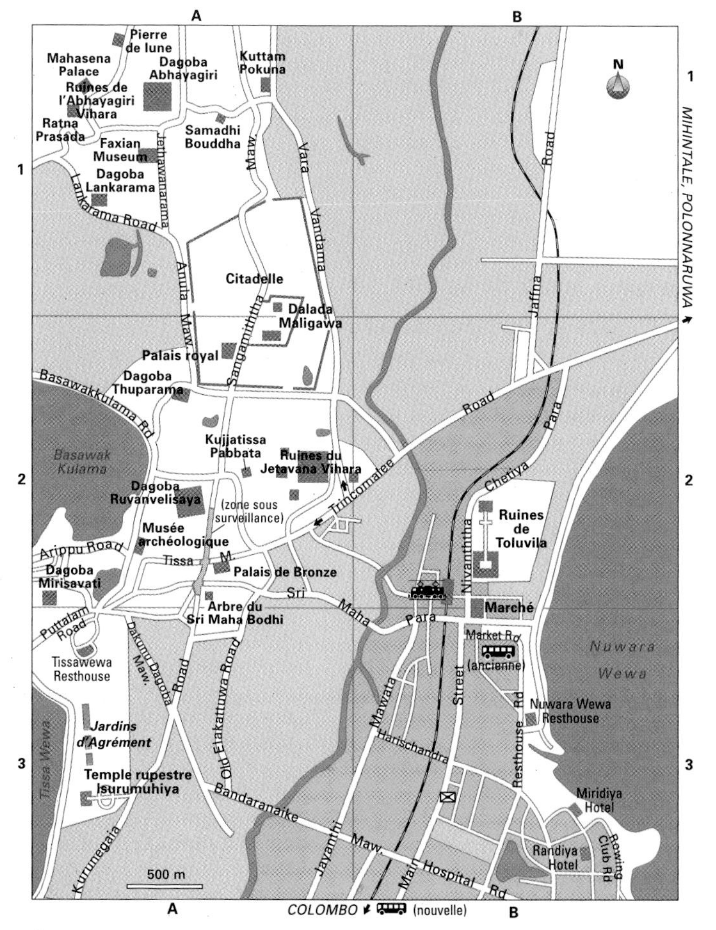

ANURADHAPURA

Les monuments historiques sont dispersés sur une vaste superficie. Sur place, il n'existe pratiquement aucune signalisation, à part quelques écriteaux avec une trop brève notice historique en anglais. Les monuments autour de l'arbre de la Bodhi ne sont accessibles qu'à pied, et après avoir franchi de nombreux contrôles de sécurité.

Bachouse attira l'attention du monde sur les trésors cachés que recelait cette jungle. Il fallut toutefois attendre 1912 pour que la ville commence à émerger de la verdure. Depuis, la plupart des sanctuaires effondrés ont été relevés et des chemins ont été tracés pour rendre la visite praticable.

➤ *À 200 km au N de Colombo.* ***Train****: la ligne* ***Colombo/Vavuniya*** *dessert* ***Anuradhapura*** *(4h50 de trajet). Comptez 1/2 journée minimum pour la visite du site, même en voiture. L'ensemble fait partie du Triangle culturel (voir p. 167), à l'exception de l'Arbre du Sri Maha Bodhi; vente des tickets au Bureau des antiquités, à côté du Musée archéologique* **A2**.

➤ *Informations pratiques et bonnes adresses p. 167.*

Le cœur sacré de la cité

➤ **L'Arbre du Sri Maha Bodhi A2**. *Accès payant; ne fait pas partie du Triangle culturel. Nombreux contrôles avant d'atteindre le site.* L'endroit le plus sacré du site, et le plus surveillé, est l'enclos où a été plantée, il y a 2250 ans, une bouture de l'arbre de la Bodhi, un *Ficus religiosa*, sous lequel Bouddha reçut l'Illumination *(voir encadré p. 84)*. Ce rameau est devenu un arbre immense, historiquement le plus vieux du monde; ses branches vénérables doivent être soutenues par des supports de fer. Il a perdu beaucoup de son intérêt depuis que, pour des raisons de sécurité, on ne peut plus accéder à son pied.

➤ **Loha Prasada, le palais de Bronze A2**. *Accès par une allée piétonnière uniquement, au départ de l'Arbre du Sri Maha Bodhi.*

De cet édifice de 9 étages, construit par **Dutugemunu** (161-137 av. J.-C.; *voir p.* 59) pour abriter la communauté monastique du **Mahavihara**, il subsiste 40 rangées de 40 piliers en pierre, de 3,80 m de haut, dont certains sont sculptés de nains. Le bâtiment était probablement couvert de tuiles de bronze qui lui ont donné son nom. Les moines y étaient répartis hiérarchiquement en un millier de cellules: les disciples au rez-de-chaussée, les docteurs enseignants au 2e étage, et ainsi de suite jusqu'aux doyens *(arhat)* qui occupaient l'étage supérieur. À part les soubassements, tout l'édifice était en bois, donc très

Ce que vécut l'arbre Bo

On s'accorde aujourd'hui à penser que l'arbre que nous voyons est le résultat de la bouture apportée par la princesse Sangamitta, sœur du prédicateur Mahinda *(voir encadré p. 144)*. Le *Mahavamsa (voir p. 56)*, qui consacre pratiquement deux chapitres à détailler les miracles survenus autour de l'arbre, n'aurait pas manqué de mentionner sa perte. L'arbre originel aurait été brûlé sur ordre de l'épouse d'Asoka après la conversion de son mari et de sa fille. Une légende veut que l'arbre Bo d'Anuradhapura doive survivre jusqu'à la venue du prochain Bouddha, prévue cinq millénaires après celle du Bouddha historique. Il y a une cinquantaine d'années, l'arbre, victime d'une maladie, fut sauvé par un botaniste américain. ❖

vulnérable. Il fut, à plusieurs reprises, la proie des flammes. À chaque reconstruction, on réduisait sa hauteur, qui passa ainsi successivement de 9 à 7 puis à 5 étages. Il fut rasé par les Chola lors d'un pillage de la ville. La disposition actuelle des piliers est attribuée à une reconstruction de Parakrama Bahu *(voir p. 61)*.

Le Loha Prasada est l'un des vestiges de l'**ensemble monastique du Mahavihara** qui, selon Faxian *(voir encadré p. 59)*, abrita jusqu'à 3 000 moines. Pour les archéologues, le *gal oruwa* du grand réfectoire aurait pu contenir quelque 3 800 bols de riz.

➤ **Le dagoba Ruvanvelisaya*** **A2**. Appelé aussi **Mahathupa, le « Grand Stupa »**, ce *dagoba* dont le nom signifie « Poussière d'or », fut construit par Dutugemunu. Le roi avait ordonné que les ouvriers soient largement rémunérés. Leur tâche, toujours selon le *Mahavamsa*, se trouva facilitée par les dieux qui, chaque nuit, apportaient les briques nécessaires au travail du lendemain. Mais le souverain mourut avant son achèvement. Pour lui laisser croire que l'édifice était terminé, son frère fit élever une flèche provisoire en bambou, recouverte de tissu blanc. Dutugemunu, pensant ainsi son œuvre achevée, s'éteignit en paix. Lors de la reconstruction du *dagoba* vers 1930, les ingénieurs ont aplati la courbe du dôme, détruisant ainsi la perfection de sa silhouette originale « **en bulle d'eau** », dont une maquette en pierre exposée sur la terrasse donnera une idée. Selon la chronique encore, l'architecte avait présenté son projet au souverain en versant un peu d'eau dans une coupe déjà pleine. Désignant la bulle qui s'était naturellement formée à la surface, il proposa d'en adopter la forme.

Le *dagoba* repose sur un soubassement entouré d'éléphants sculptés et peints, d'un goût discutable. Le faîtage actuel est plaqué d'or et couronné d'un très gros cristal de roche offert par des bouddhistes birmans. Autour du dôme subsistent quelques **statues,** protégées dans des guérites. Celle du roi Dutugemunu se situe juste à dr. de l'entrée. Une autre serait l'effigie du roi Bhatiya Tissa (22 av. J.-C.-7 apr. J.-C.), le seul laïc à avoir pu accéder aux trésors de la chambre

D'or, d'argent et de cristal

Devant les soubassements du Loha Prasada, on a du mal à imaginer la splendeur de ce « palais volant », ou « palais céleste des dieux », que la chronique nous décrit avec des fenêtres « décorées d'ornements aussi lumineux que des yeux » et dont le cadre en argent était incrusté de pierres précieuses. Le pavillon du rez-de-chaussée, soutenu par des piliers en or, abritait un trône « en ivoire avec un siège en cristal de montagne, et le dossier s'ornait de représentations du soleil en or, de la lune en argent, des étoiles en perles et de fleurs de lotus ouvrées de diverses pierres précieuses… Le parasol blanc qui couronnait le tout avait un pied en corail, une hampe en argent et de petites clochettes d'argent suspendues à son rebord. » Ce trône était destiné à la plus haute personnalité du monde bouddhique. ❖

des reliques, scellée en 140 av. J.-C. Cette chambre abrite, entre autres, un arbre Bo miniature en argent au feuillage de gemmes et de corail, sauf les feuilles fanées, réalisées en or. Quatre *vahalkada* marquent les points cardinaux du monument. Seul celui situé à l'est date de la construction et a conservé quelques sculptures.

➤ **Le dagoba Thuparama* A2.** Le plus ancien *dagoba* du Sri Lanka fut construit pour abriter la **clavicule droite de Bouddha**, cadeau de l'empereur Asoka *(voir p. 138)*. Au moment de l'enchâsser, la relique, transportée à dos d'éléphant, s'était élevée dans les airs puis posée sur la tête du souverain. La terre se mit alors à trembler et le ciel fut zébré d'éclairs, précise le *Mahavamsa (voir p. 56)*.

Sur la g. du *dagoba*, l'ensemble de piliers appartenait à un édifice dont il reste aussi une belle pierre de lune et deux **stèles*** (celle de dr. a été saccagée par des vandales).

➤ **Le Musée archéologique* A2.** *Ouv. t.l.j. sf jeu. 8h-17h.* Il abrite une intéressante collection de sculptures. Parmi les plus belles pièces, on remarquera un Bouddha debout du VIIIe s. av. J.-C., un magnifique **buste féminin** du Ve s. av. J.-C. et une chambre des reliques. La maquette du *dagoba* Thuparama nous montre ce qu'était un *vatadage*: le *dagoba* était coiffé d'une gigantesque toiture supportée par des piliers. Dans le jardin est exposée une série d'urinoirs de pierre provenant des monastères.

➤ **Le dagoba Mirisavati A2.** Pour célébrer sa victoire sur Elara *(voir p. 58)*, le roi Dutugemunu fit édifier son premier *dagoba* à l'emplacement où sa lance était restée fichée, sur les rives du lac Tissa, tandis qu'il se baignait. Cette lance, qui contenait une relique de Bouddha, avait fait office d'étendard pendant les batailles. Elle fut enterrée sous cet édifice de brique

L'édifice initial du dagoba Thuparama affectait la forme d'un « tas de riz »; sa forme actuelle en « cloche » date de sa reconstruction, vers 1840. Les colonnes monolithes soutenaient un toit circulaire.

de 43 m de diamètre. Souvent remanié, notamment par Parakrama Bahu et Nissamkamalla, le *dagoba* vient d'être restauré. Son faîtage s'élève désormais à 58 m. À proximité, le **Dakkinna**, un *stupa* inachevé, marquerait l'emplacement où furent déposées les cendres de Dutugemunu.

➤ **LE JETAVANA VIHARA A2**. Ce vaste monastère de plus de 5 hectares fut construit à la fin du IIIe s. autour d'un énorme *dagoba* pour abriter des moines du Mahayana *(voir p. 83)*. Ont été dégagés les vestiges d'une maison de l'image, des bains, une salle du chapitre, des cellules à étage, un temple de l'arbre Bo *(voir plus bas)* et un réfectoire avec son *gal oruwa* pouvant contenir de la nourriture pour 3 000 personnes.

Le dégagement du site a mis au jour toutes sortes d'objets présentés dans un **musée** attenant. La masse totale du *dagoba* du **Jetavana A2**, qui repose sur des fondations de brique de 8 m de profondeur, serait comparable à celle de la pyramide de Mykérinos, la plus petite des trois pyramides de Gizeh, en Égypte; plus de **93 millions de briques cuites** furent nécessaires à sa construction. Sa restauration, sous l'égide de l'Unesco, doit en restituer toute la splendeur, mais les travaux sont loin d'être achevés. Ils permettent toutefois d'admirer les *vahalkada* *(voir p. 250)* qui l'entouraient. L'un d'eux est particulièrement remarquable, avec ses sculptures représentant un roi naga et des divinités non identifiées. Le pourtour de l'édifice a conservé son pavement d'origine. Ce *dagoba* de 120 m de haut à l'origine (70 m aujourd'hui) aurait été surmonté d'un pinacle recouvert de pierres précieuses.

Le dagoba du Jetavana, le plus imposant du Sri Lanka, fut édifié par Mahasena (v. 276-v. 303).

Du **temple de l'arbre Bo** ne subsiste plus qu'une belle **balustrade de pierre** formée de trois traverses superposées symbolisant les trois joyaux du bouddhisme: le Bouddha, ses enseignements et l'ordre des moines. On a trouvé ici le très beau buste conservé au Musée archéologique *(voir p. 134)*.

➤ **LE KUJJATISSA PABBATA A2**. Ce petit *dagoba* du VIIIe s., appelé aussi **tombeau d'Elara**, fut édifié à l'endroit où Dutugemunu enfouit les cendres du roi qu'il avait tué *(voir p. 59)*. L'édifice est entouré de piliers sculptés.

Le nord du site

➤ **LE PALAIS ROYAL A2**. Après sa victoire sur les Chola et la fondation de Polonnaruwa, le roi Vijaya Bahu Ier fit célébrer son couronnement à Anuradhapura (1073), où il se fit aménager cette résidence. Deux **gardiens de seuil** d'une grande qualité encadrent la porte principale.

Une ville née sous une bonne étoile

Les premières capitales fondées par le prince Vijaya, « le Conquérant » *(voir p. 57)*, se résumaient à des campements dont il ne nous est rien parvenu. Son successeur, Pandukabhaya, nommé chef des Singhalais en 320 env. av. J.-C., choisit le site d'Anuradhapura. Il y érigea un immense mur d'enceinte, fit creuser un lac et tout un réseau d'irrigation pour alimenter sa fondation, « née sous une bonne étoile » : *Pura* désigne la ville, et *Anura* est le nom d'une constellation dans l'astrologie indienne. L'étoile d'Anuradhapura devait briller environ 1 300 ans, de 320 av. J.-C à 993, transformant cette modeste bourgade en l'une des grandes capitales du monde.

Protégée par une enceinte fortifiée de 80 km de longueur, d'une superficie de 52 km², la ville compta plusieurs milliers d'habitants répartis par quartiers selon leur caste et leur profession. Les artères principales, coupées de rues transversales, formaient un réseau urbain dans lequel « des éléphants, des chevaux, des chariots, des milliers d'hommes vont et viennent sans cesse », disent les chroniques. La population, logée dans des maisons de deux ou trois étages, disposait d'auberges, d'hôpitaux, de sanctuaires et de cimetières. Un millier de jardiniers entretenaient les nombreux parcs et avenues. On a mis au jour une chaussée dallée de pierres enjambant la rivière, avec un tablier reposant sur des colonnes de granit de 4 m de hauteur. ❖

➤ **Le Dalada Maligawa A1-2**. Ce temple, dont il ne reste plus que quelques beaux chapiteaux sculptés, abrita la dent de Bouddha lors de son arrivée dans l'île, en 313. Faxian *(voir encadré p. 59)* la vit ici et décrivit son cérémonial. On pense que le plan de ce sanctuaire servit de modèle au temple de la Dent de Polonnaruwa *(voir p. 151)*.

➤ **Le Bouddha en samadhi* A1**. Exécuté dans un unique bloc de calcaire au IIIe ou au IVe s., ce Bouddha « en méditation » témoigne de la maîtrise des artistes à cette époque. La statue est assise dans la posture du yogi, les mains posées sur les jambes croisées, les paumes l'une sur l'autre, tournées vers le ciel (*dhyana mudra*, geste de la méditation). On pense que les yeux étaient constitués de pierres précieuses. Sa protection en béton n'est pas du meilleur effet.

➤ **L'Abhayagiri Vihara A1**. Autrement appelé « monastère septentrional », il joua un rôle important dans la lutte opposant les partisans des doctrines du Petit Véhicule et du Grand Véhicule *(voir encadré p. 59 et 83)*. Étendu sur 235 hectares, c'était le plus grand et le plus puissant du pays. Si l'on en croit la taille du bac de pierre (*gal oruwa*) de son réfectoire, il devait abriter 5 000 moines. Parmi ses ruines, on voit aussi une pierre de lune, un enclos de l'arbre Bo et un Bouddha, très abîmé.

Son ***dagoba*** était le plus considérable d'Anuradhapura, par sa circonférence et sa hauteur (115 m), mais une partie de son pinacle ayant disparu, il ne s'élève plus aujourd'hui qu'à 75 m. À l'entrée se tiennent deux beaux **gardiens de seuil** abrités dans des constructions modernes. L'édifice, construit par le roi Vattagamani Abhaya (89-77 av. J.-C.) après sa restauration sur le trône et en accomplissement d'un vœu, fut agrandi par la suite sous le règne de Mahasena (v. 276-v. 303).

Destinés aux ablutions des hauts dignitaires du Abhayagiri Vihara, les **Kuttam Pokuna*** figurent parmi les ouvrages en pierre les plus purs et les plus beaux d'Anuradhapura (IIIe s.). Un système de canalisations souterraines avec filtre permettait d'alimenter les deux bassins, appelés à tort «bains jumeaux»: ils sont très différents par leur taille (l'un mesure 40 m, l'autre 28 m) et par leur ornementation. Le plus petit a conservé une belle gargouille à tête de *makara* avec, au-dessous, un **cobra à cinq têtes***.

➤ **LE MUSÉE DE FAXIAN (FA-HIEN MUSEUM) A1**. *Au S du dagoba Abhayagiri*. Il abrite une **collection de bijoux et de figurines** et quelques beaux **urinoirs** trouvés au cours des fouilles.

➤ **LE RATNA PRASADA A1**. Ce «Palais de Gemmes» du IIe s. av. J.-C., mais dont la structure actuelle date du roi Mahinda II (935-938), n'est plus que ruines, souvent appelées «**écuries des éléphants**» en raison de leur taille. Ancien centre de méditation, il conserve une **stèle**** du VIIIe s. Derrière le Ratna Prasada, l'ensemble de constructions à piliers est une **maison de l'image** dotée d'une **pierre de lune***** *(voir p. 140)* d'une étonnante qualité, que l'on a dû protéger d'une grille. Les **contremarches**** de l'escalier sont sculptées de représentations de nains.

➤ **LE DAGOBA LANKARAMA A1**. Ce petit *dagoba*, édifié vers 50 av. J.-C. par le roi Vattagamani Abhaya (89-77 av. J.-C.) est **un des huit sites sacrés** *(voir encadré p. 83)*. Son *vatadage* comprend trois cercles de colonnes à chapiteaux sculptés.

Les vestiges du sud

➤ **LES JARDINS D'AGRÉMENT (RANMASU UYANA) A3**. De ce «**parc des Poissons d'or**» qui s'étendait sur 14 hectares, il ne subsiste que deux bassins et des rochers sur lesquels étaient construits des pavillons.

Les châteaux d'eau d'Anuradhapura

Selon les chroniques, Anuradhapura était une ville couverte de jardins, de parcs et de bassins, ce qui nécessitait une grande quantité d'eau. De ce système hydraulique très sophistiqué, il reste encore quelques vestiges de canalisations, de vannes et d'aqueducs et surtout un ingénieux système de réservoirs d'eau : trois lacs *(wewa)* sur des niveaux différents se déversent l'un dans l'autre. À l'origine, le plus élevé renfermait l'eau potable, le lac intermédiaire était destiné aux bains, et le plus bas aux lavages. Le **Nuwara Wewa B2-3**, avec ses 1 200 hectares et son barrage de 6 km, est le plus vaste lac artificiel de la cité, construit entre 114 et 136 de notre ère. Le **Basawak Kulama** (120 hectares) **A2**, le plus ancien, date du IVe s. av. J.-C. Le réservoir de **Tissa Wewa A3**, qui couvre 160 hectares, jouait un rôle rituel lors des cérémonies d'intronisation des nouveaux souverains. Ces réservoirs et leurs réseaux complexes d'irrigation font encore l'admiration de nos ingénieurs contemporains *(voir p. 76)*. ❖

L'architecture religieuse

Les premiers monuments dédiés au bouddhisme suivirent de près la conversion de l'île à cette doctrine, en 247 av. J.-C. Après son sermon dans la cité d'Anuradhapura, Mahinda le prédicateur (voir encadré p. 144) *fut dépêché auprès de son père, l'empereur indien Asoka, afin d'acquérir quelques reliques du Bouddha. Deux siècles plus tôt, l'incinération du Maître à Kuçinagara s'était soldée par une véritable guerre pour la possession de ses reliques corporelles et de ses maigres biens. Il fallut l'arbitrage d'un sage pour convaincre les prétendants de partager, à charge pour chacun d'élever un monument reliquaire sur son territoire. C'est ainsi que furent bâtis les sept* stupa *primordiaux. Un huitième fut confié à la garde jalouse de rois naga. Premier empereur bouddhiste, Asoka fit ouvrir les monuments d'origine et recueillir les reliques. C'est ainsi, et grâce à la mission de Mahinda, que Ceylan put s'enorgueillir de posséder la clavicule droite, la canine gauche, un cheveu et le bol à aumônes du Bienheureux, et que les premiers monuments religieux furent des reliquaires destinés à enchâsser ces trésors.*

Variations autour du dagoba

Appelés *dagoba*, ces reliquaires monumentaux s'inspiraient de leur prototype indien, le *stupa*. Sa forme, de simple tumulus surmonté d'un mât à l'origine, s'était peu à peu codifiée et chargée de symbolisme, comme la référence à la représentation du mont Meru, axe du monde selon la cos-

Maquette d'un vatadage qui le plus souvent trône au centre d'un ensemble architectural composé d'un monastère, d'un hall de prêche et d'une « maison de l'image ».

mogonie de l'Inde ancienne. Un dôme, maçonné et couvert d'un enduit, surmonté d'un tabernacle et d'une flèche et posé sur une triple terrasse en gradins: tel fut le modèle adopté par le royaume d'Anuradhapura, dès le IIIe s. av. J.-C. Les tous premiers *dagoba*, comme le Thuparama d'Anuradhapura *(p. 134)*, étaient de dimensions modestes, mais le développement des techniques de construction permit peu à peu aux architectes de l'île de réaliser des édifices grandioses. Le *dagoba* du Jetavana *(p. 135)*, le plus grand monument de brique du monde, fut édifié à la fin du IIIe s. sur de puissantes fondations, tassées par des éléphants chaussés de bottes de cuir. Entretenus, embellis et agrandis au cours des âges, les *dagoba* de Ceylan ont perdu leur forme d'origine que les chroniques décrivent avec une précision poétique. Le Thuparama d'Anuradhapura *(p. 134)* avait la forme d'un tas de riz, le Kiri Vihara de Polonnaruwa *(p. 156)* celle d'une bulle, dans la même cité le Ruvanveli *(p. 154)* affectait le renflement d'une goutte d'eau.

À Mihintale, le *dagoba* du Kantaka Chaitika possède des autels *(vahalkada)* où figurent des frises descriptives.

Les architectes de Ceylan conçurent une variation inédite autour du *dagoba*. Appelée *vatadage*, « maison des reliques circulaire », elle consiste à abriter le monument reliquaire sous une charpente supportée par plusieurs rangées concentriques de piliers, avec parfois murs et balustrades extérieurs. Si les structures de bois ont disparu, il reste cependant de beaux vestiges de péristyles de *vatadage* à Medirigiriya *(p. 146)* et à Polonnaruwa *(p. 152)*. Le plus ancien est celui du Thuparama d'Anuradhapura dont la maquette, conservée au musée du site, donne une idée de l'architecture supposée de ces édifices.

Des contreforts, les *vahalkada*, étaient disposés aux quatre points cardinaux, à la base du *dagoba*. Un autel de pierre destiné à recevoir les offrandes leur faisait face. Réalisés pour la plupart en pierre calcaire, ils ont souvent été endommagés ou perdus. Leur ornementation comportait des frises florales ou animales. Parmi ceux qui subsistent, les plus intéressants sont visibles au Jetavana d'Anuradhapura *(p. 135)* et au Kantaka de Mihintale *(p. 143)*.

Des « maisons » pour les images

Le culte de l'image du Bouddha se développa dans l'île durant les premiers siècles de notre ère, entraînant l'apparition d'un nouveau modèle d'architecture pour abriter ses effigies: le *patimaghara*, ou *gedige*, c'est-à-dire la « maison de l'image ». À l'origine modestes constructions, ces temples devaient atteindre des proportions considérables à Polonnaruwa, grâce à la maîtrise de l'architecture de brique comme au Lankatilaka *(p. 155)*, au Tivanka *(p. 157)* et au Thuparama *(p. 154)* de Polonnaruwa. Les trois grands *gedige* présentent une technologie inédite en Inde : une voûte en berceau était jetée sur les murs puissants de la nef centrale et un passage ménagé dans l'épaisseur des murs assurait l'accès à l'étage. Seul, le Thuparama a conservé sa voûte. Au fond des nefs du Lankatilaka et du Tivanka s'élève encore la statue colossale de Bouddha à laquelle étaient consacrés ces édifices.

Au seuil du sacré

Tout monument religieux à Ceylan est posé sur une terrasse plus ou moins haute, desservie par une volée de marches. Le décor de ces escaliers a développé une véritable grammaire ornementale, doublée du symbolisme qu'impliquait le caractère sacré de la construction.

Quatre marches correspondent aux quatre « Saintes Vérités » et huit à « l'octuple chemin de la Voie de la Délivrance » *(voir p. 84)*. Le plus souvent, des nains sont représentés sur les contremarches. Les escaliers sont encadrés de rampes de pierre terminées en volutes. Empruntées à l'architecture indienne, ces rampes ont souvent la forme du *makara*, un animal mythique que les bestiaires décrivent comme ayant le corps d'un dauphin, la trompe d'un éléphant, les pattes d'un lion, les yeux d'un singe et les oreilles d'un porc.

Les pierres de lune, ou pierres de seuil, tirent leur nom de leur forme en demi-cercle. Toujours situées entre deux effigies de gardiens, elles matérialisent l'accès au sanctuaire et ouvrent la voie de la Sagesse. Elles sont formées de demi-cercles de frises, disposés à partir d'une demi-fleur de lotus central. Chaque motif des pierres de lune symbolise une étape de l'accès à la connaissance : la douleur et les flammes du désir sont figurées par des langues de feu ; l'éléphant, le taureau, le lion et le cheval représentent les périls de toute existence, respectivement, la naissance, la vieillesse, la maladie et la mort ; des volutes de feuilles et de fleurs suggèrent

Les pierres de lune (ou pierres de seuil) de Polonnaruwa sont ornées de frises disposées en demi-cercles qui convergent vers le motif central, un demi-lotus. C'est une ouverture vers le sanctuaire et, par là, une voie vers la sagesse. Les motifs de chevaux et les volutes de fleurs représentent les étapes vers la connaissance.

Anuradhapura, sculpture d'escalier représentant un nain au pavillon de la reine.

le désir ; l'oie mythique, capable de séparer le lait mélangé à de l'eau, symbolise l'acquisition du discernement et l'aptitude à discerner le bien du mal ; les lotus, parce qu'ils naissent de la vase, marquent l'ultime étape du désir maîtrisé *(nirvana)*. On verra les plus belles pierres de lune à Anuradhapura *(p. 137)* et à Polonnaruwa.

À l'entrée de chaque sanctuaire, encadrant la pierre de lune, se tiennent généralement deux gardiens de seuil *(dvarapala)*, chargés d'éloigner les influences néfastes. Sculptés dans des dalles rectangulaires au sommet arrondi, dans l'attitude déhanchée de la danse, ils représentent le « roi-serpent » coiffé d'une tiare sur laquelle se dressent sept têtes de naga protecteur. Dans une main, ils tiennent un vase rempli de fleurs et dans l'autre, un rameau fleuri, symboles d'abondance et de prospérité. ■

Au pied des divinités gardiennes des seuils, un petit génie malfaisant (*bhuta*) semble demander grâce.

*La stèle des Amants***, qui contribua à faire connaître le temple rupestre Isurumuniya, est désormais abritée dans un petit musée attenant au site.*

L'eau qui alimentait la rivière miniature et les bassins provenait du **Tissa Wewa** *(voir p. 210)*.

➤ **LE TEMPLE RUPESTRE ISURUMUNIYA A3**. *Ouv. 8 h-18 h. Entrée payante.* Ce temple rupestre fait partie d'un vaste ensemble monastique qui date probablement du IIIe s. av. J.-C., mais ses bâtiments, modernes, sont sans intérêt. Le site est surtout célèbre pour ses **sculptures**, apparemment sans signification religieuse. Deux des trois petits bassins comportent des bas-reliefs gravés dans le roc (IVe s. env.) représentant avec réalisme des éléphants qui s'ébattent au bain, parmi des lotus.

Le « **cavalier** »* est un jeune homme assis devant un cheval dont la tête se dresse au-dessus de son bras droit. Exécutée dans un style qui évoque la statuaire classique indienne du VIe s., la **stèle des Amants*****, selon la croyance populaire, représenterait Saliya, le fils de Dutugemunu, et Asokamala, une jeune fille de caste inférieure dont il était épris. Cette mésalliance lui interdit d'accéder au pouvoir. Le musée où elle se trouve abrite aussi un grand **Bouddha couché**, sculpté dans le rocher. ■

D'Anuradhapura à Polonnaruwa

Un itinéraire direct de 100 km relie les deux centres historiques, mais plusieurs sites intéressants – Mihintale, Avukana, Sasseruwa, Ritigala, Minneriya et Medirigiriya – occasionnent de fréquents détours.

Mihintale, la montagne sacrée*

➤ *À 13 km à l'E d'Anuradhapura et 96 km au N-O de Polonnaruwa. Comptez 2h de visite. Évitez l'ascension durant les heures chaudes. Guides, officiels ou non, dont beaucoup parlent français. Comme à Anuradhapura, une cérémonie commémore l'introduction de la doctrine de Bouddha, lors de la pleine lune de Poson (mai-juin).*

C'est ici que Mahinda, le messager et fils présumé de l'empereur indien Asoka, arriva par la voie des airs – c'est ce que rapportent les chroniques; *voir encadré p. 83* –, et convertit au bouddhisme le roi Dewanampiya Tissa en 247 av. J.-C. *(voir encadré p. 144)*. La rencontre eut lieu dans la forêt où le roi chassait, à quelques kilomètres d'Anuradhapura. L'empereur indien, récemment converti au bouddhisme, avait dépêché des missionnaires sur tout son territoire et jusque dans les pays limitrophes pour répandre la doctrine nouvelle.

Le site de Mihintale, l'un des lieux les plus sacrés du bouddhisme singhalais, s'étend sur plusieurs collines. On verra, au pied de l'escalier de pierre construit au Ier s. av. J.-C., quelques vestiges de bâtiments monastiques et les ruines d'un ancien hôpital. Il vous faudra ensuite gravir, en plusieurs étapes, 1 840 marches pour atteindre le sommet de la colline principale.

Parvenu à un premier palier, dallé de granit et bordé de frangipaniers, continuez sur la dr. jusqu'au

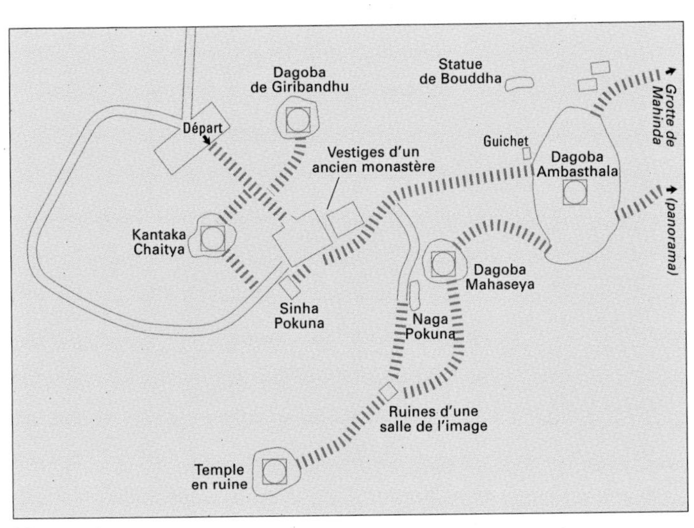

MIHINTALE

Le sermon sur la montagne

La conversion de Dewanampiya Tissa par le moine Mahinda s'est faite à l'issue d'un dialogue demeuré célèbre. Mahinda, voulant s'assurer que l'esprit du souverain était apte à s'ouvrir à la doctrine nouvelle, lui posa cette question, désignant un manguier qui poussait sur la colline :

« – Quel nom porte cet arbre, ô roi ?

– On l'appelle un manguier.

– Y a-t-il d'autres manguiers en dehors de celui-ci ?

– Il y a beaucoup de manguiers.

– Et y a-t-il d'autres arbres en dehors de ce manguier et des autres manguiers ?

– Il y a beaucoup d'arbres en dehors de ce manguier et des autres manguiers.

– Et y a-t-il encore d'autres arbres en dehors de ces manguiers et de ceux qui ne sont pas des manguiers ?

– Il y a ce manguier-ci. »

Voyant que le souverain était capable de poursuivre de tels raisonnements subtils, Mahinda poursuivit son enseignement à la cour et convertit des milliers de Singhalais, dont certains furent ensuite ordonnés prêtres. ❖

Kantaka Chaitya. Ce *dagoba* du Ier ou IIe s. av. J.-C. découvert en 1934 a perdu une partie de son dôme, mais conservé ses ***vahalkada*****, sculptés de frises d'oies sacrées, d'éléphants, de lions et de nains. Ces derniers sont représentés avec beaucoup d'humour, et certains sont dotés d'une tête d'animal.

Un autre escalier descend de la terrasse du *dagoba* vers le **Sinha Pokuna**, le « bain du Lion », dont la citerne est surmontée d'un beau **félin*** qui crachait l'eau ; sur les bas-côtés, les frises représentent des scènes de lutte.

À proximité s'étendent les vestiges d'un **ensemble monastique** (VIe s.) dont on a dégagé la salle de réunion et le réfectoire avec son auge pour le riz *(gal oruwa)*. Les règles monastiques sont gravées sur deux stèles de pierre, érigées sous le règne de Mahinda IV (975-991).

Derrière le monastère, vous retrouverez l'escalier et reprendrez l'ascension jusqu'au sentier, à dr., qui conduit au **Naga Pokuna**, le « bassin du Cobra », réservoir qui alimentait, grâce à un aqueduc, le réfectoire des moines. Un serpent à cinq têtes y est sculpté dans le roc.

Il faut se déchausser et payer un droit d'accès pour se rendre sur la plate-forme où fut construit, peu après la mort de Mahinda et à l'emplacement de l'arbre qui abrita la fameuse rencontre, le ***dagoba* Ambasthala**, « du Manguier ». Une statue du roi Mahinda commémore l'événement. Du *vatadage* qui lui fut ajouté au IIIe s., il ne reste que les piliers. À l'E, un chemin à pic, difficile, descend au « rocher de la Méditation », **Aradhana Gala**, d'où Mahinda fit son premier prêche.

Un escalier relie la plate-forme du *dagoba* du Manguier à celle du ***dagoba* Mahaseya**, construit au Ier s. Cet édifice, qui contiendrait un cheveu de Bouddha, a fait l'objet de restaurations. À 310 m d'altitude, la **vue*** vous récompensera de vos efforts. Vous apercevrez un Bouddha blanc… en béton, assis sur une colline voisine.

Le **musée**, près du parking, abrite des objets trouvés sur le site. On peut s'y arrêter au retour, et visiter, à proximité, les ruines de l'**hôpital**, avec ses nombreuses cellules et son bateau médicinal, cuve monolithe présentant des dépressions pour la tête, les épaules et le séant, qui permettaient au malade de s'étendre à son aise dans le bain curatif. On pourra voir aussi, à l'extérieur du site, les ruines d'un monastère mahayaniste comprenant deux *dagoba* à l'intérieur d'une enceinte.

Pour compléter cette visite, faites-vous conduire au **Kaludiya Pokuna**, à env. 800 m du parking. Le cadre champêtre de cet « étang de l'Eau sombre », plein de charme, accueille les ruines d'un **Palais royal** dont ne subsistent que les latrines sculptées, et celles d'un petit monastère rupestre.

Avukana, le Bouddha du soleil levant**

➤ *À 59 km au S d'Anuradhapura et 54 km de Mihintale. Accès payant. À visiter de préférence le matin pour la lumière.*

Avant d'atteindre le site paisible d'Avukana (prononcer « aukana »), vous longerez pendant 2 km le **lac artificiel Kala Wewa**, datant du règne de Dhatusena (Ve s. apr. J.-C.) et dont le barrage fut restauré au XIIe s. par Parakrama Bahu Ier, puis par les Anglais au XIXe s. Ce réservoir de 11 km était relié à Anuradhapura par un canal de 87 km de long et 12 m de large, sur un dénivelé de 17 m seulement.

L'harmonie des traits du visage, les plis parfaits de la robe, tout concourt à faire de la statue du Bouddha bénissant d'Avukana un chef-d'œuvre de l'art singhalais. Le siraspotha, *ornement en forme de flamme, symbolise la sagesse.*

De la plate-forme du monastère d'Avukana, en haut des escaliers, on fait face à l'un des chefs-d'œuvre de l'art ceylanais : la splendide et **colossale statue d'un Bouddha bénissant*****, taillé directement dans le roc. L'ensemble, avec son socle en forme de lotus, mesure 15 m de haut. Œuvre d'un artiste anonyme sous le règne de Dhatusena, le Bouddha regarde le soleil, d'où son nom *Avukana*, « qui se nourrit du soleil ».

Sasseruwa

➤ *À 15 km d'Avukana par de petites routes. Visite accompagnée par un moine. Donation.*

Des moines occupèrent le site entre le IIIe s. av. J.-C. et le début de notre ère. On a recensé plusieurs centaines de grottes dans lesquelles ils méditaient, dont certaines contiennent encore des statues et des fresques (torche nécessaire). Ce monastère rupestre est surtout réputé pour son **grand Bouddha taillé dans le roc**, comme l'escalier qui mène à la plate-forme. La légende veut que les deux statues d'Avukana et de Sasseruwa aient fait l'objet d'un concours entre un maître et son élève, au terme duquel seul le maître aurait achevé son œuvre, à Avukana : l'élève, découragé, aurait abandonné la sienne. D'autres disent qu'il s'agit ici d'une ébauche de l'œuvre définitive.

Ritigala

➤ *À 50 km au S-E d'Anuradhapura. De Sasseruwa, revenir vers la route de Polonnaruwa. Env. 10 km avant Habarana, tourner à g. et suivre un chemin de terre (5 km). Fait partie du Triangle culturel* *(voir p. 167).*

Il s'agit d'un ensemble monastique du IIe s. av. J.-C. situé dans une réserve naturelle, cadre qui confère aux ruines un charme exceptionnel : les énormes blocs de pierre, disloqués par les racines, n'ont pu résister à la nature. Un chemin de méditation forme un gigantesque escalier et mène aux bâtiments en ruine. Un grand bassin est entouré de gradins et un pont aux dalles impressionnantes enjambe le lit d'un torrent. Des collines, point de vue magnifique sur toute la campagne et les grands réservoirs de la région.

Le parc de Minneriya

➤ *À env. 80 km au S-E d'Anuradhapura et 10 km de Habarana, en direction de Polonnaruwa.*

Ce **parc national**, qui s'étend sur 1 600 km² autour de deux lacs artificiels, se visite en véhicule tout-terrain ; l'excursion est programmée par tous les hôtels d'Anuradhapura comme de Polonnaruwa. On y observe de nombreux éléphants, principalement en fin d'après-midi, ainsi que des oiseaux aquatiques. Son réservoir principal fut creusé sous le roi Mahasena (v. 276-v. 303).

Medirigiriya*

➤ *À 15 km au N-E de Habarana. Une route secondaire, peu après Minneriya, quitte l'A11 vers le N, passe par Hingurakgoda et conduit à Medirigiriya, à 30 km. Fait partie du Triangle culturel* *(voir p. 167).*

Le ***vatadage**** construit sur un rocher au VIIe s. évoque celui de Polonnaruwa *(voir p. 152)*. Sa **balustrade de pierre** est particulièrement remarquable. Trois cercles de piliers monolithes, 68 au total, surmontés de beaux chapiteaux, soutenaient la toiture originale. Quatre Bouddhas, assis aux points cardinaux, entourent le dôme du *dagoba*. On voit, à proximité, les vestiges d'anciens bâtiments, dont un hôpital avec son bain médicinal, un bassin de lotus, un autre *dagoba*, et quelques fragments de sculptures.

Giritale

➤ *À env. 85 km au S-E d'Anuradhapura et 13 km au N de Polonnaruwa.*

➤ *Informations pratiques et bonnes adresses p. 168.*

Giritale est une ville-étape qui permet des promenades bucoliques dans la campagne environnante. Elle possède un lac artificiel qui fut creusé VIIe s. pour améliorer l'irrigation de la région. ■

Polonnaruwa***

Cette ancienne capitale, désertée puis conquise par la jungle comme Anuradhapura, constitue, avec ses ruines dispersées dans un parc, l'un des plus beaux et des plus émouvants sites de l'île. Bien qu'Anuradhapura ait été la capitale de Lanka pendant plus de mille ans, Polonnaruwa, fondée au bord du Topa Wewa, appelé par la suite **Parakrama Samudra**, fut la résidence préférée des rois de l'île. Après la décadence de la première sous le coup des incessantes invasions tamoules, elle devint, au VIIIe s. apr. J.-C., une cité-refuge, désignée dans les chroniques sous le nom de *Pulathi*.

Le premier monarque établi de façon permanente à Polonnaruwa fut Vijaya Bahu Ier (1055-1110). Mais le nom de la cité est, à juste titre, plutôt associé à **Parakrama Bahu** (1153-1186, *voir encadré p. 149)* et à son successeur, **Nissamkamalla** (1187-1196), qui en firent une merveille architecturale. La citadelle et la ville étaient entourées de remparts distincts. L'enceinte extérieure, percée de 14 portes, se développait sur 6 km. Ses murailles pouvaient atteindre 11 m de haut à certains endroits. De larges voies et tout un réseau de ruelles composaient un tissu urbain doté d'équipements collectifs très développés pour l'époque. Chaque quartier abritait une profession ou un groupe ethnique différent. Après la mort de Nissamkamalla, une douzaine de souverains se succédèrent sur le trône en quatre décennies. Quatre d'entre eux moururent assassinés – l'un d'eux après 5 jours de règne seulement. En 1214, 20000 guerriers tamouls déferlent sur l'île, ravageant tout sur leur passage, coupant les mains et les pieds des captifs, brûlant les bibliothèques, saccageant les *dagoba* et dispersant les reliques. « Ils s'emparèrent de la grande capitale de Polonnaruwa et du roi, et ils arrachèrent les yeux du monarque, et ils mirent la main sur tous ses trésors, ses perles et ses joyaux », précise le *Culavamsa (voir p. 56)*, qui attribue tous ces malheurs à la colère divine. Le gouvernement se replia à Dambadeniya, abandonnant la prestigieuse capitale aux pillards et à la jungle.

➤ *À 213 km au N-E de Colombo, 140 km de Kandy, 104 km d'Anuradhapura, 79 km de Dambulla, 74 km de Sigiriya. Entrée payante. Fait partie du Triangle culturel (voir p. 167). Vente des tickets au Musée archéologique (voir p. 148). La visite peut s'effectuer en partie en voiture, en partie à pied. Comptez un jour entier pour vous faire une idée du site; si vous souhaitez prendre plus de temps, il vous faudra racheter un ticket. Il est préférable de commencer par le musée. Le site est envahi de singes chapardeurs parfois agressifs et dangereux, auxquels il est recommandé de ne pas donner à manger.*

➤ *Informations pratiques et bonnes adresses p. 169.*

Sur les berges du Parakrama Samudra

Ce vaste lac fut creusé au XIIe s. sous le règne de Parakrama Bahu qui, pour le remplir, fit construire un canal de 16 km jusqu'à la rivière Ambau. Les eaux retenues par 13 km de soutènement permettent encore d'alimenter toutes les rivières de la région. Parmi les innombrables oiseaux qui vivent là, vous pourrez observer des pélicans et des cormorans.

➤ **Le Musée archéologique*****. *Ouv. t.l.j. 7h-18h. Fait partie du Triangle culturel (voir p. 167). Photos interdites. Cafétéria et librairie après la sortie. Compter au minimum 1h.* Inauguré en 1999, ce musée est le plus intéressant de l'île. Les explications, les maquettes et la qualité des objets en font une initiation indispensable avant d'aborder le site.

• **Salle n° 2.** Une maquette permet de mesurer l'étendue et la richesse de la ville et de découvrir son histoire. On y voit aussi un Bouddha (IXe-Xe s.) et un piédestal en forme de lotus (XIe-XIIe s.).

• **Salle n° 3.** Elle est consacrée à la **citadelle**. Maquette du **Vejayanta Prasada**, des bronzes et des monnaies, un calice (XIIe s.), des pierres de lune, des gardiens de seuil, une curieuse **stèle*** représentant un homme se faisant *hara-kiri* et un **bodhisattva*** (IXe-Xe s.) hiératique.

• **Salle n° 4.** Elle est consacrée à la **ville hors de la citadelle**: très intéressante reconstitution du Vatadage.

• **Salle n° 5.** Elle présente les **monastères** à travers des figures de stuc (XIIe s.), un **bodhisattva**** (VIIIe-IXe s.), ainsi qu'un squelette (XIIe s.) et des instruments de chirurgie et de médecine trouvés dans l'hôpital (maquette).

• **Salle n° 6.** Dédiée aux **monastères périphériques**, elle permet d'admirer des **statues***, notamment un **Bouddha en *samadhi***** (c'est-à-dire en méditation; VIIIe-IXe s.) et des frises provenant du Potgul Vihara.

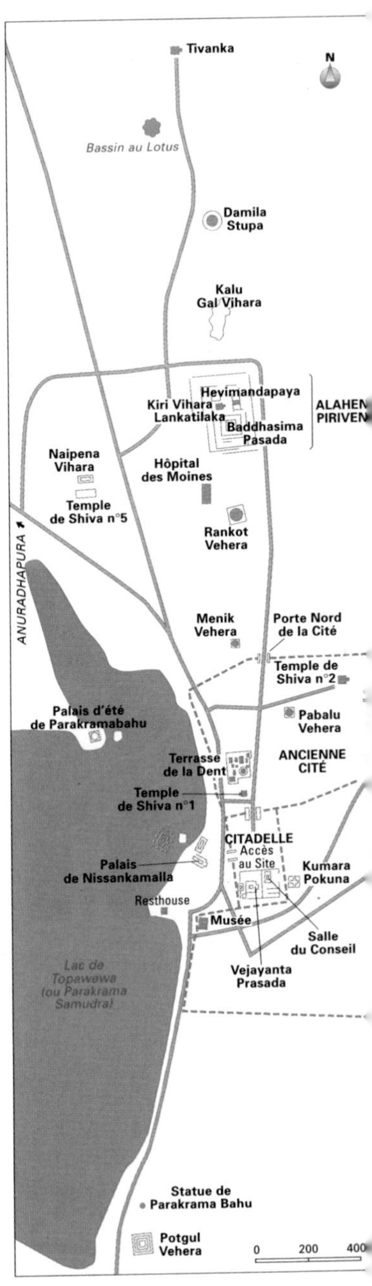

POLONNARUWA

• **Salle n° 7.** Pièces provenant des monuments hindous: de nombreuses statuettes de bronze, d'une

Un monarque médecin

Homme religieux et grand bâtisseur, négociateur habile et bon stratège, le roi Parakrama Bahu *(voir p. 61)* était aussi amateur d'art, fin lettré, et possédait d'excellentes connaissances en médecine. Selon le *Culavamsa*, « les instruments chirurgicaux n'avaient aucun secret pour le roi : il montrait aux plus jeunes le maniement des scalpels, ciseaux et pinces... Fin connaisseur de l'Ayurveda *(voir p. 45)*, lui, le tout savant, rassemblait tous les médecins attachés à l'établissement et contrôlait l'efficacité des soins. Si le traitement avait été mal conduit, il indiquait la bonne méthode. Souvent il traitait les malades de ses propres mains. Enfin, il donnait des vêtements neufs à ceux qui étaient délivrés de leurs maux. Ensuite, il récompensait les médecins de leurs services et le cœur réjoui s'en retournait au palais. » On dit aussi qu'il excellait dans les sciences, la logique, la rhétorique, la musique et le droit. ❖

qualité exceptionnelle, dont une **déesse Parvati******, un **Shiva Candrasekara**** à l'aspect effrayant et un **Shiva Nataraja***** (XIIe s.), effigie du dieu dansant, ainsi qu'un **Ganesh*** de pierre et des objets rituels.

➤ **LA STATUE DE PARAKRAMA BAHU***. *Au sud du site.* Taillée à même le roc en haut relief sur 4 m de hauteur, elle représenterait, selon la tradition, le roi tenant les insignes de la souveraineté ou ceux de la loi, sur feuilles de tallipot. Plus vraisemblablement, cette sculpture de la seconde moitié du XIIe s. dépeint un sage ou un ascète, à l'allure majestueuse de vieillard barbu, portant, avec un certain réalisme, une ceinture nouée sur un léger embonpoint. Dommage que la statue soit protégée par une toiture en tôle.

➤ **LE POTGUL VEHERA.** *Au sud du site.* La tradition voit dans cette salle circulaire dotée de murs épais, et autrefois voûtée, la bibliothèque d'un monastère où le roi venait écouter les récits des *jataka (voir p. 248)*. L'édifice, entouré de quatre petits *dagoba*, est attribué à Parakrama Bahu, bien qu'il soit très probablement antérieur (Xe s.). Des autres bâtiments, pris dans le mur d'enceinte, ne subsistent que de puissants piliers.

➤ **LE PALAIS DE NISSAMKAMALLA.** *Au nord de la resthouse, sur un promontoire du lac auquel on accède par un sentier, face à l'accès du parc archéologique.* Nissamkamalla, monarque orgueilleux qui ne voulait pas occuper le palais de ses prédécesseurs, se fit construire ce « jardin de l'île » à l'emplacement d'une ancienne résidence d'été de Parakrama Bahu. De ce palais édifié sur des colonnes de bois et bâti, selon une inscription, en sept mois seulement, il ne reste que les soubassements d'une salle d'audience et des bains. Sur les chapiteaux carrés des **piliers de la salle du Conseil*** sont gravés les noms et les titres de ses membres. Le roi siégeait sur un lion monumental en pierre, toujours en place. À sa droite se tenait l'héritier présomptif et les princes et, à sa gauche, les gouverneurs des régions et des provinces.

La citadelle

➤ *Elle occupe le secteur sud du parc archéologique, de l'autre côté de la route. Accès sur présentation du ticket du Triangle culturel (voir p. 167).*

➤ **Le Vejayanta Prasada.** D'après le *Culavamsa*, ce palais, bâti par Parakrama Bahu, comptait 7 étages et 1 000 pièces « adaptées à chaque saison », reposant sur plusieurs centaines de piliers peints « rayonnant de motifs de fleurs et de plantes grimpantes ». La maquette présentée dans la salle n° 3 du musée *(voir p. 148)* donne une idée de sa splendeur passée. Seuls deux étages ont échappé à l'incendie qui a anéanti cette magnifique construction tout en brique. La façade aux fenêtres ouvragées comportait un revêtement de stuc. Le hall du rez-de-chaussée, probablement salle d'audience, mesure 31 m sur 13 m. Des madriers pris dans les murs supportaient les planchers des différents étages.

➤ **La salle du Conseil**.** La première terrasse, la plus large et la plus haute, où devaient se tenir les gardes, est ornée d'une procession de **pachydermes**. La deuxième comporte une série de **lions**. Sur la troisième, la plus étroite, des **nains** exécutent une farandole. Chacun d'eux est représenté dans une pose différente. L'escalier, à deux volées de marches précédées de pierres de lune, est encadré par de doubles échiffres *(voir p. 247)* aux parois extérieures décorées. Deux lions massifs, symboles du pouvoir royal, montent la garde à l'entrée de la salle. La toiture reposait sur quatre rangées de dix piliers carrés et sculptés, dont il reste de beaux spécimens. Un passage couvert reliait le Palais royal à la salle du Conseil.

➤ **Le Kumara Pokuna.** Le « bain du Prince » est un bassin à trois degrés, jadis flanqué de deux statues de lions. Il a conservé ses deux conduits d'arrivée d'eau en forme de gueule de crocodile. À côté, la **salle du Vestiaire** a encore son soubassement à pilastres avec des panneaux où figurent des lions croqués sur le vif avec réalisme. Parakrama

*La salle du Conseil de Polonnaruwa a conservé sa plate-forme à trois degrés ornés de frises**.*

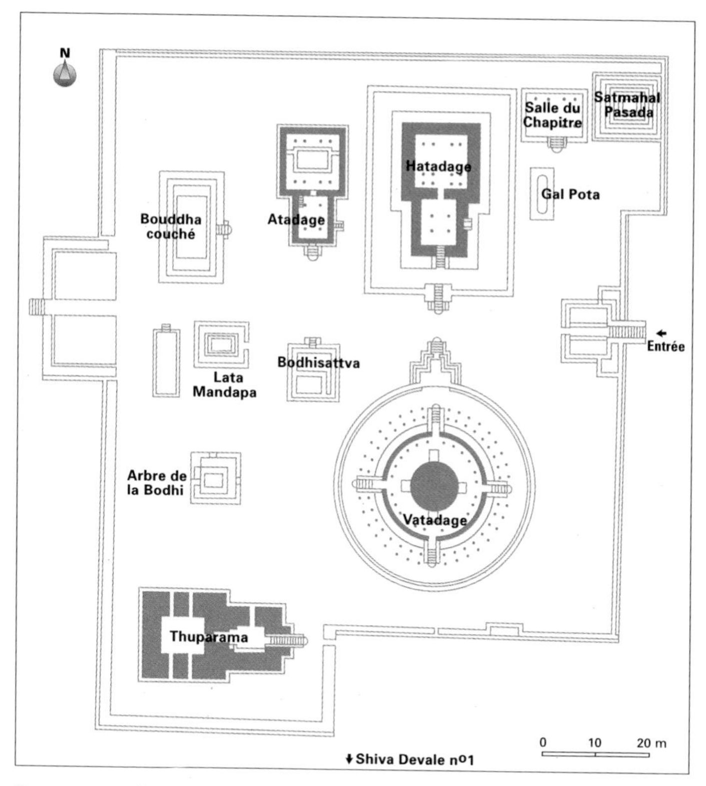

TERRASSE DE LA DENT

Bahu avait dessiné les plans de son jardin d'agrément où se dressaient les pavillons du Palais d'été, que la chronique énumère: «pavillon des Jeux», «pavillon de la Balancelle», «pavillon des Miroirs», «pavillon du Paon», ou «Pavillon céleste», destiné à l'étude des sciences, et «pavillon de Saturne», entièrement revêtu d'ivoire.

La terrasse de la Dent

➤ **LE TEMPLE DE SHIVA (SHIVA DEVALE) n° 1***. *Au sud du site (hors plan).* Outre ses fondations bouddhistes, Polonnaruwa s'enrichit d'un certain nombre de temples hindous. Celui-ci, du début du XIIIe s., est remarquable par la perfection de ses murailles, constituées de blocs de grès posés à joints vifs. Un dôme de brique coiffait cet édifice dans lequel furent trouvés en 1907 les très beaux bronzes chola exposés dans les musées de Polonnaruwa et Colombo *(voir p. 148 et p. 114)*. Au pied du *lingam* et de la *yoni (voir p. 248)* du sanctuaire, une rigole creusée dans le sol servait à l'écoulement de l'eau lustrale et du lait versés par les fidèles. Autour du monument, des niches bordées de pilastres abritent de beaux fragments de sculptures.

➤ *On parvient ensuite à l'escalier de la terrasse de la «relique de la Dent», souvent appelée le* ***Quadrilatère****.*

➤ **LE SATMAHAL PRASADA.** Premier édifice sur la dr., en haut de l'escalier. Il possédait 7 étages et les façades, très abîmées, comportaient un décor de stuc. Un escalier extérieur permet d'accéder à la première terrasse. Un second escalier, aujourd'hui muré, devait desservir les autres étages, composés de pièces si étroites qu'on a du mal à comprendre la fonction de cet ensemble pyramidal. Sa construction (fin du XIIe s.) présente quelques analogies avec certains temples khmers à degrés appelés « temples-montagnes ».

➤ **La salle du Chapitre.** Cet édifice du VIIe s. est précédé d'une pierre de lune. Les piliers de soutènement entourent une élégante **colonne torsadée***.

➤ **Le Gal Pota.** Le **« livre de Pierre »** se présente sous la forme d'une énorme dalle (8,20 m sur 1,20 m) gravée de textes en singhalais, imitant les manuscrits sur tallipot. L'inscription, commandée par le roi Nissamkamalla, relate sans modestie ses vertus, ses exploits en politique étrangère et ses hauts faits militaires, dont une expédition en Inde. Elle indique aussi que cette pierre de 25 tonnes provient de Mihintale, à plus de 90 km *(voir p. 143)*. Les deux extrémités de ce lourd panégyrique présentent un motif typiquement hindou : deux éléphants aspergent d'eau la déesse Sri, en signe de prospérité. Ce détail montre que les différents cultes étaient non seulement pratiqués, mais favorisés par les souverains eux-mêmes.

➤ **Le Hatadage****. Ce sanctuaire, édifié par Nissamkamalla pour abriter la **dent de Bouddha**, est aussi appelé la **« maison des Soixante »**. Une légende veut en effet qu'il ait été construit en soixante heures singhalaises (soit une journée). Il est plus vraisemblable que Nissamkamalla se soit contenté d'agrandir un édifice existant pour déposer la relique dans un écrin plus luxueux que l'Atadage *(voir p. 153)*. Le Hatadage reprend le même plan, mais à l'intérieur d'une vaste enceinte de 38,5 m sur 27 m. Un large déambulatoire permettait aux fidèles d'en faire le tour. Les murs comportent encore des frises représentant des lions dans la partie basse et des oies dans la partie haute. Une **pierre de lune*** entre deux gardiens de seuil précède les trois marches de la porte principale du Hatadage. Dans le vestibule subsistent quelques-uns des piliers qui soutenaient le plancher de la salle supérieure où la relique était exposée. L'escalier d'accès est encore visible sur la g. La *cella* du fond conserve trois statues de Bouddha. Comme dans plusieurs temples de Polonnaruwa, une porte latérale permettait aux fidèles de quitter le sanctuaire sans avoir à repasser par l'entrée.

➤ **Le Vatadage*****. Appelé aussi **« chambre des Reliques »**, c'est l'un des plus anciens édifices de Polonnaruwa. Bien qu'il porte une inscription mentionnant le nom de Nissamkamalla, le *Culavamsa* en attribue la construction à Parakrama Bahu. Son successeur se serait contenté de le restaurer et de l'embellir. Ce *vatadage*, inspiré du sanctuaire de Medirigiriya *(voir p. 146)*, se dresse sur une plateforme circulaire à deux niveaux. **Quatre escaliers** situés aux points cardinaux conduisaient à quatre portes, aujourd'hui disparues, qui ouvraient sur la rotonde du *dagoba*, cantonné de quatre Bouddhas assis dans l'attitude de la méditation *(dhyana mudra)*. Une toiture conique reposait sur les deux rangées de piliers et sur les

Le Vatadage de Polonnaruwa, lieu où reposent les reliques, a une structure circulaire qui abrite un dagoba central. Quatre Bouddhas assis nous attendent, figés pour l'éternité, en haut des escaliers.

murs circulaires. La **maquette** conservée au musée (salle n° 4) donne une idée de l'édifice original. Il faut faire le tour du *vatadage* pour découvrir la richesse de sa **décoration extérieure**. Le soubassement de la seconde terrasse comporte une série de lions séparés par des pilastres. Plus petit, le registre du dessus est orné de nains. Le parapet supérieur est composé de **grands panneaux rectangulaires à motifs floraux***. Chaque fleur déploie quatre pétales autour d'un bouton central avec la régularité d'un dessin géométrique. Des piliers octogonaux à chapiteau ouvragé se dressent entre chaque panneau. Les **pierres de lune**** figurent parmi les plus belles de la cité, principalement celle de la porte est. Les **gardiens de seuil**** sont d'une facture exceptionnelle, tout comme les échiffres, dont la face externe représente un lion sur un socle et la face interne des nains qui soutiennent la rampe en volute. D'autres nains-atlantes animent les contremarches des escaliers.

➤ **L'Atadage***. Connu comme le **premier temple de la relique de la Dent** de Polonnaruwa, il fut construit sous Vijaya Bahu Ier (1055-1110). Seul le niveau inférieur fut réalisé en pierre. Les 54 piliers, provenant pour la plupart de monuments d'Anuradhapura, soutenaient un édifice de bois de plusieurs étages. Certains de ces **piliers** ont conservé leur décor d'origine. Le plus remarquable est le **deuxième de la travée de gauche***. Chacune des trois travées abritait un Bouddha; seul celui du centre nous est parvenu. La relique se trouvait exposée au 1er étage. Sur le côté g. du temple se dresse une stèle attestant que des mercenaires étaient gardiens de l'Atadage.

➤ **Le Bouddha couché**. On devine encore la structure de brique de cette statue (11 m de long), autrefois stuquée et peinte. Juste à côté se trouvait un **sanctuaire de l'arbre Bo**.

➤ **Le Lata Mandapa**. Une inscription précise que Nissamkamalla, à l'origine de cette ravissante création, avait coutume de venir y écouter des textes bouddhiques. Une belle **balustrade de pierre** entoure ce pavillon auquel on accédait par un porche à toit monolithe. Autour d'un *dagoba* miniature dont la base comporte une frise de divinités séparées par des pilastres, sont disposées deux rangées de quatre colonnes en forme de tiges de lotus et coiffées de chapiteaux en boutons de fleurs. Elles étaient destinées à supporter une toiture de bois.

En face, une **statue de bodhisattva**, très abîmée, est censée représenter le roi Nissamkamalla.

➤ **Le Thuparama****. Cette « **maison de l'image** », probablement édifiée sous le règne de Vijaya Bahu Ier, est la **plus ancienne construction voûtée** conservée – dans un état admirable – sur l'île. L'édifice de brique, sur une assise de pierre, était recouvert d'un **décor de stuc** dont subsistent des pilastres et d'élégants pavillons en bas relief. Les murs sont si épais qu'un escalier menant vers la terrasse y était encastré. Ce sanctuaire abrite plusieurs représentations de Bouddha. Celle de dr., de la fin de l'époque d'Anuradhapura, est intéressante avec son drapé stylisé. Les orbites vides devaient abriter des yeux en cristal de roche.

La périphérie nord de la citadelle

➤ *Redescendez de la Terrasse et dirigez-vous vers le nord.*

➤ **Le Pabalu Vehera**. Le « **sanctuaire de Corail** », un *dagoba* construit par l'une des épouses de Parakrama Bahu, abritait des effigies de Bouddha. Aujourd'hui en ruine, il fut autrefois l'un des plus grands de la capitale.

➤ **Le temple de Shiva (Shiva Devale) n° 2**. Ce sanctuaire, le **plus ancien de Polonnaruwa** (fin du Ier millénaire), est assez semblable au temple n° 1, mais il est mieux conservé. Il fut construit en pierre, granit et grès. Son plan et sa décoration sont caractéristiques des temples chola de l'Inde du Sud, avec sur les côtés de fausses portes formant des niches.

➤ **Le Menik Vehera**. Ce *dagoba*, en ruine, n'a conservé qu'une **frise de lions** en terre cuite très stylisés. À côté subsistent les vestiges de deux sanctuaires avec leurs piliers de pierre, trois statues de Bouddha et des gardiens de seuil.

➤ **Le Rankot Vehera**. Édifié par Nissamkamalla, le **plus grand *dagoba* de Polonnaruwa** dresse sur près de 60 m sa flèche, jadis couverte d'or (il portait aussi le nom de **Ruvanveli, « Sable d'or »**). En le contournant sur la g., vous verrez des autels avec des statues de Bouddha décorés de frises (très endommagées).

L'Alahena Pirivena

Au-delà de la porte nord, ce complexe monastique édifié par Parakrama Bahu doit son nom de « **monastère du Crématorium** » à sa situation près du quartier des bûchers. Il était aussi vaste que la moitié de la capitale et comprenait des monuments très importants dont un certain nombre nous sont parvenus.

➤ **L'hôpital des Moines**. Les fouilles ont permis de mettre au jour ce vaste édifice, bâti sous le règne de Parakrama Bahu, comme le mentionne l'inscription gravée sur une belle stèle. Si les instruments chirurgicaux découverts ont été déposés au musée (salle n° 5), on verra sur le site une cuve servant aux bains d'huiles et de plantes.

➤ **Le Baddhasima Prasada.** Cette **salle de réunion du monastère**, construite sur une large terrasse à degrés, a conservé de nombreux piliers, des pierres de lune de qualité et des gargouilles en forme de *makara*. Une frise représentant des lions a été restaurée. Chaque mois, les jours de pleine lune et de nouvelle lune, les moines se rassemblaient dans la salle du chapitre sous l'autorité du supérieur pour y commenter les règles de l'ordre et confesser leurs fautes. De beaux piliers ornés délimitaient l'aire sacrée. Des fouilles ont permis de dégager aussi de petites cellules de moines, des bains, des latrines et un local probablement destiné à l'étude.

➤ **Le Lankatilaka****. Ses murs de 4 m d'épaisseur atteignent encore 17 m, mais la voûte en encorbellement, qui devait culminer à près de 30 m du sol, a aujourd'hui disparu. Édifiée par Parakrama Bahu sur l'emplacement d'un temple plus ancien, cette « maison de l'image » fut restaurée au XIIe s. Des pavillons de stuc sont conservés contre les murs extérieurs, où par ailleurs subsistent de nombreux **éléments décoratifs d'origine**, comme les pilastres inspirés de colonnes indiennes ou les frises de personnages. L'accès au Lankatilaka, bâti sur une terrasse artificielle, se fait par deux **escaliers** à trois degrés, prétextes à une belle mise en scène avec leurs gardiens de seuil et leurs contremarches ornées. Les échiffres de la seconde volée de marches sont particulièrement intéressants, avec des divinités et des nains sur leur face intérieure, et des lions stylisés sur l'extérieur. Au fond de la nef se dresse un Bouddha de brique stuquée de 13 m de haut, malheureusement décapité et amputé. Il accueillait les pèlerins avec le geste apaisant de l'*abhaya mudra* *(voir p. 164)*.

Selon la chronique, le Bouddha du Lankatilaka était si beau que sa vue constituait un « élixir pour les yeux ». Une inscription du XVIIIe s. mentionne que le sanctuaire com-

Le Lankatilaka, littéralement l'« ornement de Lanka », est le plus vaste sanctuaire de Polonnaruwa avec ses 52 m sur 20 m.

portait quatre étages auxquels on accédait par un escalier pris dans l'épaisseur du mur, derrière la statue. Une galerie de bois soutenue par des piliers de pierre et courant sur les trois côtés permettait d'admirer l'œuvre dans toute sa splendeur. Les architectes avaient prévu des ouvertures latérales pour que les rayons du soleil viennent répandre sur elle sa lumière dorée; elles constituaient aussi un système de ventilation efficace. Une porte sur la façade latérale nord permettait de quitter l'édifice sans avoir à repasser par l'entrée principale. Elle garde sous son passage voûté quelques traces de peinture.

➤ **L'HEVIMANDAPAYA***. Cette salle hypostyle se dresse face au Lankatilaka. Jadis couverts, ses **piliers*** octogonaux sont décorés de magnifiques **motifs sculptés**. Le socle de l'édifice présente une intéressante frise de lions et un escalier avec de belles contremarches.

➤ **LE KIRI VIHARA**. Attribué à l'une des épouses de Parakrama Bahu, ce *dagoba* a conservé son aspect initial : les restaurations successives n'ont en rien altéré sa forme hémisphérique parfaite. Ce *stupa* coiffé d'un beau pinacle strié doit son nom de « **sanctuaire de Lait** » à son revêtement originel de chaux blanche, aujourd'hui disparu, mais qu'il avait encore quand on le dégagea de la jungle au XIXe s. Juste en face, deux très belles **gargouilles*** ornent le socle d'un *stupa* tronqué en brique.

Le Kalu Gal Vihara***

Le « **temple de Pierre noire** » appartenait à un autre monastère fondé par Parakrama Bahu. C'est un sanctuaire rupestre aux sculptures taillées en relief dans le gneiss, qu'il vaut mieux visiter à la lumière du matin.

La première statue (5 m de haut) représente un **Bouddha auréolé****,

Le grand Bouddha couché du Kalu Gal Vihara est l'une des pièces majeures de la sculpture singhalaise. À ses côtés, une effigie haute de 7 m représenterait, selon une tradition, son disciple Ananda. On pense aujourd'hui que ce jeune homme aux bras croisés incarnerait plutôt le Bouddha après l'Éveil, songeant au remède à la souffrance d'autrui. Le sculpteur a réalisé un magnifique drapé, aux plis marqués d'une double incision, que la flexion discrète de la jambe gauche met en valeur.

en méditation sur un trône dans une attitude sereine. Cette œuvre magistrale est adossée à un beau décor architectonique représentant un portique *(torana)* avec douze *makara* expulsant des lions de leur gueule. Six lions ornent la base du socle. L'œuvre est protégée par un auvent inesthétique.

Le **Nissinna Patima Lena**, fermé par une grille, abrite un Bouddha assis dans une attitude noble *(virasana)*. Il est protégé par une ombrelle et entouré de deux porteurs de chasse-mouches; derrière son trône, les deux personnages au second plan seraient Brahma et Vishnou.

L'ensemble du **Nipanna Patima Cuha***** constitue la partie la plus impressionnante du site: on y voit deux statues gigantesques. Un **grand Bouddha***** (14 m de long) parvenu au *nirvana* est étendu sur le flanc droit dans la position de la « grande extinction ». Son bras gauche posé sur sa hanche épouse la forme sinueuse du corps, à la taille fine et aux hanches larges et arrondies. Les plis fluides de la robe sont parfaits. Sur l'oreiller orné de pétales de lotus, creusé par le poids de la tête, repose le visage empreint d'un calme divin: yeux en amande mi-clos, sourcils en arcade, chevelure bouclée, esquisse de sourire. Des rosaces sont représentées sur la plante des pieds.

Les monastères périphériques

Depuis le Kalu Gal Vihara, emprunter la piste qui conduit vers le nord. Pour atteindre le Tivanka, on passe à proximité de deux autres monuments.

➤ **Le Damila Stupa.** Non dégagé, le «**grand *dagoba* des Tamouls**», sur la dr. un peu plus au nord, dut être édifié par les soldats d'un prince de Madurai, faits prisonniers lors des campagnes de Parakrama Bahu. Ce projet ambitieux (le *stupa* mesurait 185 m de diamètre à la base) ne fut jamais achevé.

➤ **Le bassin au Lotus***. Ce bain très élégant en forme de lotus stylisé ouvrant ses huit pétales sur cinq étages appartenait à un monastère de 520 bâtiments qui comportait, selon les chroniques, huit bains identiques dans lesquels les moines effectuaient leurs ablutions, assis sur les gradins. Les autres n'ont pas encore été exhumés, mais leur emplacement a été repéré.

➤ **Le Tivanka et ses fresques****. *Une lampe de poche est utile pour détailler les fresques. Photos avec flash interdites.* Ce « **temple du Nord** » est aussi appelé « **temple aux Trois Courbes** » en raison de la posture déhanchée du grand Bouddha du fond de la nef, mouvement généralement associé à des représentations féminines. Fondé par Parakrama Bahu, cet édifice subit par la suite de nombreuses transformations. Son aspect actuel date du règne de Parakrama Bahu III (1287-1293). Sur les parois stuquées on retrouve le même ordonnancement qu'au Lankatilaka et au Thuparama *(voir p. 155 et p. 154)* : le premier soubassement comprend un registre de lions avec, au-dessus, une frise de nains dans des postures grotesques; dans la partie médiane, des pavillons à colonnes, véritables maquettes d'architecture, ont été réalisés entre des pilastres si hauts qu'ils abritent parfois des statues en pied. De la partie supérieure, il ne reste plus rien. L'entrée comporte encore ses échiffres, ses **gardiens de seuil*** et ses contremarches ornées de nains. On pouvait faire le tour de

Recouvertes de lait de chaux pendant des siècles, les fresques du Tivanka montrent encore, mais très effacées, des scènes des jataka peintes aux XIIe ou XIIIe s. La palette se réduit à trois couleurs : rouge, jaune et vert.

l'édifice, à l'intérieur, par un couloir de méditation.

➤ **LE NAIPENA VIHARA.** Après la sortie du site, en bordure du lac. On le nomme aussi « **sanctuaire du Cobra** » en raison du reptile à plusieurs têtes représenté sur sa tour-sanctuaire (*sikhara*) endommagée. À proximité, le **temple de Shiva (Shiva Devale) n° 5** a livré des bronzes intéressants, conservés au musée. ■

De Polonnaruwa à Kandy

La forteresse de Sigiriya, avec ses énigmatiques demoiselles qui, depuis des siècles, troublent la cohorte inépuisable de leurs admirateurs, les temples rupestres de Dambulla et le sanctuaire Nalanda Gedige sont les points forts de cet itinéraire.

Sigiriya***

➤ *À 67 km de Polonnaruwa et 92 km de Kandy.* ***Train et bus****: la ligne* ***Colombo/Trincomalee*** *dessert* ***Habarana****, d'où des bus permettent de gagner* ***Sigiriya*** *et* ***Dambulla****. Comptez 3h de visite minimum, une demi-journée pour une visite approfondie. Visite à effectuer en dehors des heures chaudes en raison des quelque 800 marches à monter. Fait partie du Triangle culturel (voir p. 167). Les tickets (15 US $), en vente à la resthouse, doivent être conservés après l'entrée, car ils sont aussi exigés lors de l'accès aux fresques (8h-17h). Se méfier des faux guides, nombreux sur le site.*

➤ *Informations pratiques et bonnes adresses p. 169.*

Cette forteresse de légende domine la jungle sur son rocher de pierre rouge perché à 370 m d'altitude. C'est sur cette **colline du Lion** que régna durant dix-huit ans, de 477 à 495, le roi Kasyapa *(voir p. 60).*

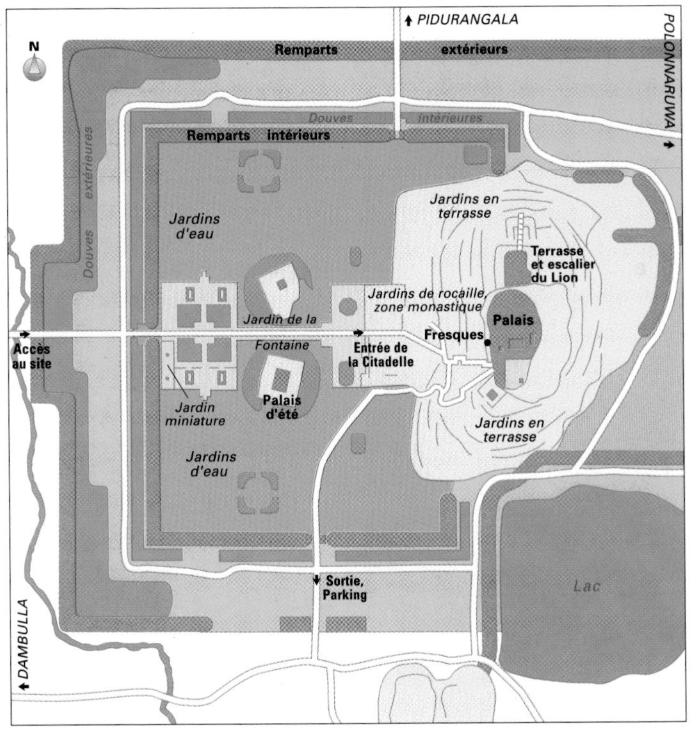

SIGIRIYA

Ayant éliminé son père Dhatusena en l'emmurant vivant et fait fuir en Inde son demi-frère Mogallana, l'usurpateur construisit ici son palais et son fort, ainsi que de nombreux édifices religieux. Voulant se faire pardonner son crime, il combla les moines de bienfaits. Grand mécène et amateur d'art éclairé, il fit venir à sa cour les meilleurs artistes de l'époque, à qui l'on doit les fresques des Demoiselles. Kasyapa vécut dans ce luxueux palais jusqu'au jour où, en l'an 495, Mogallana revint d'Inde à la tête de mercenaires pour déposer l'usurpateur : ce dernier se suicida plutôt que de tomber aux mains de son frère. Le site fut encore visité pendant cinq siècles si l'on en juge par les écrits de ceux qui vinrent y admirer les fresques, puis il tomba dans l'oubli, jusqu'au milieu du XIXe s.

Dessinés au Ve s. avec l'ordonnance de jardins à la française, les jardins royaux de Sigiriya seraient les plus anciens d'Asie. Ils comportent trois parties que traverse une voie centrale, selon une scénographie savante.

Les jardins royaux et le monastère

Après avoir franchi les douves et les anciennes fortifications de brique par l'entrée principale, à l'ouest, on pénètre dans les **jardins**. Sur la dr., le **jardin miniature** (90 m sur 30 m), est constitué d'un ensemble de cours, de canaux et de petites constructions entourées de bassins pavés de marbre. Un jardin similaire lui faisait pendant sur la g., mais il n'a pas encore été dégagé. On traverse ensuite les **jardins d'eau**. Le premier, le plus vaste, est composé de quatre pavillons d'angle, à la manière dont on dessinait jadis la représentation du monde. Le second, dit **jardin de la fontaine**, très étroit, avait été conçu sur deux niveaux. De ses bassins, richement décorés, jaillissaient des jets d'eau. C'est un réseau de canalisations souterraines qui permettait à l'eau puisée dans le lac de Sigiriya d'alimenter les différents bassins. Ce système, très élaboré, fonctionne encore lorsque les pluies sont abondantes. Dans cette partie des jardins royaux se situaient, édifiés sur de petites îles, les **palais d'été** auxquels on accédait par des ponts taillés dans le roc. Le troisième jardin est formé d'une succession de **terrasses** avec deux petits bassins intérieurs dont l'un a été restauré. À côté du grand bassin octogonal de g. s'élevait un **pavillon des bains**, à l'ombre bienfaisante du rocher.

La voie franchit un des anciens passages vers la citadelle, au mur de brique et de pierre, et conduit au monastère qui occupe une grande partie des **jardins de rocaille,** dont les fouilles ne sont pas achevées. Sa conception est en complète opposition avec la symétrie et la géométrie des jardins d'eau. De nombreux sentiers relient entre eux les différents rochers sur lesquels se dressaient des pavillons aux murs de brique et aux colonnes de bois. Les entailles encore visibles dans le roc sont les seuls vestiges de leurs fondations. On verra, notamment, deux **arches naturelles**, le **rocher de la citerne**, le **hall d'audience**, avec son trône de 5 m de long, un **hall d'assemblée**, un **bain rituel** et une **tribune de prédication**. Dans ce secteur, on a recensé plus d'**une vingtaine de grottes**, dont certaines comportent quelques traces de fresques encore visibles. Tous ces vestiges faisaient partie d'un vaste ensemble monastique construit autour d'un arbre Bo. Les cellules des moines étaient entourées d'une centaine de niches destinées aux lampes à huile. Des rigoles taillées aussi dans le roc permettaient de contrôler l'écoulement des eaux. Après la mort de Kasyapa, le site devint un ermitage.

Le refuge des Demoiselles***

➤ *À mi-chemin de la montée vers le palais, en haut du rocher. Accès par un étroit escalier de fer en colimaçon. Photographies autorisées, sans flash; la meilleure lumière est celle de l'après-midi.*

Ces splendides peintures, qui pourraient rivaliser avec les peintures d'Ajanta, en Inde, et sont parfaitement conservées, ont fait la célébrité de Sigiriya. Si l'on en croit un graffiti, le site aurait comporté 550 figures de femmes. Elles ne sont plus qu'une douzaine, aussi gracieuses qu'il y a quinze siècles. Leur état de conservation est admirable – l'anfractuosité du rocher les protège des intempéries – et les teintes subtiles des pigments ont conservé leur fraîcheur initiale. Elles vont deux par deux, chargées de fleurs, parées de bijoux et coiffées de tiares ou d'aigrettes. Représentées grandeur nature, mais seulement à partir de la taille, elles semblent surgir d'un nuage et flotter dans l'air. Certaines ont les seins nus, d'autres portent d'élégantes blouses à manches. Les lèvres sont charnues, les tailles fines, prises dans des sarongs noués sous le nombril, les mains délicates, esquissant des gestes gracieux. Le dessin a probablement été effectué à main levée, quelques ébauches et retouches étant encore visibles. L'enduit de ces peintures est formé d'une couche de chaux polie sur laquelle l'artiste a utilisé une palette restreinte aux couleurs à base de terres naturelles : des ocres, rouges et jaunes, mettent en valeur l'acidité du vert malachite. À l'origine, une partie des parois du roc de Sigiriya était enveloppée de peintures « comme un rideau peint », de sorte que le palais-forteresse apparaissait comme « suspendu au paradis », disent les chroniques anciennes.

Le rocher***

➤ *Sigiriya est bien Sinha-Giri, la « colline du Lion », dont elle évoque la silhouette. L'entrée de l'escalier qui monte au sommet s'ouvre entre des pattes griffues de brique et de pierre. Si vous n'avez pas le vertige, empruntez les escaliers de fer aménagés entre les deux pattes de lion. Tout au long de la montée, vous verrez les anciennes marches taillées dans le roc.*

La dimension des pattes donne une idée de la taille imposante du lion qui constituait la façade du palais. Le lion, ancêtre mythique des souverains de l'île *(voir p. 58)*, était

Princesses de lumière et demoiselles de nuages

« J'ai parlé, mais ces dames de la montagne ne m'ont pas répondu, pas même par un clin d'œil. » Graffiti d'amour anonyme.

Découvertes en 1831, elles ont souvent été reproduites mais on ne sait toujours pas qui sont vraiment ces séduisantes demoiselles. Dames de la cour, baigneuses, nymphes (*apsara*) ou courtisanes ? Selon certains archéologues, il s'agirait des épouses de Kasyapa, ou des dames de sa cour accompagnées de leurs servantes, se rendant au temple pour y déposer des offrandes. Les premières se distingueraient par leur teint clair, alors que la dominante verte des autres visages indiquerait une origine inférieure ou étrangère. Le professeur Senarat Paranavitana, traducteur des graffitis, affirme que l'œuvre évoquerait plutôt le domaine de Kubera, le dieu des richesses, dont le trône se situe au sommet d'une montagne. Les figures dorées représenteraient des « princesses de lumière » accompagnées de leurs « demoiselles de nuages ».

La découverte d'inscriptions sur un parapet construit au flanc du rocher de Sigiriya, véritable garde-fou sur le chemin du refuge des Demoiselles, a été d'un grand intérêt pour les archéologues et les historiens. Il est revêtu d'un enduit lisse, probablement un mélange de blanc d'œuf et de miel, sur lequel des admirateurs ont exprimé leur passion. Gravées aux VIIIe et IXe s. les inscriptions, désormais invisibles, furent déchiffrées par le professeur Paranavitana. Elles composent un grand poème d'amour rédigé en singhalais, en sanscrit et en tamoul, dont voici un florilège :

« Celle qui est de la couleur de l'or, avec une fleur à la main, m'a brisé le cœur. »

« L'éclat de leur corps comme celui de la lune erre dans le vent frais. »

« La fille à peau dorée a séduit mon esprit et mes yeux. Ses jolis seins m'évoquent des cygnes ivres de nectar. »

« Douce fille de la montagne, aux dents de perle, aux yeux fleuris, aux seins enchaînés d'or, parle-moi doucement de ton cœur. »

« Des filles comme toi font déborder les cœurs, les corps frissonnent et les poils se dressent de désir. »

probablement représenté accroupi, la tête et les épaules détachées du rocher.

La **vue***** sur les terrasses depuis le sommet récompense l'effort. Le palais, centre névralgique du complexe de Sigiriya, domine la partie boisée de l'île jusqu'au pic d'Erawalagala (au sud) et, en contrebas, le tracé de la ville et des jardins. On y voit toujours le grand bassin qui alimentait la citadelle et les plates-formes des sentinelles. Ce **palais aérien** d'une superficie de 15000 m², véritable labyrinthe de couloirs, d'escaliers et de galeries reliant les différentes salles, était décoré avec recherche. Le monarque, qui entretenait, dit-on, 500 concubines, avait fait tapisser certains murs de miroirs pour y observer la course des nuages. Ce palais de la démesure fut rasé après la mort de Kasyapa.

Après la descente, on quitte le site par le sud en traversant à nouveau une partie de l'ensemble monastique des jardins de rocaille.

Les grottes de Dambulla*

➤ *À 60 km à l'O de Polonnaruwa et 72 km de Kandy, sur l'A9.* ***Train et bus****: la ligne* ***Colombo/Trincomalee*** *dessert* ***Habarana****, d'où des bus permettent de gagner* ***Sigiriya*** *et* ***Dambulla****. Ouv. 7h-19h. Accès payant; billet à prendre au monastère en bas du rocher, au pied du nouveau Bouddha en béton. Se déchausser à l'entrée du site. Débardeurs et shorts ne sont pas admis, mais on peut louer des sarongs pour se couvrir les genoux. Photos interdites à l'intérieur des grottes. Prévoir une lampe de poche pour détailler les fresques. Compter 1h de visite sans la montée.*

➤ *Informations pratiques et bonnes adresses p. 167.*

Ce site marque le **centre géographique du Sri Lanka**. Le roi **Vattagamani Abhaya** (103-89 av. J.-C.) lui conféra en outre un rôle historique et religieux, quand il s'y réfugia après avoir été chassé d'Anuradhapura par les Tamouls. Lorsqu'il retrouva son trône, il n'oublia pas ces lieux où il avait trouvé refuge durant son exil, et y fit bâtir des temples.

Les grottes, creusées dans un énorme bloc de granit perché à plus de 160 m au-dessus de la plaine, avaient déjà servi d'abri à l'époque préhistorique. Depuis la terrasse, la **vue*** sur la plaine est exceptionnelle, surtout le matin. On distingue même le rocher de Sigiriya, distant d'une vingtaine de kilomètres. L'ensemble comprend

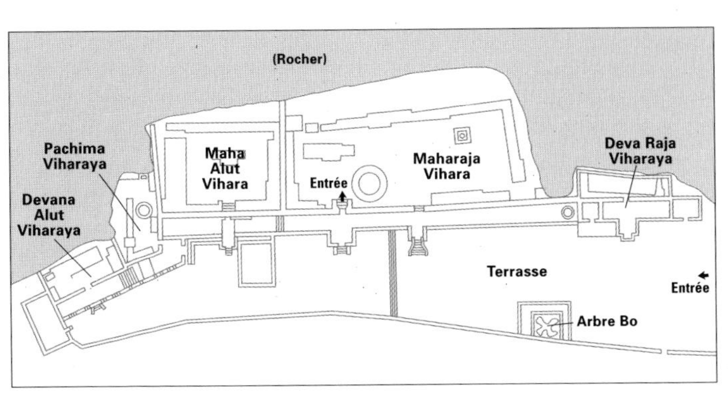

LES GROTTES DE DAMBULLA

cinq temples rupestres d'intérêt inégal, et qui ont trop souvent fait l'objet de rénovations. Les grottes, qui abritent 150 Bouddhas, sont accessibles par une véranda extérieure, ajout des années 1930.

➤ **Le Deva Raja Viharaya (grotte n° 1)**. Le « temple du Roi divin » abrite un Bouddha couché de 14 m, sculpté dans la roche au Ier s. av. J.-C. Les plis de sa robe sont finement traités en doubles ciselures et les plantes de pied sont couvertes de motifs peints. Le fidèle Ananda veille son maître sur la paroi latérale de dr. ; sur celle de g., une statue de Vishnou est dissimulée aux regards derrière une sorte de tabernacle.

➤ **Le Maharaja Vihara* (grotte n° 2)**. Le « temple des Grands Rois » est la plus vaste (53 m de long sur 23 de large) et la plus intéressante des cinq grottes. Ses statues furent recouvertes d'or sous le règne de Nissamkamalla (XIIe s.), ce qui valut à Dambulla d'être appelé à l'époque *Rangiri*, le « rocher doré ». En pénétrant par la deuxième porte, ornée de *makara* de pierre, on se trouve face à un **Bouddha debout** dans l'attitude de l'*abhaya mudra* (geste de l'apaisement et de l'absence de crainte), taillé à même le roc. Cette grotte comporte 53 statues du maître représenté dans des attitudes différentes. À dr. de l'entrée s'élève un *stupa* dont le socle est entouré de représentations du Bouddha ; deux sont surmontées d'une tête de cobra en guise de parasol. À dr. de la plus petite porte d'entrée, un gigantesque Bouddha couché de 15 m repose dans le sommeil du *parinirvana*, veillé par **Maitreya** (à g.), le Bouddha du futur, et **Avalokiteshvara** (à dr.), le bodhisattva de la compassion. En plus des nombreuses représentations de Bouddha assis en méditation le long des parois, on peut voir, à l'extrémité nord, les statues en bois des dieux Vishnou et Saman, le gardien de l'empreinte sacrée du pic d'Adam *(voir p. 192)*. À l'extrémité est de la grotte, dans une saillie du rocher, se dresse l'effigie présumée du roi Nissamkamalla, l'un des protecteurs du sanctuaire. L'eau qui s'écoule en permanence d'une fissure aurait des pouvoirs curatifs. Recueillie dans une citerne, elle sert aux rites religieux. Les parois et le plafond, qui s'élève à 7 m dans sa partie la plus haute, sont couverts de **fresques**** à motifs géométriques, d'effigies de petits Bouddhas, de scènes des *jataka* (relatant les vies antérieures du Bouddha) ou racontant des faits historiques de l'île. Citons, parmi les plus remarquables, le premier sermon de Bouddha, l'arrivée du roi Vijaya, l'introduction du bouddhisme dans l'île, le combat de Dutugemunu contre Elara, en 161 av. J.-C. *(voir p. 59)*, la tentation du Bouddha par les filles de Mara. Ces fresques, qui datent du XVIIIe s. pour les plus anciennes, sont caractéristiques de l'école de Kandy.

➤ **Le Maha Alut Vihara (grotte n° 3)**. Un Bouddha siège face à l'entrée de la grotte « du Nouveau grand temple », dans la position du lotus, protégé par un *makara torana (voir p. 248)* polychrome. Contre la paroi latérale de g. repose un grand Bouddha de granit couché, dont le visage régulier exprime calme et bonté. Les **fresques*** de style kandyen qui couvrent près de 1 800 m² représentent principalement le Bouddha ou des épisodes de sa vie. Elles datent pour la plupart du règne de Kirti Sri Rajasinha (1747-1782), grand réformateur du bouddhisme dont on peut voir la statue à dr. de l'entrée. De l'ancienne décoration du XIIe s., il ne reste que quelques fragments. Les statues et les parois étaient (et sont toujours) régulièrement repeintes par des artisans qui utilisaient les techniques de leurs prédécesseurs.

Les deux dernières grottes, plus petites et plus tardives, présentent moins d'intérêt.

➤ **Le Pachima Viharaya (grotte n° 4)**. Elle abrite elle aussi un Bouddha central, assis sous un *makara torana* taillé à même le roc comme la dizaine d'effigies qui l'entourent. Tous sont peints de couleurs vives.

➤ **Le Devana Alut Viharaya (grotte n° 5)**. Un Bouddha couché y repose. Les parois ont été entièrement repeintes en 1915, toujours dans le style kandyen du XVIIIe s.

La réserve nationale de Wasgomuwa

➤ *À 90 km à l'E de Dambulla. Prendre l'A9 jusqu'à Naula et tourner à g. vers Elahera et la réserve. Autre accès par Bakamuna, au départ de l'hôtel Kandalama (voir informations pratiques, p. 168) à condition de disposer d'un 4x4. Comptez 2h de route minimum. Visite payante guidée par des gardes forestiers. Possibilité de logement à proximité. Excursion proposée par les hôtels de Dambulla.*

En cours de route, il est possible de voir des **mines d'extraction de pierres précieuses** dans la région de Warewala.

La réserve de Wasgomuwa (40 000 hectares) est traversée par une partie de la chaîne des Knuckles et bordée des rivières Amban et Mahaweli. On y vient surtout pour les 150 éléphants qui cohabitent avec une vingtaine d'autres espèces de mammifères, mais on y croisera aussi plus de 50 variétés de papillons, dont sept sont menacées d'extinction. Quant aux oiseaux, il y en aurait 163 espèces, dont cinq originaires du Sri Lanka.

♥ Le Nalanda Gedige**

➤ *À 20 km au S de Dambulla et 28 km au N de Matale sur l'A9, tourner à g. Ouv. t.l.j. 7h-17h45. Fait partie du Triangle culturel (voir p. 167).*

Ce temple *(gedige, voir p. 247)* du VIIIe s. aux proportions harmonieuses, probablement l'un des plus anciens monuments de pierre du Sri Lanka, est un véritable bijou d'architecture. La **façade arrière***, que l'on découvre en premier, est particulièrement riche, avec ses sculptures comprenant à la fois des éléments hindous et bouddhiques. La toiture de l'entrée *(mandapa)* a disparu. Le couloir, bordé de beaux piliers carrés, conduit à la *cella*, entourée d'un promenoir. À l'intérieur, une statue de Bouddha assez abîmée se dresse entre un Ganesh et une stèle de bodhisattva. Sur la dr. du temple, un petit *stupa* de brique a été reconstitué. Le Nalanda Gedige fut démonté et reconstitué en 1975 par l'Unesco sur une digue, lorsque l'on dut étendre le lac artificiel au bord duquel il avait été bâti.

Le monastère Alu (Alu Vihara)

➤ *À 5 km au N-O de Matale et 52 km de Kandy. Donation. Photos interdites.*

C'est ici, en 88 av. J.-C., que 500 moines rassemblés en concile

Le temple de Nalanda Gedige, une merveille architecturale construite au VIIIe s. qui combine éléments bouddhiques et hindous.

rédigèrent pour la première fois l'essentiel de la doctrine bouddhique, jusqu'alors transmise oralement de maître à disciple. Rédigés en pali sur des feuilles de tallipot, les textes furent regroupés en trois ensembles, les « Trois Paniers » ou *Tripitaka*: les sermons *(sutra)*, les règles monastiques *(vinaya)* et les commentaires *(abhidharma)*. La bibliothèque fut détruite par les Anglais en 1848 mais, depuis, les moines se sont efforcés de reconstituer le puzzle. Aujourd'hui, 40 % des textes seraient sauvés. On peut visiter une grotte, aux fresques intéressantes, dans laquelle repose un Bouddha de 10 m de long. Une autre abrite « **L'enfer** », une reconstitution terrifiante des châtiments de l'au-delà, avec des statues hyperréalistes.

Matale

➤ *À 46 km de Dambulla et 26 km de Kandy.*

➤ *Informations pratiques et bonnes adresses p. 169.*

Dernière étape avant Kandy, Matale est une **grosse bourgade musulmane** noyée dans la verdure des plantations avec, dans ses environs, de nombreux **ateliers de batik**. Une foire hebdomadaire se tient près de la tour de l'Horloge. Vous pourrez aussi vous procurer des **laques** dans le village voisin de **Palle Hapuvida**; on les travaille encore selon la « technique de l'ongle » vieille de plusieurs siècles. Ena de Silva, la plus célèbre décoratrice de l'île, a fait exécuter ici une partie de ses batiks mondialement réputés. ■

Permis d'accès au Triangle culturel

Il est indispensable d'acquérir un **permis** pour visiter et photographier les sites archéologiques de **Polonnaruwa, Sigiriya, Anuradhapura, Medirigiriya, Kandy** et **Nalanda Gedige** qui font partie du **Triangle culturel**. Pour la vidéo, vous devrez acquitter une taxe supplémentaire. Ce permis, un livret de coupons détachables valables deux semaines seulement et coûtant 32,50 US $, est délivré à l'entrée de chaque site, au bureau du Triangle culturel, mais peut aussi être obtenu pour l'ensemble des sites, dans toutes les agences de voyages. Attention, il ne donne droit qu'à une seule entrée sur chaque site. Il est regrettable que cet argent ne serve pas mieux à l'entretien, à la protection et à l'environnement de ces sites (notamment les routes d'accès). Pour les monuments et musées ne faisant pas partie du Triangle culturel, un droit plus modeste est exigible. ❖

■ Anuradhapura

Indicatif ☎ *025*

➤ CIRCULER. La visite s'effectue en partie en voiture (les chauffeurs connaissent parfaitement les lieux), en partie à pied. Vous pouvez également louer une bicyclette auprès des hôtels.

➤ FÊTES ET MANIFESTATIONS. En juin, lors de la pleine lune de Poson, a lieu sur l'ensemble du site une grande procession pour commémorer l'introduction de la doctrine de Bouddha en 247 av. J.-C.

Hôtels

▲▲▲ **Palm Garden Village**, Puttalam Rd à Pandulagama, à 5 km au S-O ☎ 239.61 à 66, fax 215.96. *50 ch.* avec air cond. **2 restaurants**. Piscine. Bel établissement récent.

▲▲ **Miridiya**, Rowing Club Rd **B3** ☎ 221.12 et 225.19, fax 225.19. *41 ch.* avec balcon et air cond. Dans un beau jardin donnant sur le Nuwara Wewa. Belle piscine. Table quelconque.

▲▲ **Nuwarawewa Resthouse B3**, dans la cité nouvelle, au bord du lac ☎ 225.65 et 214.14, fax 235.65. *70 ch.* avec air cond. Piscine et jardin très agréables. **Restaurant** correct.

▲▲ **Tissawewa Resthouse** ♥ **A3** ☎ 222.99 et 235.05, fax 232.65. *25 ch.* simples dont 12 avec air cond. Pour le confort, essayez d'obtenir les 1, 2, 3, 4, ou les 12, 13, 14, 15. Cette resthouse de style colonial, à l'intérieur de l'enceinte sacrée, a beaucoup de charme. On n'y sert pas de boissons alcoolisées.

▲ **Randiya**, Rowing Club Rd **B3** ☎ 228.68. *10 ch.* Dans une ancienne demeure. Simple (eau froide) mais cadre plaisant.

Restaurant

La **Tissawewa Resthouse** permet de déjeuner dans un cadre agréable, et a l'avantage de se trouver sur le site.

■ Dambulla

Indicatif ☎ *066*

Hôtels

Tous les établissements sont à l'extérieur du village.

▲▲▲ **Culture Club** ♥, à 10 km au N-E des grottes ☎ 318.22, 24 et 25, fax (072) 24.43.60. Réservation à Colombo ☎ (01) 68.56.01 et 02 fax 68.55.64. *92 ch.* avec air cond. dans des bungalows bien décorés disposant de tout le confort et répartis dans un parc paysager de 12 hectares, en bordure du lac de Kandalama. L'architecture et la décoration sont caractéristiques de la culture et de la tradition sri lankaises. Piscine et centre ayurvédique. Excursions, location de bicyclettes et soirées culturelles. Bar et **restaurant** ouverts sur le parc. La cuisine y est excellente. Bonne carte des vins. Service efficace.

▲▲▲ **Kandalama**, à 11 km au N-E des grottes, au bord du lac de Kandalama, en pleine nature, dans un environnement exceptionnel ☎ 234.75 à 77, fax (072) 29.16.93. Construit par Geoffrey Bawa, architecte du nouveau Parlement de Colombo. *160 ch.* très confortables avec air cond. Du **restaurant**, vue panoramique. Salons, bars. Deux piscines, un sauna, un club de remise en forme.

▲▲ **Pelwehera Village**, à Pelwehera, à 2 km au N des grottes et 8 km à l'O de Sigiriya ☎ (066) 842.81. *10 ch.* dont 4 avec air cond. Bonne table et excellent accueil.

Restaurant

▲ **J.C.'s Village**, à 4 km au S de Dambulla sur la route de Matale ☎ 844.11. *2 bungalows* très simples, trop proches de la route. À retenir seulement pour son **restaurant**, servant une bonne cuisine.

■ Giritale

Indicatif ☎ *027*

Hôtels

▲▲▲ **The Deer Park**, à 50 m du lac Giritale ☎ 462.72 et 464.70. Réservation à Colombo ☎ (01) 44.88.50, fax 44.88.49. Dans un très beau parc, *80 villas* en duplex climatisées, avec mini-bar, TV et satellite. Deux belles piscines à cascade. **3 restaurants**. Très bon service. Une adresse recommandée pour son confort et pour la qualité de ses prestations.

▲▲ **Giritale Hotel** ☎ 463.11, fax 460.86. *42 ch.* simples avec air cond. et balcon. Certaines ont un petit jardin. Piscine. Centre ayurvédique. Vue sur le lac. Un peu cher pour ses prestations mais la situation est exceptionnelle.

▲▲ **Royal Lotus**, ☎/fax 463.16. *54 ch.* et *8 chalets* avec air cond. disposant d'une très belle vue sur le lac ; situation panoramique au-dessus du lac de Giritale. Les chambres, agréables, assez simples, sont toutes dotées d'un petit balcon. Piscine. Beaucoup de groupes.

■ Habarana

Indicatif ☎ *066*

La ligne de train **Colombo/Trincomalee** dessert **Habarana**, d'où des bus permettent de gagner **Sigiriya** et **Dambulla**. La situation géographique de la ville en fait donc une étape idéale pour rayonner dans le Triangle culturel *(voir p. 128)*. Par ailleurs, tous les établissements proposent des promenades à dos d'éléphant.

Hôtels

▲▲▲ **The Lodge**, à 2 km au S, sur la route de Dambulla ☎ 700.11/12 et 072.340/20, fax (027) 700.72/73, lodge@keells.com. *150 ch.* luxueuses avec air cond. dans des bungalows à 2 étages répartis dans un parc de 5 hectares. Les chambres sont de véritables appartements, décorés avec goût. Le grand confort, les distractions (piscine, salons, bar, boutiques, tennis, centre ayurvédique, jardins) en font une excellente adresse. Trop de groupes malheureusement, et la table pourrait être améliorée.

▲▲ **The Village**, à côté du **Lodge** ☎ 700.46/47. *106 ch.* avec terrasse dans des bungalows très simples. Ventilateurs. Petite piscine, tennis. Jardin fleuri. Beaucoup de groupes. Nettement moins bien que le précédent, mais moitié prix…

Restaurant

♦ **Rukmali Rest** ♥, à Moragaswewa, à 5 km à l'E, sur la route de Polonnaruwa, à l'intersection de la route de Sigiriya ☎ 700.59. Table simple, mais où l'on sert probablement le meilleur « rice and curry » de l'île. Spécialité de jus de fruits. Servent aussi de la bière. Très bon accueil. *Déjeuner uniquement.*

■ Matale

Indicatif ☎ *066*

Restaurants

♦♦ **Aluvihare Kitchens I** ♥, à la sortie de Matale, dans la propriété de la styliste Ena de Silva, The Walauwe ☎ 224.04. C'est fléché. *Uniquement pour le déjeuner*, et sur réservation au plus tard dans la matinée. Menu dégustation d'une trentaine de curries dans un cadre exceptionnel. Une bonne opportunité pour découvrir une cuisine sri lankaise authentique et de qualité. Pas d'alcool. Pas de cartes bancaires.

♦ **Aluvihare Kitchens II**, 883, Dambulla Rd, à 1 km à la sortie de la ville vers Dambulla ☎ 223.43. *Ouv. 6h-19h.* Carte et menu bon marché. Bonnes spécialités locales servies dans un beau décor. Plats à emporter.

■ Polonnaruwa

Indicatif ☎ *027*

Hôtels

▲ **Seruwa** ☎ 224.11/12. À proximité du lac et à 2 km du site. *40 ch.* dont 20 avec vue sur le lac et air cond. Piscine. **Restaurant.**

▲ **Sudu Araliya** ☎ (027) 248.49. Complètement restauré. Situé tout près de l'hôtel Seruwa, au bord du lac Parakrama Samudra. *30 ch.* climatisées avec mini-bar et TV. Très beau jardin.

▲ **The Village** ☎ 224.05 et 233.66, fax 251.00. À côté du précédent. *36 ch.* simples dans plusieurs bâtiments, sans vue, mais correctement entretenues. **Restaurant.** Petite piscine.

Restaurant

♦ **Resthouse** ☎/fax 222.99. De la salle à manger, construite sur pilotis à l'occasion de la visite de la reine Élisabeth en 1954, vue superbe sur le lac. Bonne cuisine, surtout le poisson du lac. Ils proposent aussi *10 chambres*, rudimentaires. Bien entendu, la plus grande est celle de la reine, la n° 1. L'ensemble, très vieillot, mériterait d'être mieux entretenu.

■ Sigiriya

Indicatif ☎ *066*

Hôtels

▲▲▲ **Sigiriya Village** ☎/fax 235.02 et 318.03. *124 ch.* avec air cond. et terrasse réparties dans des bungalows. Le bâtiment central, au milieu d'un parc paysager où sont reconstitués une rizière, un temple et un village, ouvre sur une piscine avec le rocher en fond de décor. L'ensemble est très réussi. Tennis, badminton, mini-golf et centre ayurvédique. Restaurant.

▲▲ **Sigiriya Hotel** ☎ 848.11, 318.20/21, sigiriya@slt.lk. *80 ch.* confortables et avec air cond. dans un beau site. Piscine, tennis et centre ayurvédique. Belle vue sur le rocher.

▲ **Sigiriya Resthouse** ☎ 318.99. *17 ch.* rudimentaires dont 2 avec air cond. Belle vue sur le rocher. **Restaurant.** ■

Ceylan des montagnes

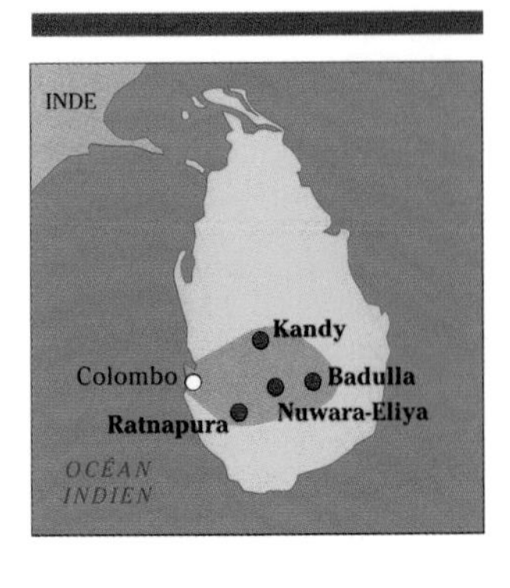

En route vers Kandy, l'ancienne capitale historique du royaume, citadelle naturelle dans son écrin de montagnes, vous aurez véritablement l'impression de suivre la voie royale de la féerie singhalaise. C'est là que Marco Polo aurait entendu « murmurer les sources du paradis », comme il le raconte à la fin du XIIIe s. dans *Le Devisement du monde*, sur la route du retour qui le ramenait vers Venise après ses longs périples dans l'empire de Chine.

Des profondes vallées mystérieuses aux impressionnants escarpements des précipices, en passant par le moutonnement des collines recouvertes de plantations de thé, de la vision chaotique des grands blocs de basalte parmi lesquels dévalent des cascades bondissantes, cette symphonie de verts – vert tendre des rizières, vert émeraude des forêts, ou encore vert argenté des eucalyptus graciles –, chaque paysage, chaque panorama y sera un enchantement pour le regard.

De Colombo à Kandy

Dès la sortie des faubourgs de la capitale, la nature apparaît dans toute sa splendeur, avec une végétation exubérante. L'idéal serait de faire le trajet une fois par la route et une fois par la voie ferrée, car les tracés, donc les paysages, sont assez différents.

➤ *Cet itinéraire de 115 km, très fréquenté, reprend d'abord celui partant de Colombo vers Kurunegala (voir p. 129) jusqu'à l'embranchement de l'A6 avec l'A1.*

L'orphelinat des éléphants de Pinawella*

➤ *À 35 km à l'O de Kandy. Juste après Kegalla, une route sur la g. conduit au parc à 5 km, sur les rives de la Maha Oya (ouv. 8h30-18h; accès payant et droit photo; bains des éléphants de 10h à 12h et de 14h à 16h; repas à 9h15, 13h15 et 17h).*

➤ *Informations pratiques et bonnes adresses p. 199.*

Cet orphelinat pour éléphants créé par le gouvernement compte une cinquantaine de pensionnaires, dont une vingtaine ont été trouvés dans la jungle. Une terrasse aménagée au bord de la rivière permet d'assister à leurs ébats. En 1975 naquit le projet d'un orphelinat pour les bêtes traquées par l'homme ou abandonnées par leurs parents: les responsables accueillaient leur premier éléphanteau, qui pesait à peine 70 kg. Neuf ans plus tard, la première fausse orpheline naissait sur place, se joignant aux autres éléphanteaux. Sous des toits de bambou, à l'abri de la chaleur, les nourrissons attendent l'heure du biberon de 7 litres que les hommes leur font boire 5 fois par jour. Ensuite, tous vont au bain dans la Maha Oya, accompagnés par leurs nounous. Dans l'orphelinat, les anciens jouent avec les petits, les surveillent, les guident, les apaisent et leur apprennent à vivre. Puis arrive pour les jeunes adultes l'heure de commencer leur carrière: travailler dans les plantations et même parfois accompagner Bouddha lors des célébrations religieuses.

Mawanella

➤ *Au km 94, on traverse cette petite ville par une route bordée de jardins d'épices.*

C'est à Mawanella que commence l'escalade de la montagne, au milieu d'une végétation toujours aussi généreuse. Dans une échappée, on aperçoit à l'horizon le **Bible Rock**, un mont de 798 m qui a la forme d'un livre ouvert. Un peu plus loin, à **Kadugannawa**, se dresse le rocher dit « du Guetteur », qui servait à surveiller les environs de Kandy du haut de ses 776 m.

Peradeniya

LES JARDINS BOTANIQUES**

➤ *À env. 4 km au S-O de Kandy, par l'A1. Depuis Kandy, prendre un taxi ou un tuck-tuck. Entrée payante et taxe pour les véhicules. Ouv. 7h-17h. Prévoyez quelques heures. Visite à pied, à la rigueur en voiture. Cafétéria dans les jardins.*

Ces jardins, qui comptent certainement parmi les plus beaux du monde asiatique, furent conçus vers 1371 pour le plaisir du roi. Ils devinrent résidence princière sous

L'éléphant, seigneur de Ceylan

Les chroniques des royaumes de Ceylan rapportent le rôle de char d'assaut que jouait l'éléphant dans les batailles, ou celui de rouleau compresseur dans les grands travaux, citant parfois les noms des pachydermes les plus célèbres, favoris des écuries royales. Les éléphants avaient aussi, parfois, le pouvoir de décider de l'emplacement d'un stupa. *De cet animal qui occupa une place singulière dans l'histoire de l'île, il ne subsisterait plus au Sri Lanka que quelque 2500 à 3000 spécimens.*

De taille plus modeste que son frère d'Afrique, l'*Elephans maximus* d'Asie reste cependant un dangereux bulldozer de 3 tonnes. Il se distingue aussi de son parent africain par son dos arrondi, ses deux bosses crâniennes latérales, ses petites oreilles et sa lèvre unique au bout de la trompe. Rares sont les spécimens dotés de défenses.

Une vie d'éléphant

Fuyant la chaleur durant la journée, les troupeaux se mettent à l'abri sous les arbres et ne sortent que tôt le matin et en fin d'après-midi pour s'abreuver de leur ration quotidienne: 70 litres d'eau, au minimum, pour un adulte. C'est le moment où l'on a le plus de chances de les observer. Doté d'un odorat et d'une ouïe très développés, l'éléphant communique avec ses congénères par des signaux infrasonores formant un langage riche et varié.

L'orphelinat des éléphants de Pinawella: détente à l'heure du bain.

Les textes du bouddhisme font de l'éléphant l'animal qui porte le monde sur son dos, d'où son abondante présence dans l'iconographie religieuse du Sri Lanka.

Un organe à fonctions multiples

Prolongement de la lèvre et de l'appendice nasal formé de dizaines de milliers de muscles, la trompe de l'éléphant lui tient lieu de main, de nez et de radar. Sans elle, il ne peut se nourrir ni se désaltérer. Elle sélectionne les touffes d'herbes et les arrache sans que le géant végétarien ait à se baisser et lui sert aussi à se doucher ou à se rafraîchir. Elle s'étire pour atteindre les branches les plus hautes, ou se déplie et s'enroule pour soulever et transporter les troncs d'arbres. Dressée comme une antenne, elle lui permet de détecter les points d'eau, parfois distants d'une vingtaine de kilomètres, de repérer un partenaire sexuel dans un troupeau éloigné, et de s'orienter de nuit dans la jungle. Le barrissement est un éternuement éléphantesque, produit par la vibration des ondes sonores à l'intérieur de la trompe qui fait ainsi office de résonateur. Enfin, l'éléphant apprivoisé déroule sa trompe en guise de marchepied: lorsqu'il veut monter sur son dos, le cornac (ou *mahout*) se place face à l'éléphant et tire sur les deux

…s éléphants sauvages, dont la durée de vie est sensiblement la même …ue celle de l'homme, vivent en bandes dans la jungle. … mâles âgés, imprévisibles, peuvent se montrer extrêmement dangereux.

oreilles. L'animal comprend alors le message et déroule sa trompe pour propulser l'homme sur son dos. Il faut des années de travail, et beaucoup de persévérance, pour atteindre ce résultat.

À l'école des hommes

Confié à son *mahout*, l'animal va apprendre à lever la trompe, à s'agenouiller sur les pattes antérieures ou postérieures, et à obéir à toutes les injonctions de son maître. Pour lui inculquer ces éléments de base, le *mahout* doit enseigner à son élève une quarantaine de mots simples d'une ou deux syllabes. Après les premiers mois d'éducation, le *mahout* pourra, sur une simple pression des orteils derrière les oreilles du pachyderme, lui donner l'ordre de tourner à droite ou à gauche. De petits coups de talons lui intimeront l'ordre de ralentir. Une pression des deux pieds lui fera, au contraire, accélérer le pas. Si le jeune éléphant n'obtempère pas, le *mahout* brandit son lourd crochet pour aiguillonner la peau épaisse de l'élève récalcitrant. S'il donne satisfaction, l'animal est récompensé par quelques marques d'affection et des friandises.■

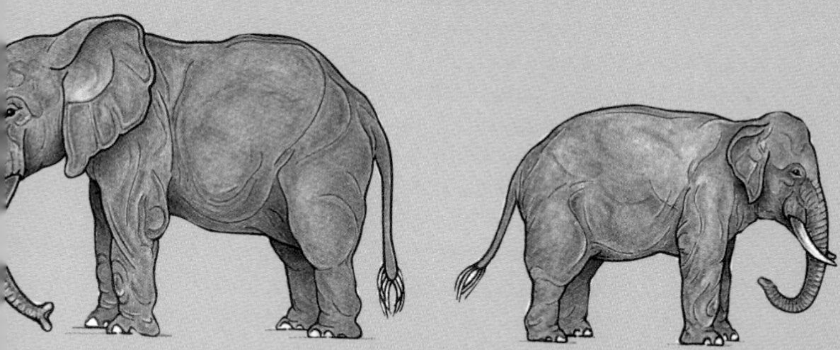

Le Ficus benjamina *appartient à la famille des banyans. Ces arbres à la stature imposante et majestueuse, au feuillage épais et dense, ont des racines adventives si développées qu'elles ressemblent plutôt à des troncs enchevêtrés.*

le règne de Kirti Sri Rajasinha (1747-1782), puis servirent aux visiteurs de marque. C'est en 1821, six ans après la chute du royaume kandyen, que le parc fut transformé en jardin botanique. Il couvre aujourd'hui 60 hectares, dont une partie domine une boucle du fleuve Mahaweli.

Une **flore tropicale** d'une richesse incomparable trouve ici, à une altitude de 500 m et une température moyenne de 20 °C, un climat idéal. Poussent à profusion toutes les plantes indigènes de l'île: palmiers élancés formant de vertes avenues, arbres centenaires, lianes immenses en guirlandes fleuries et, surtout, de magnifiques orchidées en serre.

On en a recensé 60 familles et près de 150 variétés, dont la moitié serait originaire du Sri Lanka. Admirez aussi les plantations soigneusement entretenues et répertoriées, et les arbustes à épices: muscades, clous de girofle, piment, vanille, cardamome, cannelle. On ne sait que retenir de cette visite: le *Ficus benjamina**, âgé de 140 ans et dont les frondaisons couvrent une superficie de 1 900 m², les fougères géantes, les chrysanthèmes, les cannas vermillon, les flamboyants de Madagascar, la curieuse allée de palmiers royaux, « choux-palmistes » importés de Panama en 1905, ou les bosquets de bambous géants au bord du fleuve. Les jeunes pousses peuvent croître de 30 cm par jour, jusqu'à ce que les bambous atteignent 30 m de haut. Ne manquez pas l'allée des cocotiers de mer des Seychelles *(sea palms)*, autrement appelés « cocos fesses » – vous comprendrez pourquoi. Ils furent introduits ici en 1850. Les noix pèsent de 10 à 20 kg et mettent entre cinq et huit ans pour devenir adultes.

L'UNIVERSITÉ DE PERADENIYA

Située de l'autre côté de la route, dans un immense **parc***, elle est bordée par la Mahaweli Ganga. Ses arbres rivalisent de beauté avec ceux des jardins botaniques voisins. On peut s'y promener, même en voiture, le parc étant libre d'accès. L'université, qui rassemble près de 8 000 étudiants, est laïque, mais toutes les religions pratiquées au Sri Lanka y sont représentées, comme en témoignent un monastère bouddhique autour d'un *dagoba*, une mosquée, une église catholique et un temple protestant. ■

Kandy***

La ravissante capitale des montagnes – *kanda*, en singhalais, signifie «montagnes» et désignait auparavant toute la région – s'insère à 488 m d'altitude dans une large boucle de la **Mahaweli Ganga**, le plus long fleuve du Sri Lanka (370 km). Entourée de collines, elle offre des paysages d'une extrême beauté. En raison de son intérêt historique et artistique, les Sri Lankais la surnomment Maha Nuwara, la «Grande Cité». Selon la légende, elle fut fondée par le roi Vikrama Bahu Ier (1474-1511), sur les conseils d'un astrologue qui lui recommanda d'y construire un temple pour la dent de Bouddha, et devint capitale en 1590, lorsque le royaume de Kotte fut cédé aux Portugais. Inscrite à l'inventaire du Patrimoine mondial de l'Unesco, Kandy, en dépit de son expansion (110 000 habitants), est sans conteste la ville la plus séduisante de l'île.

➤ *À 116 km au N-E de Colombo.* ***Train****: depuis Colombo, services réguliers plusieurs fois par jour; le plus pratique, l'*Intercity*, relie les deux villes en 2h30 à 3h, avec un départ le matin et un l'après-midi, dans chaque sens; réserver la veille (voir p. 53).* ***Autobus****: départs fréquents (gares routières à Colombo, voir p. 126), comptez 3h. Un jour permet tout juste de se faire une idée de la ville; deux jours semblent indispensables. Mais le climat privilégié, le charme et la variété des nombreuses promenades peuvent donner l'envie d'y rester bien davantage !*

➤ *Informations pratiques et bonnes adresses p. 195.*

Le temple de la Dent** et l'ancien Palais royal

➤ **LE TEMPLE DE LA DENT**** ou **Dalada Maligawa B2**. *Ouv. 6h-20h30, mais mieux vaut le visiter aux heures des cérémonies: 6h-7h, 10h-11h et 19h-20h. Ces horaires peuvent varier. Éviter les dim. et jours de fête. Entrée payante. Ne fait pas partie du Triangle culturel. Droit photo, assez élevé pour les caméras vidéo. Plusieurs fouilles très sérieuses avant l'entrée. Tenue décente exigée (location de sarongs) ; se déchausser.*

On accède au temple de la Dent par une belle esplanade. Composé d'un ensemble de bâtiments dont le plus ancien date du règne de Vikrama Surya (1592-1603), il a fait l'objet de nombreuses transformations au cours des siècles et jusqu'à très récemment, puisque son toit doré fut ajouté en 1988.

Après avoir franchi un porche de pierre du XVIIIe s. surmonté d'un *makara*, on entre dans une cour entourée de divers édifices. Au centre, s'élève le pavillon reliquaire. Un escalier intérieur *(réservé aux prêtres)* conduit à l'étage où est conservée la relique. Ce «**tabernacle**» est la partie la plus ancienne et la plus intéressante du temple, avec, au r.d.c., des fresques et de magnifiques boiseries que l'on découvre en le contournant par la g. Des roulements de tambour annoncent le début des cérémonies quotidiennes. Les musiciens se tiennent à l'étage, sur la galerie accessible aux visiteurs, devant la **porte d'argent repoussé*** encadrée de défenses d'éléphants. On peut

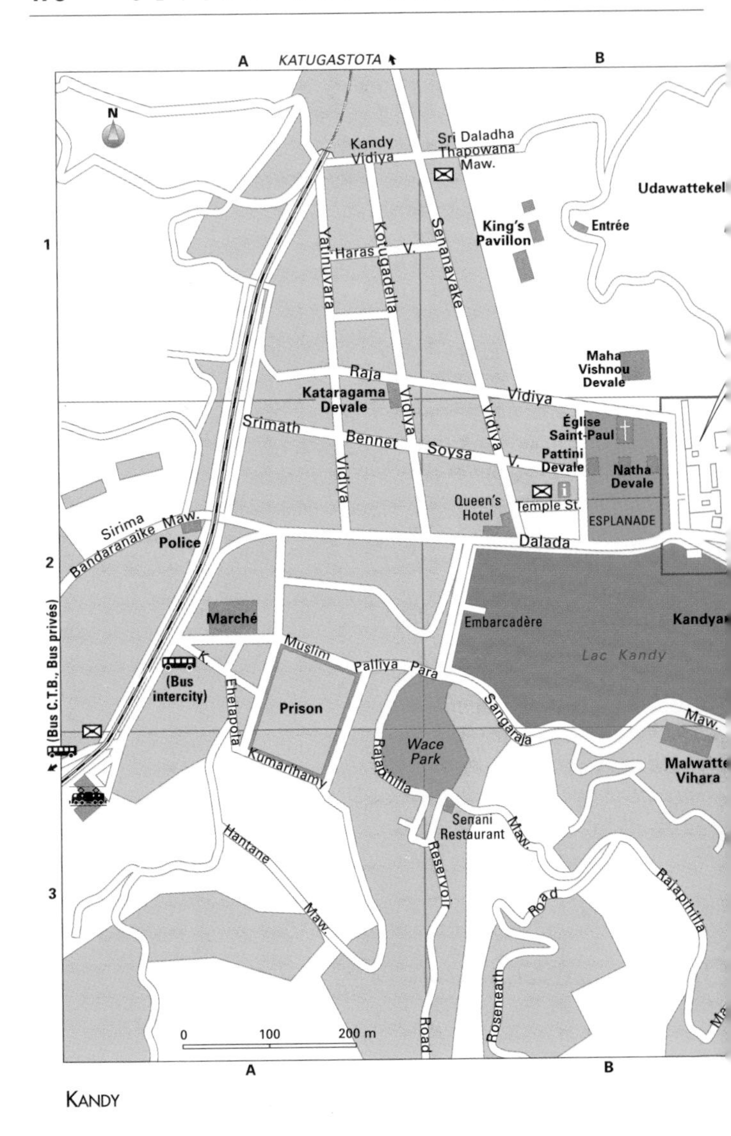

KANDY

défiler, très rapidement, devant le reliquaire composé de six coffrets dorés en forme de *dagoba* s'emboîtant les uns dans les autres, et dont la valeur augmente à mesure que le format diminue. Ce reliquaire ne quitte jamais le temple, et lors des *perahera*, par sécurité, c'est un fac-similé qui est porté en procession. Personne n'est autorisé à voir la Dent, que l'on a toutefois copieusement décrite : une canine gauche, de 2,5 cm de largeur et d'épaisseur. À l'incroyant qui arguerait de ces dimensions pour contester son authenticité, l'on rétorquera que les Bouddhas étaient d'une taille supérieure à celle des humains. Au fond de la cour, la nouvelle **salle de prière**, de style kandyen, abrite un grand Bouddha doré, et de nombreuses effigies de Gautama. Une série de 21 panneaux relate son histoire et

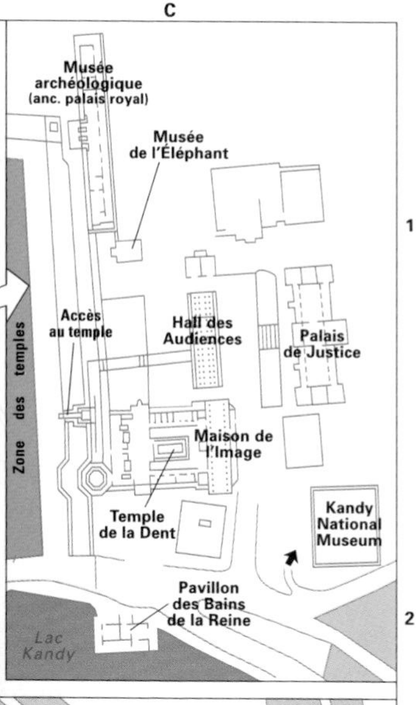

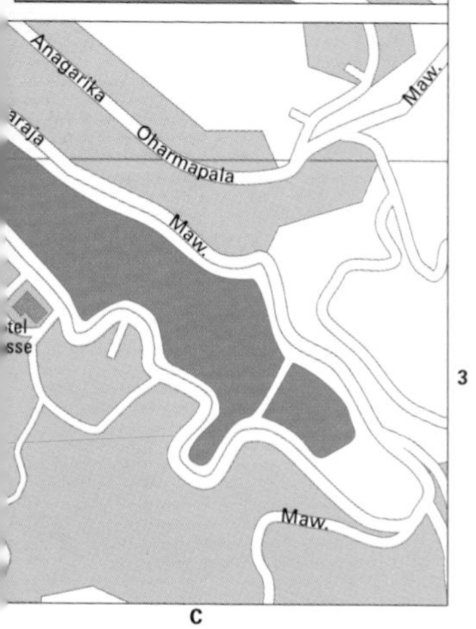

celle de la Dent jusqu'à sa restitution par les Anglais en 1853. Dans la salle voisine, très modeste celle-ci, est exposé un Bouddha de cristal, cadeau des Birmans au XVIIIe s. Un escalier partant de la cour du tabernacle permet d'accéder au *Pathiruppuwa*, annexe que Sri Vikrama Rajasinha construisit au début du XIXe s. pour s'adresser à ses sujets. Cette tour octogonale, transformée en prison par les Anglais et abritant maintenant une bibliothèque d'ouvrages sur feuilles de tallipot, joue encore ce rôle de tribune puisque, en respect de la tradition, c'est là que le président de la République fait son premier discours, après son intronisation officielle dans le temple.

Le **musée du Temple de la Dent** *(ouv. t.l.j. sf mar. 9h-17h; accès payant)* abrite de nombreux documents relatifs à l'histoire du temple et de la relique et de très beaux **costumes kandyens**.

➤ **LE HALL DES AUDIENCES B2**. *Fait partie du Triangle culturel (voir p. 167).* Les bâtiments qui entourent le temple se rattachaient pour la plupart à **l'ancien Palais royal**; on découvre tout d'abord cette impressionnante salle, achevée en 1820. Ses colonnes de bois aux chapiteaux sculptés sont un pur exemple du style kandyen. Le dernier roi de Kandy accueillait ici sa cour pendant la nuit.

➤ **LE MUSÉE DE L'ÉLÉPHANT B2**. *Ouv. 9h-17h, accès payant.* Ce fut un drame national en 1988, lorsque mourut Raja, un éléphant âgé de 84 ans particulièrement vénéré par les autochtones: le pachyderme, depuis des décennies, avait l'auguste privilège de porter sur son dos le reliquaire en or. On lui fit des obsèques nationales et on créa même ce musée dans un ancien bâtiment du Palais royal pour exposer sa dépouille empaillée.

➤ **LE MUSÉE ARCHÉOLOGIQUE B2**. *Ouv. 9h-17h, sf ven. Fait partie du Triangle culturel (voir p. 167).* Ce musée, installé dans le palais où vécut le dernier roi de Kandy *(voir p. 64)*, renferme des sculptures en bois et en pierre d'un intérêt secondaire. Les quelques fragments architecturaux qui y sont exposés, notamment les colonnes

Les tribulations d'une dent

L'intérieur de la nouvelle salle de prière du temple de la Dent, à Kandy.

La dent de Bouddha, pieusement recueillie dans les cendres de son bûcher funéraire, arriva miraculeusement en 313 à Anuradhapura, dissimulée dans la coiffure d'une princesse. À la suite d'une guerre malheureuse, elle fut emportée à Polonnaruwa et connut de nombreuses aventures. Les Portugais, après l'avoir pulvérisée dans un mortier puis brûlée, en dispersèrent les cendres dans la mer. Mais il ne s'agissait heureusement que d'un fac-similé ! C'est ainsi que l'original put être amené à Kandy en 1590, où on le vénère aujourd'hui. Enfin, de 1817 à 1853, les Britanniques la séquestrèrent pour consolider leur pouvoir sur une partie de la population rebelle.

Les rois de Ceylan, jusqu'à leur destitution en 1815, étaient les dépositaires de ce symbole du pouvoir vénéré par les bouddhistes du monde entier. La garde en est désormais confiée à un laïc, élu par les grands prêtres, qui prend le titre de *Diyawadana Nilame*. Non seulement il administre le temple, mais il décide des jours où l'on expose la relique. Le saint des saints ne peut être ouvert qu'avec trois clés, que détiennent le *Diyawadana Nilame* et les religieux des monastères de Malwatte *(voir p. 179)* et Asgiriya. ❖

aux chapiteaux sculptés, proviennent de différents sites de l'ancien royaume de Kandy.

➤ **Le Musée national de Kandy** **B2**. *Ouv. 9h-17h, sf ven. et sam. Fait partie du Triangle culturel* *(voir p. 167)*. Installé dans l'**ancien harem**, derrière le temple de la Dent, on y trouve des armes et des bijoux, des textiles, des broderies et de somptueux vêtements, des objets rituels, des sculptures sur bois, des travaux en ivoire, des poteries… et des objets plus inattendus, comme des jeux, des instruments médicaux, des couteaux et des nécessaires à bétel ouvragés, des moules pour la confection du *jaggery* *(voir encadré p. 73)* et des conques de cérémonie. Il y a même une réplique de la couronne du roi Rajasinha II (1635-1687). Enfin, une collection d'aquarelles et de lithographies montre ce qu'était Kandy entre 1810 et 1820. Le tout est malheureusement très mal mis en valeur dans des vitrines qui manquent d'éclairage.

Les temples « hindous »

B2 Sur les quatre temples des divinités tutélaires de Kandy *(voir p. 180)*, trois sont regroupés à proximité du temple de la Dent.

➤ **Le Natha Devale***, de style dravidien, est le bâtiment le plus ancien de la cité (XIVe s.). Il est précédé d'une salle des Tambours à la belle charpente de bois. C'est ici que chaque nouveau roi recevait son épée. Dans l'enceinte subsistent un joli petit temple de pierre et, en face, un sanctuaire bouddhique dont la façade est ornée de fresques intéressantes.

➤ **Le Pattini Devale**, à proximité d'un enclos de l'arbre Bo, consacré à la déesse de la fertilité, quoique très fréquenté, n'offre qu'un intérêt secondaire.

➤ **Le Maha Vishnou Devale**, à l'extérieur de l'enceinte, à proximité du pavillon du roi, est le plus important par sa taille.

➤ **Le Kataragama Devale**, le quatrième temple, est dédié au « dieu de la guerre » Skanda *(voir encadré p. 87)*. Il se trouve à l'écart du groupe, dans la Kotugadella Vidiya **A1-2**, au centre de la ville.

Les rives du lac*

➤ **B2-C3** *À pied, le tour du lac (env. 4 km) est une promenade agréable. Possibilité aussi d'effectuer un tour en motor-boat. Départ de l'embarcadère* **B2**.

Ce lac est une création récente, œuvre du dernier roi de Kandy, qui fit édifier en 1807 la digue retenant ses eaux. Sur la rive, face au temple de la Dent, se dresse l'élégant **pavillon des Bains de la reine***, transformé en poste de police. Sur la rive opposée, à proximité de l'*Hôtel suisse* **C3**, on pourra visiter le **Malwatte Vihara**, ou « jardin fleuri » **B3**, un monastère construit à la fin du XVIe s. pour recevoir des religieux birmans, lors de la « renaissance » du bouddhisme dans l'île. Il a conservé une grande salle du chapitre, de style kandyen, avec des colonnes de granit caractéristiques, et un beau plafond peint. Les cellules des moines (ils sont une centaine) sont réparties autour de ce bâtiment d'origine. Le **pavillon octogonal B3** est plus récent. Chaque année, en juin généralement, on procède à l'ordination de nouveaux moines au cours d'une cérémonie nommée *upasampada*.

Pour avoir une vue générale de la ville et du lac, prenez (en taxi ou en tuck-tuck) la Rajapihilla Mawatha, qui part du lac **B2** et monte derrière le Malwatte Vihara et l'*Hôtel suisse*. Une première halte s'impose dans le **Royal Park**, ou **Wace Park A2-3** *(accès payant)*. Mais le plus beau **panorama*** ** est celui qui s'ouvre de la terrasse située après la **Guesthouse Park View**. En continuant cette route et en redescendant vers le temple de la Dent, on peut avoir un autre point de vue sur le lac de la terrasse de l'hôtel ***Thilanka*** *(p. 196)*, particulièrement en fin d'après-midi.

À voir encore

➤ **Udawattekele Forest Reserve B1**. *Ouv. 7 h-17 h. Accès payant. Plan d'orientation à l'entrée, mais éviter de s'y promener seul pour des raisons de sécurité. Circulation automobile interdite.* Cette réserve, aux portes de la ville, sillonnée par de nombreux sentiers, est le royaume des singes et des oiseaux.

➤ **Le Bahiravakanda Bouddha**. *À 2 km du centre. Emprunter la direction des hôtels* Topaz *et* Tourmaline. *Compter 15 mn de montée. Accès payant.* Ce Bouddha géant, don du Japon, domine la ville, comme taillé dans un bloc de neige.

➤ **Le temple de Gangarama**. Dépendant du monastère Malwatte, ce sanctuaire abrite un

Quand paraît la perahera

Chaque année, à la nouvelle lune du mois d'Esala, le tout Sri Lanka se rend à Kandy, le temps d'une fastueuse représentation. Les places sont chères, retenues des mois à l'avance. La fête est à la hauteur de l'affluence. Mi-cérémonie, mi-spectacle, c'est la grande parade des éléphants en l'honneur de la plus précieuse relique de l'île: la Dent de Bouddha.

Procession pour une relique

Nul ne sait pourquoi cette relique, recueillie à Anuradhapura au IVe s. de notre ère, devint le symbole du pouvoir des rois de Ceylan. Elle déménageait avec eux, au fil des changements de capitale et fut enchâssée pour la dernière fois à Kandy, ultime cité royale. Palladium du royaume, la dent sacrée était aussi un dispensateur de pluie que l'on sortait de son temple en cas de sécheresse prolongée. Au XVIIIe s., le roi Kirti Sri Rajasinha, grand restaurateur du bouddhisme sri lankais, lui dédia une grande procession, jusque-là organisée en l'honneur de Vishnou, le garant de la prospérité du royaume.

Danseur de *perahera*.

Le sens de la fête

Cérémonie religieuse avant d'être une parade, la *perahera* d'Esala dure deux semaines, le temps nécessaire pour convier en bonne et due forme les quatre ***devala***, les divinités tutélaires de Kandy: **Natha**, le saint patron de la monarchie kandyenne, **Vishnou**, **Kataragama**, dieu de la guerre, et **Pattini**, protectrice des femmes. Ce sont ces dieux qui ouvrent et clôturent la fête, à travers les rituels qui leur sont dédiés. Le premier jour est inauguré en plantant un poteau cérémoniel dans l'enceinte de leur sanctuaire. Le dernier jour, les curateurs des temples, porteurs des insignes de chaque dieu, se rendent à dos d'éléphant au bord de la Mahaweli Ganga pour « fendre l'eau » : cette cérémonie consiste à vider l'eau du pot d'argile entreposé dans chacun des quatre temples depuis la dernière *perahera* et à le remplir de nouveau. Si par malheur le contenu de l'un d'eux venait à s'évaporer avant la prochaine fête, ce serait un très mauvais présage.

La *perahera* proprement dite débute le deuxième jour à échelle modeste. Des processions sont organisées cinq nuits durant autour de l'enceinte des temples des dieux tutélaires. Le sixième jour, elles enflent et se déploient à travers les rues de la ville en formant quatre cortèges, transportant le palanquin (*randoli*) de chaque *devale*, qui défilent derrière celui de la relique de la Dent. La grande parade culmine les deux dernières nuits, lorsque viennent

La tradition se perpét
depuis le XVIIIe s., a
quelques aménagemer
si on promène toujo
en grande pompe, et à
d'éléphant, le reliqu
de la dent à travers les r
de la ville, celui-ci n'ab
désormais, sécurité obli
qu'un simulac

Les dignitaires en tenue d'apparat, boléro brodé de fils d'or et pantalons plissés, marchent sous des parasols tenus par des serviteurs.

s'y joindre une centaine d'éléphants, accompagnés d'autant de groupes de danseurs et de tambourinaires. Le reliquaire est alors transporté du temple de la Dent au monastère Asgiriya où il sera gardé par les curateurs des temples.

La grande parade des éléphants

Le cortège est annoncé par les claquement des fouets, insignes du pouvoir royal. Le premier éléphant porte le très noble et vénérable archiviste, qui tient dans ses mains un étui d'argent renfermant les règles du temple de la Dent. Suivent les porteurs d'étendards qui font tournoyer en de savantes figures les drapeaux des différentes provinces. Puis se succèdent, à la lueur des torches, les acrobates, cracheurs de feu, clowns, musiciens et jongleurs. Somptueusement parés, les danseurs kandyens ferment la marche au rythme des tambours. Enfin, les éléphants avancent, au son des lourds bracelets à grelots qui enserrent leurs pattes. Sous leurs caparaçons de brocart et de velours, brodés de fils d'or et incrustés de pierreries, leur harnais de guirlandes électriques, clignotant comme un sapin de Noël, avec leurs défenses recouvertes d'un étui de cuivre doré, ils sont le clou de la procession. Le vétéran des pachydermes, porteur du reliquaire, est entouré de tous les égards : des chasse-mouches en poils de yak, vieil emblème royal, sont fixés derrière ses oreilles, tandis qu'une étoffe blanche est déployée sous ses pas pour que jamais il ne foule le sol. Les dignitaires, en tenue d'apparat, encadrent le curateur du temple de la Dent, revêtu d'une tunique de soie blanche et coiffé d'un chapeau surmonté d'une couronne. Viennent ensuite, et dans un ordre établi, les quatre cortèges des dieux de la ville. ■

L'architecture du temple de Gadaladeniya est d'influence hindoue, avec notamment un toit en forme de dôme. Un autre petit dôme coiffe le devale *attenant.*

Bouddha taillé dans le roc et des peintures exécutées sous le règne de Kirti Sri Rajasinha (1747-1782).

Les environs de Kandy

Les temples de la période de Gampola

➤ *Quitter Kandy par la route de Colombo. Passer les jardins botaniques de Peradeniya et, au carrefour d'Embiligama, continuer vers le Sud pendant 1 km. Accès payant.*

Trois temples d'un intérêt majeur appartiennent à la grande période d'activité artistique dite « de Gampola » (XIVe-XVe s.), du nom de l'ancienne capitale établie non loin du site de Kandy *(voir p. 62)*.

➤ **Le temple de Gadaladeniya****. *À 11 km de Kandy.* Il fut construit en 1344, en pierre et sur un promontoire, dans un **site saisissant**. Les frises de pierre, représentant des danseurs et des joueurs de tambours, sont remarquables, comme devaient l'être les portes en bois, à en juger par ce qui subsiste de leurs peintures. Le sanctuaire abrite un Bouddha doré assis, entouré de Bouddhas debout.

➤ **Le Lankatilaka*****. *À 3 km de Gadaladeniya, sur la route de Gampola.* Il bénéficie lui aussi d'une situation exceptionnelle. Ce temple royal, dont le nom signifie « **grain de beauté de Lanka** », fut construit comme le précédent en 1344, avec cependant une facture très différente.

Le Lankatilaka a la particularité d'être un temple double avec un secteur faisant office de *devale* (face à l'accès) et l'autre, bouddhique (à l'arrière). La façade arrière se compose d'un **porche blanc*** avec un *makara torana.* La toiture de bois recouverte de tuiles confère beaucoup d'élégance à cet édifice qui, à l'origine, comportait quatre étages. Une pierre de lune sans ornementation précède l'escalier flanqué de deux échiffres, très abîmés. Sur les côtés du porche, on peut voir encore des fresques représentant deux lions géants d'une facture surprenante et ayant conservé leur couleur originelle. La **porte principale*** est constituée de panneaux de bois peints.

À l'intérieur, murs et plafonds sont recouverts de **fresques du XVIIe s.**** illustrant, entre autres, la vie des 24 Bouddhas antérieurs. La statue du grand Bouddha aurait été exécutée au XIVe s. Face à l'entrée, la salle des Tambours permet d'avoir un **panorama sur les collines*****. L'histoire du sanctuaire a été gravée, lors de sa fondation, à la fois en singhalais et en tamoul, sur le rocher à g. du temple. Dans le *devale*, moins riche, sont représentées des effigies de Ganesh, Kataragama, Saman, Vishnou et Vibishana. On trouvera également dans l'enceinte un *dagoba* et un arbre de la Bodhi.

➤ **LE TEMPLE* DU VILLAGE D'EMBEKKE.** *À 1,6 km du Lankatilaka. Trois* puja *quotidiennes y ont lieu, à 6h, 11h30 et 19h.* Ce temple est dédié au dieu Kataragama. Juste avant le site, au bord de la route, sur un rocher, les piliers de pierre d'une très ancienne construction témoignent de l'importance de la civilisation de Gampola. Observez les **piliers*** du temple d'Embekke, provenant de l'ancienne salle d'audience des rois de Gampola. Délicatement sculptés de monstres mythiques, de danseurs, de soldats et de figures géométriques, ils ont probablement inspiré ceux du hall des Audiences à Kandy. En revenant vers le parking, sur la dr., vous pourrez voir une très belle porte en pierre datant probablement de la fondation du temple. Dans le village, de nombreux artisans sont spécialisés dans la gravure sur bois ainsi que dans le travail du bronze, du cuivre et de l'argent.

LES TEMPLES DE L'EST

Si vous disposez de suffisamment de temps, vous pouvez aller voir le **temple de Galmaduwa**, à 7 km à l'est de Kandy, près du village de **Kalapuraya**, où l'on travaille le bois et le cuivre. Ce sanctuaire bouddhique inachevé du VIIe s. associe les styles indien, islamique et même européen. 3 km plus loin, **Degaldoruwa** est construit dans le style kandyen. Ses fresques de la fin du XVIIIe s. représentent des *jataka* dans le cadre de scènes typiques de la vie quotidienne.

Le site de **Dodanwela** *(sur la route secondaire qui part de l'A1 à la sortie E de Kandy vers Murutalawa)* reçut la couronne et l'épée du roi de Kandy Rajasinha II (1635-1687), après la victoire de celui-ci sur les Portugais. On y voit un *devale* consacré à Vishnou et un bâtiment destiné à abriter les pèlerins.

La route de **Hanguranketa** *(à 30 km au S-E de Kandy)* longe pendant près de 20 km le cours de la Mahaweli au milieu des plantations, puis mène dans un **site sauvage*** où se dressait au XVIIIe s. la résidence royale de Kirti Sri Rajasinha, le plus célèbre des rois kandyens *(voir p. 164)*. Elle fut incendiée par les Anglais en 1803. En continuant cette route de montagne, vous pouvez rejoindre Nuwara Eliya *(voir p. 184)* et découvrir la première plantation de thé de l'île à **Loolecondera** et les chutes d'eau du **Kurundu Oya.** ■

De Kandy à Nuwara Eliya

➤ *De Kandy à Bandarawela* via *Nuwara Eliya, il n'y a que 116 km par l'A5, mais cette voie de montagne demande au minimum 4 h. Une autre route, très pittoresque mais encore plus longue, passe par Hanguranketa (voir p. 183).*

La route passe à **Gampola** *(km 21)*. Capitale de 1347 à 1410, Gampola n'a gardé que deux temples sans intérêt. On traverse ensuite Pusselawa *(resthouse bien située)* avant de commencer la **montée**** vers le **col de Ramboda** : il y a 1 400 m de dénivellation entre Kandy et Nuwara Eliya. Le paysage des plantations ressemble à un grand tapis vert piqueté des taches colorées que forment les cueilleuses de thé avec, au fond, la **cascade de Ramboda** et, sur la dr., le **réservoir de Kotmale**. Au km 49, un **point de vue*** a été aménagé. Au cours du trajet, vous pouvez visiter des plantations de thé comme la **Factory Melfort**, à la sortie de Pusselawa au km 34, celle de **Glen Loch**, au km 49, ou celle de **Labookellie**, à Labukélé, au km 66, à 1 733 m d'altitude. Cette dernière, très commerciale, interdit même de prendre des photos.

L'air frais et tonique de la région de Nuwara Eliya – à tel point qu'on l'a baptisée « la Suisse de l'Est » – tranche avec la moiteur étouffante de la capitale, et explique l'engouement qu'elle suscite chez les Sri Lankais.

De petites routes, sur la dr., conduisent à la réserve du Peak **Wilderness Sanctuary**, au pied du **pic d'Adam** *(voir p. 192)*. Dans toute cette région, vous pourrez partir à la découverte de magnifiques cascades, comme celles de **Saint Clair**, de **Devon**, que vous atteindrez en empruntant de petites routes secondaires sur la dr. de l'A5, et celle d'**Aberdeen**, beaucoup plus loin vers l'ouest.

Nuwara Eliya

➤ *À 77 km de Kandy. Trains t.l.j. pour Kandy et Colombo au départ de Nanu Oya, à 7 km.*

➤ *Informations pratiques et bonnes adresses p. 199.*

Nuwara Eliya, que l'on prononce « Niou-Ré-Lya », est la plus connue et la plus fréquentée des villégiatures d'altitude du Sri Lanka. Tout y est très anglais : l'aspect des jardins, l'architecture des maisons… et jusqu'à la pluie fine qui arrose le paysage plus de 200 jours par an. La température étant de 15 °C en moyenne, prévoyez, en plus d'un parapluie, un vêtement chaud. Un feu de bois n'est pas un luxe, l'hiver, à 1 890 m d'altitude !

Vous pourrez jouer sur le golf créé par les Anglais en 1889. Sa devise, *Spero meliora*, « J'espère mieux », rappelle la noblesse des fondateurs, tout comme le club-house dont l'aspect et l'étiquette n'ont rien perdu de leur rigueur victorienne.

Si vous ne pratiquez pas le golf, le canotage sur le lac artificiel Gregory, la pêche à la truite dans le lac de Portswood, à 11 km, ou encore les flâneries dans le parc Victoria sauront vous occuper entre deux averses.

En revanche, vous ne pourrez pas faire l'ascension du **mont Pidurutalagala**, ou **mont Pedro**, le plus haut sommet du Sri Lanka, qui culmine à 2 524 m et porte à son faîte un émetteur de télévision : elle est interdite pour raisons de sécurité. Ne manquez pas la maison de la Reine, actuelle résidence présidentielle et, dans un genre différent, la poste rose avec sa tour-horloge.

Les environs de Nuwara Eliya

Le jardin botanique de Hakgala

➤ *À 10 km au S-E de Nuwara Eliya. Ouv. 7 h 30-18 h. Entrée payante.*

Ce jardin fut fondé en 1860, sur le modèle de ceux de Kew et de Hampton Court. La végétation, particulièrement belle en avril, est beaucoup moins riche que celle de Peradeniya *(voir p. 170)*, mais on y voit des essences différentes. La légende veut que le rocher qui domine le jardin ait été apporté de l'Himalaya par le singe Hanuman. Des grognements s'entendent parfois dans les jardins : ce sont ceux des « ours-singes », *wanderoo*, d'une réserve voisine.

L'histoire contée par les plantations

Toutes les plantations portent des noms qui reflètent l'histoire coloniale mouvementée de l'île. Si la majorité ont des noms typiquement singhalais, comme Bambarakellie, Labookellie ou Nawalapitiya, d'autres comme Rothschild Division, Somerset ou Edinburg évoquent la présence britannique. La Pedro Estate ne peut renier son origine portugaise, ni la Weddmulle Plantation son ascendance hollandaise. Dans cette Babel, on trouvera même quelques noms français, comme Hauteville et Beaumont. ❖

La réserve de Horton Plains**

➤ *À env. 30 km au S de Nuwara Eliya. Comptez au minimum 60 à 90 mn de trajet. La route est étroite, mais elle reste cependant praticable avec un véhicule de tourisme, sauf après de fortes pluies. La réserve est accessible aussi depuis Kalupapana sur la A4, entre Haputale et Belihul Oya. Accès payant.*

➤ *Informations pratiques et bonnes adresses p. 195.*

La réserve de Horton Plains compte parmi les plus intéressantes de l'île. Deux précipices laissent voir la **vallée de la Kalu Ganga** à plus de 1 000 m en contrebas. L'idéal est de partir dans l'après-midi afin d'y passer une soirée et de voir le lendemain le soleil se lever sur l'île. Dans la réserve, le sentier de randonnée longe d'abord un lac et croise ensuite la voie ferrée à Ambewela, avant de monter durant

La réserve de Horton Plains abriterait encore quelques léopards… mais on rencontre plutôt des élans et de véritables nuées de papillons. Mieux vaut tout de même se faire accompagner.

12 km dans un **paysage fleuri*** de jacinthes sauvages, de renoncules, de violettes blanches, de mimosas, de rhododendrons et d'orchidées. Le soir, à partir de 16h30, en marchant sur la route d'Oya ou sur celle de Pattipola, vous croiserez des animaux qui sortent de la réserve.

On peut faire d'autres promenades dans les étranges paysages de Horton Plains, rafraîchis par de nombreuses chutes d'eau comme **Baker's Falls**. Tout ce vaste plateau est sillonné de sentiers et de rivières à truites. Pour voir **World's End**, le « bout du monde », il faut être sur place entre 5h et 6h du matin car sitôt le soleil levé, tout le paysage est noyé dans une brume de chaleur, et l'excursion perd tout son intérêt. Le premier point de vue est à 20 mn de l'entrée du parc, le second à 1h, soit environ 5 km. De ces deux balcons, on découvre à 1 000 m en contrebas un étonnant **panorama***. Certains jours, on peut même distinguer l'océan Indien, distant de 80 km.

➤ *Après Nuwara Eliya, votre itinéraire peut se poursuivre par Bandarawela, Ella et Buduruvagala. Les routes très sinueuses traversent des paysages exceptionnels.* ■

De Nuwara Eliya à Maligavila

Bandarawela et ses environs

➤ *À 45 km au S-E de Nuwara Eliya, à 1 300 m d'altitude.* ***Train****: la ligne* ***Colombo/Badulla*** *dessert Kandy, Hatton, Nanu Oya, Ohiya,* ***Haputale, Bandarawela*** *et* ***Ella****.*

➤ *Informations pratiques et bonnes adresses p. 195.*

Sans richesse touristique particulière, Bandarawela possède un climat frais propice aux cultures fruitières ou maraîchères, et surtout aux plantations de thé: on y produit l'un des meilleurs crus du Sri Lanka, l'Uva, très apprécié des connaisseurs.

De Bandarawela, une petite route conduit à **Welimada**, à travers de magnifiques plantations de thé. Une autre excursion monte au **col de Haputale**** (1 430 m) et mène, après 12 km, au centre de l'industrie du thé, sur une crête, au milieu des plantations. Par beau temps, on peut même apercevoir le phare de Hambantota *(voir p. 209).*

➤ **Haputale***. *À 10 km au S de Bandarawela par l'A16. Informations pratiques et bonnes adresses p. 195.* Ce lieu bénéficie d'une situation remarquable, et constitue un point de départ idéal pour des **randonnées pédestres**.

➤ **Dowa**. *À 7 km au N de Bandarawela, sur la route de Badulla. Don obligatoire.* Au fond d'une gorge étroite, une caverne abrite des effigies et une statue inachevée de Bouddha, de près de 8 m, taillée dans le roc.

➤ **Ella****. *À 11 km au N de Bandarawela, sur la route de Badulla, 25 km au N-E de Haputale. Informations pratiques et bonnes adresses p. 195.* Le site offre un **panorama exceptionnel** et permet de voir de spectaculaires **cascades**, les **Rawana Ella Falls**, au km 22, à 5 km de la resthouse, en bordure de route. En continuant l'A4 jusqu'à Wellawaya, on peut ensuite aller visiter Buduruvagala et Maligavila *(voir p. 188).*

Badulla

➤ *À 58 km à l'E de Nuwara Eliya, par l'A5.* ***Train****: un train express relie* ***Colombo*** *à* ***Badulla*** *en 6 h 30 à 7 h. Par le* Mahanuwara Express, *comptez 10 à 11 h de trajet.*

La capitale de la province de l'Uva, souvent noyée dans le brouillard, est située à 670 m d'altitude, dans une cuvette, au milieu des **rizières***. Des montagnes ferment l'horizon, et parmi elles le pic de Namunukula, qui culmine à 2 036 m et serait, visible, dit-on, depuis le golfe du Bengale.

Le **Vihara Mutiyangana**, un vaste temple édifié au IIIe s. av. J.-C, fait partie des seize lieux sacrés du bouddhisme dans l'île. Restauré, probablement au IVe s. apr. J.-C., son *dagoba* attire une foule nombreuse.

Au bas de la colline de Kahcheri, un pilier orné d'un texte de loi d'un souverain d'Anuradhapura du Xe s. est l'unique vestige d'un ancien palais royal.

À 6 km au nord, sur la route de Mahiyangana, les **cascades de Dunhinda*** portent le nom d'« eau fumante » car, lorsqu'elles dévalent les 60 m de la falaise, elles dégagent une brume qui forme une véritable draperie de gouttelettes.

Massacres d'éléphants

Badulla fut rendu célèbre au siècle dernier par le major anglais Rogers, un passionné de chasse aux éléphants, qui en aurait tué plus de 1 400... avant d'être terrassé par la foudre en juin 1845, à l'âge de 41 ans. On dit qu'il avait cessé de compter ses victimes au-delà de 1 300. À la même époque, le capitaine Gellway en avait abattu plus de 700. Selon *Forbes*, en 1837, quatre Européens en auraient tué 106 en trois jours, pendant que l'honorable représentant de sa majesté à Kurunegala en éliminait neuf en une seule matinée. Au cours du XIXe s., les grandes chasses, très en vogue, décimèrent une partie des pachydermes de l'île. À l'époque, les éléphants sauvages occasionnaient des dégâts considérables dans les cultures. On est loin de l'édit du roi Nissamkamalla *(voir p. 61)* qui, au XIIe s., ordonnait qu'aucun animal ne soit tué autour de sa capitale et distribuait aux oiseleurs de l'argent et des étoffes précieuses en échange de leur promesse de ne pas attraper d'oiseaux. ❖

Buduruvagala**

➤ *Allez jusqu'à Wellawaya, à 23 km au S d'Ella et à 49 km de Badulla. Prenez ensuite l'A2 en direction de Hambantota et, après 5 km, tournez sur la dr. pour suivre pendant 4 km une petite route de terre qui aboutit au site.*

« Budu » signifie Bouddha, « ruva », image et « gala », pierre. Sept œuvres de l'école bouddhique Mahayana *(voir p. 248)*, datant du XIe ou du XIIe s., sont sculptées dans le rocher. Au centre trône le plus grand Bouddha debout de l'île (15,50 m), entouré de deux groupes de trois personnages. À g. du rocher, on croit reconnaître au centre le bodhisattva Avalokiteshvara peint en blanc avec, à sa g. la déesse Tara déhanchée et, à sa dr., son compagnon Sudhanakumara. Dans le groupe de dr., de facture très différente, Vajrapani, au centre, est entouré de deux disciples dont l'un tient le *vajra*, symbole tibétain de la foudre et représentation du tantrisme bouddhique au Sri Lanka.

Maligavila*

➤ *Près d'Okkampitiya. À partir du carrefour de Wellawaya, suivez l'A4 vers l'E, en direction de Monoragala. Après 35 km env., tournez à dr.*

Avant Okkampitiya, vous passerez devant le **monastère de Dematamal Vihara**, qui a conservé un beau *stupa* de brique ancien. Il ne restait rien du grand complexe religieux de Maligavila, datant du VIIIe s., hormis une statue géante de Bouddha (10,50 m) qui gisait dans la jungle et a été récemment dégagée et relevée. L'œuvre, en ronde bosse, fut exécutée au début du VIIe s. dans un unique bloc de pierre. Les épaules font 3 m de large. À 300 m env., les archéologues ont restauré une autre statue de même taille qui, en tombant, s'était brisée. Ils l'ont placée en haut d'un escalier sous un dais de pierre et de ciment. Depuis sa réhabilitation, le sanctuaire est devenu un haut lieu de pèlerinage.

En reprenant l'A4 à Wellawaya vers Ratnapura, on arrive devant les impressionnantes **cascades de**

Les statues bouddhiques de Buduruvagala. De petites excavations dans la roche montrent que ces œuvres peintes (on distingue encore des traces de stuc coloré sur le grand Bouddha central) étaient protégées des intempéries par un auvent.

Diyaluma*, hautes de 170 m. Ce sont les plus spectaculaires du Sri Lanka, mais non pas les plus élevées : les **cascades de Bambarakanda**, à une quarantaine de kilomètres sur la même route, tombent sur 240 m de haut. On peut les voir à partir de Kalupahana, mais à la saison des pluies seulement car il peut arriver qu'elles soient à sec. ■

Au pays du thé

Au centre de l'île, le paysage est totalement modelé par les grandes plantations de thé, à tel point qu'on oublie que cette plante vient d'ailleurs et que ce sont les Britanniques qui inventèrent le thé de Ceylan.

James Taylor is rich !

Au début du XIXe s., les colons anglais avaient défriché une partie de la jungle du centre pour la culture du café. Hélas ! Vers 1870, un champignon, connu sous le nom de « charbon du café », anéantit les caféiers. C'est alors que commença la grande aventure du thé avec l'expérience d'un colon anglais, James Taylor, qui planta pour le compte de ses employeurs des graines de *Camellia sinensis* provenant du jardin botanique royal de Peradeniya. Et le miracle eut lieu, dans la plantation de Loolecondera : les semences se transformèrent en de magnifiques arbustes qui produisirent des thés d'excellente qualité. Le thé de Ceylan était né et, en moins de dix ans, son industrie s'avéra plus prospère encore que celle du café.

Thomas Lipton, « sir Tea »

Fils d'exilés ayant fui l'Irlande après la Grande Famine de 1848, Thomas Lipton (1850-1931) partit tenter sa chance dans le Nouveau Monde. À son retour, il investit toutes ses économies, 500 dollars, dans une petite épicerie de Glasgow. Ses méthodes de vente révolutionnaires lui apportèrent rapidement la fortune. En 1894, année de la création de l'Association des négociants en thé de Colombo, il acheta à bas prix une partie des terres de l'île, dépréciées après la maladie du café. Thomas Lipton appliqua à la culture du thé des techniques industrielles, et à sa commercialisation des méthodes inédites. Il conditionna son thé en paquet, alors qu'il était toujours proposé en vrac, et lança son fameux slogan : « De la plantation à votre théière, sans intermédiaire ». Le succès fut considérable. Lors de la grande Exposition universelle de Chicago en 1893, Lipton vendit un million de paquets ; son nom devint célèbre à travers le monde ; la reine Victoria l'anoblit en 1902. Passionné de voile, il arma plusieurs bateaux, toujours baptisés du même nom, *Shamrock*, « le trèfle irlandais », en souvenir de ses origines, et participa même à l'America's Cup. À la fin de sa vie, « sir Tea » régnait sur un véritable empire.

Question d'altitude

La saveur et la qualité du thé dépendent de l'altitude à laquelle la plante a été cultivée. Les arbustes peuvent pousser à trois niveaux, qui valent aux différents thés autant de dénominations : jusqu'à 600 m, c'est le *low-grown*, un thé qui ne sert généralement qu'à composer des mélanges - ce type de plantation a cessé d'être rentable depuis vingt-cinq ans, puis de 600 à 1 300 m, le *medium-grown* ; au-delà se trouve le plus recherché de tous, le *high-grown*, auquel la lenteur de sa croissance confère une valeur ajoutée.

Les cuves de séchage, aujourd'hui comme au XIXe s., permettent la dessiccation des feuilles de thé, qui consiste à les priver de l'humidité qu'elles renferment.

Contrôlées par un survei[lant,] le *kangany*, les cueilleuses doivent récolter au minimum 20 kg de feuilles par jour, pour un salaire quotidien de quelques francs, ce qui r[...] peu, même avec un logemen[t] gratuit et diverses autres aid[es]. Les hommes et les enfants, eux, sont chargés de l'entret[ien...]

La récolte du thé est effectuée par des femmes tamoules, drapées dans leurs saris aux couleurs vives, descendantes des ouvriers saisonniers venus, au XIXe s., chercher du travail à Ceylan. Les *plukers*, les « cueilleuses », vont d'arbuste en arbuste dans des plantations où l'on en compte près de 15 000 à l'hectare. Elles ne prélèvent que les jeunes bourgeons et les deux premières feuilles, qu'elles lancent dans la hotte attachée à leurs épaules.

Au Sri Lanka, les thés sont aussi classés en **cinq grands crus** selon leur provenance, comme on fait de nos vins et de leurs châteaux : *Kandy* (moins de 1 300 m), *Uva* (de 1 300 à 1 500 m), *Dimbulla* (de 1 500 à 1 800 m), *Ruhunu*, et le meilleur, le « champagne des thés », de la région humide de Nuwara Eliya.

Six étapes avant l'infusion

La qualité d'un thé noir ne dépend pas uniquement de son origine, il faut tenir compte aussi des opérations de traitement, au nombre de six, qui doivent se dérouler en une vingtaine d'heures pour conserver au thé toutes ses qualités. Les 20 kg de feuilles de la hotte ne donneront que 5 kg de thé manufacturé. Le **flétrissage** permet tout d'abord aux feuilles étalées sur des tapis mécaniques de perdre la moitié de leur eau et de leur poids : pendant 6 heures, elles sont fanées et assouplies sous des ventilateurs. Le **roulage** dans de grandes cuves circulaires a pour but d'extraire les tanins et de préparer les feuilles à la fermentation ; une partie d'entre elles se brisent au cours de cette opération. La **fermentation**, obtenue par humidification (90 à 95 %) et à une température de 28 °C, est une phase délicate dont dépend l'arôme de la future infusion ; les feuilles virent alors du vert au brun. La **torréfaction** stoppe le processus de fermentation et sèche les feuilles qui doivent cependant conserver 5 % d'eau. Au cours du **criblage** s'opère le tri en différentes qualités. Puis c'est le **conditionnement** : le thé, soigneusement empaqueté pour être conservé à l'abri de la lumière et de l'humidité, est stocké dans des caisses de bois étanches.

Pour les appellations de thé, voir aussi encadré p. 48.

De Nuwara Eliya à Ratnapura**

Plantations de thé, puis véritable jungle le long de la rivière Kelani, dominent les paysages entre Nuwara Eliya et Ratnapura. Après avoir traversé **Nanu Oya**, à 7 km, desservi par le train depuis Colombo, la route serpente parmi de magnifiques plantations de thé au-dessus desquelles les grandes *african tulips* déploient leur parasol de fleurs rouges. Depuis la route, vues spectaculaires sur les **cascades** de **Saint Clair** et de **Devon**. Même si vous ne faites pas l'ascension du pic d'Adam, allez jusqu'à **Dikoya** en sortant de l'A7 à Hatton, pour profiter du très bel environnement au pied de la **montagne du Pidurutalagala**. Ensuite, la belle **route*** qui mène à **Maskeliya** (20 km) longe le **réservoir de Moussakellie** avant d'arriver à **Dalhousie** (14 km).

➤ *150 km séparent Nuwara Eliya de Ratnapura. L'A7, route sinueuse et étroite, relie les deux villes. Au-delà d'Avissawella (à 73 km de Colombo par l'A7; compter 2h30 minimum), plus rien ne mérite qu'on s'arrête.*

Le pic d'Adam**

➤ *À 40 km au S-O de Hatton. Ascension possible de décembre à mi-juin. Partir au plus tard à 2h du matin, pour arriver au sommet avant le lever du jour. Prévoir un vêtement chaud. L'excursion part de* **Hatton** *(desservi par le train depuis Colombo,* *voir p. 53**) et, après avoir serpenté pendant 20 km entre réservoirs et cascades (1h en voiture), arrive à Maskeliya, près de* **Dalhousie***; Maskeliya est le point de départ du sentier pédestre pour l'ascension. Compter 3h, un peu plus les jours de* poya, *où les pèlerins sont nombreux.*

Ce pèlerinage est fréquenté depuis plus de dix siècles: à la fin du XIe s., le roi Vijaya Bahu avait fait construire des abris destinés aux voyageurs. Le début de l'excursion est aisé, mais devient rapidement plus difficile, même si l'ascension reste sans danger. Pendant la journée, la montée est assez pénible à cause de la chaleur. Les naturalistes seront comblés: en mars et en avril, tous les papillons de l'île (qui en compte plus de 240 espèces) se donnent rendez-vous dans une véritable féerie de couleurs autour du pic, baptisé aussi **Samanala Kanda**, le «**pic des Papillons**».

Cette montagne, au sommet de laquelle on fait tinter une cloche, autant de fois que l'on a effectué le pèlerinage, est vénérée sous le nom de **Sri Pada** par les bouddhistes, les hindous, les musulmans et les chrétiens: à son sommet (2250 m) s'ouvre une cavité que les premiers considèrent comme une empreinte du pied *(sri patul)* de Bouddha, les deuxièmes du pied de Shiva, les troisièmes du pied d'Adam qui, expulsé du paradis, fut admis par la miséricorde divine à séjourner sur ce sommet (son second pied se serait posé sur la Kaaba, la pierre sacrée de La Mecque) ; enfin, les chrétiens y voient la trace du pied de saint Thomas. Les pèlerins peuvent contempler, du sommet, l'ombre de la montagne sur la campagne. Un phénomène curieux se produit

S'insérant dans un paysage de jungle, dominée par les montagnes, la Kelani Ganga sillonne le cœur de l'île pour se jeter dans l'océan Indien aux environs de Colombo.

au lever du soleil: l'ombre du pic n'est pas projetée sur le sol comme elle devrait l'être, mais se dresse fièrement à la verticale dans le paysage, comme un double de la montagne. Devant ce miracle qui se reproduit chaque jour, les pèlerins s'exclament *sadhu, sadhu* (saint, saint).

Le long de la Kelani Ganga

➤ *De retour à Hatton, reprenez l'A7 vers l'O, qui traverse encore des collines couvertes de thé dans tout un dégradé de verts.*

À partir de Carolina et du col de Ginigathena (au km 70) se déroule une suite de magnifiques **points de vue*** sur une vaste dépression dominée par le pic d'Adam. La route épouse ensuite le lit de la Kelani Ganga. À **Kitulgala**, deux passerelles suspendues permettent d'aller découvrir l'autre rive. La route A7 reste intéressante jusqu'à **Karawanella** où elle traverse le fleuve avant d'atteindre **Avissawella**; ici se croisent les routes de **Ratnapura**, au sud *(voir p. 194)*, de **Kurunegala**, au nord *(voir p. 129)*, et de **Colombo**, à l'ouest.

Chercheurs de pierres

Les méthodes de travail n'ont guère évolué depuis des siècles et sont toujours aussi pénibles. Les installations de recherche, accessibles de la route, sont sommaires : les mineurs creusent un puits parfois profond de plusieurs mètres pour atteindre le lit des anciens cours d'eau *(illam)*, puis ils tamisent soigneusement le gravier à la manière des chercheurs d'or. Lorsqu'ils découvrent une pierre, le bénéfice est partagé entre le propriétaire du terrain, l'entrepreneur, l'expert, les ouvriers et le mineur, mais il faut attendre que la pierre soit taillée pour en connaître la valeur exacte. ❖

Ratnapura

➤ *À 80 km env. de Kalupahana sur l'A4, 150 km de Nuwara Eliya, 95 km de Colombo.*

La route contourne par le sud le massif montagneux du centre de l'île et offre des **vues exceptionnelles****. Ratnapura est situé dans un très beau **cadre***, entouré de parois rocheuses laissant apparaître le pic d'Adam, à une vingtaine de kilomètres à vol d'oiseau. La ville, sans intérêt touristique, est vouée à l'industrie des pierres précieuses extraites dans la région. On y verra, à côté des ateliers où s'effectuent la taille et le polissage, de nombreuses galeries d'exposition. Ratnapura est le point de départ de nombreuses excursions: la plus célèbre est l'ascension du **pic d'Adam** par Gilimale, mais cette voie d'accès est difficile.

Le **Ratnapura National Museum**, sur l'A4 à la sortie de la ville *(ouv. 9h-17h; f. ven.)*, contient une collection d'objets préhistoriques, de fossiles, et de pierres précieuses trouvées dans la région.

➤ *De Ratnapura, on peut regagner Colombo par deux itinéraires différents: par le N en passant à Avissawella (90 km), ou par* ***Panadura****, en longeant un bout de côte (100 km). On peut aussi rejoindre la côte S à la hauteur d'Ambalantota par l'***A18** *(107 km) ou, plus à l'O, à Galle (181 km), par l'***A17***, deux routes qui traversent des paysages spectaculaires.* ■

De Ratnapura à la côte sud

L'A18 continue vers **Pelmadulla**, après avoir rejoint à **Madampe** l'A17 qui relie **Pelmadulla** à **Galle** (155 km), en passant par le **col de Bulutota** (910 m) : nous vous conseillons de regagner la côte par cette **route exceptionnelle***.

On peut aussi rejoindre le col directement depuis la ville **d'Embilipitiya** par une autre très belle route étroite et sinueuse, qui passe par **Panamure, Kolonne** et **Moragoda.** On est entouré de collines, couvertes de plantations de thé, et de rochers pareils à de grandes météorites, qui ne sont pas sans évoquer la perfection des jardins japonais. *Comptez 6h de voiture entre Embilipitiya et Galle.*

La forêt de Sinharaja*

➤ *Accès par le S depuis Deninyaya sur l'A17, ou par le N depuis Weddagala. Ouv. 6h-18h, accès payant. Patrimoine mondial de l'Unesco depuis 1988. Bungalows sommaires près des entrées.*

Cette **réserve naturelle** se visite à pied, avec un garde forestier. Nombreux itinéraires possibles, selon le temps dont on dispose. La flore exceptionnelle de cette **forêt tropicale** ne comprend pas moins de 210 variétés d'arbres et de lianes dont 66 % seraient endémiques. Toujours selon des statistiques officielles, 95 % des espèces d'oiseaux endémiques y auraient trouvé refuge ainsi que plus de la moitié des mammifères de l'île. ■

■ Bandarawela

Indicatif ☎ 057

Hôtels

▲▲ **Bandarawela** ♥, 14, Welimada Rd ☎ 225.01 et 309.58, fax 228.34. *36 ch.* Éviter celles du r.d.c, bruyantes. Un établissement centenaire avec beaucoup de charme. Les installations sont d'origine. Jardin fleuri et tennis. Excellente cuisine et service attentionné.

▲▲ **Orient**, 10, Dharmapala Maw. ☎ 224.07 et 223.77, fax 224.07. Établissement de *50 ch.*, qui n'a pas le charme du précédent.

▲▲ **Rose Villa**, off Poonagala Rd ☎ 223.29. Adresse de charme dans une maison privée. Beau jardin. Chambres confortables, accueil familial. Repas sur commande.

▲ **Cranford**, *à Dyatalawa, à 2 km de Bandarawela* ☎ 231.73, fax 232.30. Rés. à Colombo ☎ (01) 55.66.72 ou (01) 58.79.96. *5 ch.* Ancienne résidence transformée en maison d'hôte. Beau jardin. Service attentionné. Près de la route.

■ Belihul Oya

Sur l'A4, entre Ratnapura et Haputale.

▲ **Resthouse** ☎ (045) 875.99. Rés. à Colombo ☎ (01) 50.34.97. Au bord du torrent. Env. *10 ch.* nouvelles. Restaurant en terrasse. On sert de l'alcool.

▲ **River Garden Resort** ☎ (071) 77.47.75. *14 ch.* Rés. à Colombo ☎ (01) 57.60.17 ou ☎ (072) 26.09.90. *3 bungalows* en pleine nature au bord de la rivière Oya. Excellente cuisine. Bon service. On sert de l'alcool.

■ Ella

Indicatif ☎ 057

Hôtels

▲▲▲ **Ella Adventure Resort** ♥, *sur la A23, à 16 km d'Ella, 4 km de Wellawaya* ☎ 872.63/64. Rés. à Colombo (Connaissance de Ceylan) ☎ (01) 68.56.01. *10 bungalows.* Enfouis dans la verdure et décorés avec beaucoup de goût, ils offrent tout le confort possible. Chaque bungalow a sa terrasse et une douche dans un jardin privatif. Tout a été conçu dans le respect de la nature. Service attentionné. Si possible, y rester deux nuits pour profiter de l'environnement et des excursions proposées, notamment l'observation des oiseaux.

▲▲ **Grand Ella Resthouse** ☎ 226.36. *14 ch.* Récemment construites, elles ont toutes un balcon et une belle s.d.b. **Restaurant**. La terrasse, à 900 m audessus de la plaine, offre l'un des plus beaux panoramas du Sri Lanka.

■ Haputale

Indicatif ☎ 057

Hôtels

▲▲ **Kelburne Mountain Resort**, à 3 km de Haputale, au milieu d'une plantation de thé ☎ 680.29. Rés. à Colombo ☎ (01) 57.56.44, fax 57.54.08. *3 bungalows* simples mais bien tenus. Vue splendide. Accueil familial. Adresse recommandée.

▲ **New Resthouse** ☎ 80.98, *5 ch.* rudimentaires avec eau chaude, **restaurant** et bar.

■ Horton Plains (réserve de)

World's End Lodge, Lower Ohiya ☎ (074) 20.30.15 et (071) 73.00.15, welodge@itmin.com. Situé au sommet de la montagne, à 7 km de Horton Plains et à 20 km de Bandarawela. *10 chalets* non climatisés, au bord d'un étang naturel. Cuisine occidentale et orientale.

■ Kandy

***Permis d'accès au Triangle culturel**:* *voir p. 167 et p. 198.*

Indicatif ☎ 08

ℹ 3, Deva Vidiya **B2** ☎ 22.26.61. *Ouv. lun.-ven. 9h-12h30 et 13h30-16h45.* Peu compétents. Vendent surtout de la documentation.

Circuler

Une voiture est indispensable pour faire le tour des collines au-dessus du lac et visiter les environs. Le centre-ville, lui, se visite à pied. Bateaux pour les promenades sur le lac. Se méfier des faux guides, qui se prétendent parfois élèves de l'Alliance française, et dont le but est de toucher une commission sur les achats qu'ils incitent à faire; la visite de la ville risquerait de se limiter à celle des magasins.

Hôtels

Les hôteliers pratiquent des tarifs spéciaux pendant la *perahera*. Il est indispensable de réserver longtemps à l'avance. Les meilleures adresses sont toutes en dehors du centre-ville.

En ville

▲▲ **Hôtel suisse**, 30, Sangaraja Maw. **C3** ☎ 23.30.24/25, fax 23.20.83. *100 ch.* À 15 mn du temple de la Dent. Les chambres sur le lac sont les plus agréables. Établissement spécialisé dans l'hébergement des groupes et les réceptions. Petite piscine. Beau jardin. Bar et billard. L'hôtel, qui date en partie du XIXe s., servit de Q.G. à Lord Mountbatten pendant la Seconde Guerre mondiale. Une curiosité.

▲ **Queen's**, Dalada Vidiya **B2** ☎ 23.32.90 et 22.28.13, fax 23.20.79. *54 ch.* dont 28 ont été refaites; celles qui donnent sur le jardin et la piscine sont plus calmes. Le plus vieil hôtel du Sri Lanka; il a encore quelques inconditionnels.

▲ **Thilanka**, 3, Sanghamitta Maw. **hors pl. par C2** ☎ 23.24.29 et (074) 47.52.00/01, fax 22.54.97, thilanka@ids.lk. *65 ch.* dont seules les 28 de la nouvelle aile sont acceptables. Petite piscine avec vue sur le lac; belle situation mais adresse quelconque.

Dans les environs

▲▲▲ **The Citadel**, 124, Srimath Kuda Ratwatta Maw., à 5 km du centre sur les bords de la Mahaweli Ganga ☎ 23.33.95, 23.20.56, fax 22.20.85, citadel@keells.com. *122 ch.* bien décorées avec terrasse donnant sur le fleuve. Beau cadre. Belle piscine. Billard. **2 restaurants** dont un à la carte, « The Prestige ». Bar très agréable. Centre ayurvédique.

▲▲▲ **Earl's Regency**, à Thennekumbura, à 5 km du centre ☎ 42.21.22, fax 42.21.33, eregency@slnet.lk. Le dernier-né des grands hôtels de Kandy. *100 ch.* tout confort, somptueuses, avec s.d.b. Architecture générale très contestable et décoration des parties communes sans intérêt. Piscine. Centre de remise en forme. Bar panoramique. L'établissement le plus cher de la région. **2 restaurants**.

▲▲▲ **Hunas Falls** ♥, à Elkaduwa, à 26 km au N-E de Kandy, par une route secondaire après l'embranchement de Wattegama ☎ (08) 764.02/03, fax (071) 351.34. *28 ch.* et *3 suites* avec air cond. Un lieu de villégiature à 1 000 m d'altitude, parmi les plantations de thé. Site exceptionnel. Héliport. Piscine, tennis, billard, mini-golf. Un lieu de repos idéal, particulièrement apprécié des jeunes mariés sri lankais.

▲▲▲ **Le Kandyan** ♥, à Mount Pleasant, à 7 km du centre ☎ 23.35.21/22 et 23.39.47, fax 23.39.48. *95 ch.* vastes, confortables, air cond., balcon. Salons, bar, piscine, billard, centre ayurvédique et club de remise en forme. Situation exceptionnelle et décoration très réussie. Excellente table: buffet, menu, carte. Night-club le « Garage », dont le décor à lui seul mérite le déplacement. Une adresse comme on aimerait en trouver plus souvent. Rés. à Connaissance de Ceylan, Colombo ☎ (01) 68.56.01/02 ou 68.55.87.

▲▲▲ **Mahaweli Reach**, 35, Siyambalagesterne Rd, à 5 km du centre, au bord de la Mahaweli Ganga ☎ (074) 47.27.27, fax 23.20.68, mareach@slt.lk. *115 ch.*, avec air cond. Dans l'ancienne résidence d'un planteur de thé. Cadre agréable. Jardin avec piscine, squash et tennis. Confortable.

▲▲ **Hilltop**, à Bahiravakanda, 21, Peradeniya Road, sur une colline, à 1 km du centre ☎ 22.41.62 et 22.43.17, fax 23.24.59. *81 ch.* dont 54 avec air cond. Chambres grandes et belles, mais l'ensemble manque de charme. Piscine.

▲▲ **The Stone House Lodge** ♥, 42, Nittawella Rd, à près de 2 km du centre de Kandy ☎ 23.27.69 et fax 23.25.17, carl@nwcl.slt.lk. À côté du Kandy Sport Club. *4 ch.* dans une belle maison; l'hôtesse est une cuisinière hors pair. Accueil chaleureux. Réserver.

▲▲ **Swiss Residence**, à 2 km du centre, 23, Bhirawakanda ☎ (074) 47.90.55/56, fax (074) 47.90.57. *40 ch.* confortables et récentes. Absence de décoration dans les parties communes. Ascenseur. Petite piscine. Service aimable.

▲▲ **Topaz**, à Anniewate, à 2 km du centre ☎ 22.41.50, 22.41.72 et 23.30.99, fax 23.20.73, topaz@eureka.lk. *77 ch.* dont 34 avec air cond. Jumelé avec le *Tourmaline.*

▲▲ **Tourmaline**, à Anniewate, à côté du *Topaz* ☎ 23.23.26, 27 et 28, fax 23.20.73. *29 ch.* Vue exceptionnelle. Piscine.

▲▲ **Tree of Life**, à Werellagama, à 15 km au N-O du centre ☎ 49.97.77, fax 49.97.71. Profite d'une bonne situation. Quelques chambres confortables dans des chalets; les autres sont à éviter. Piscine, parcours de jogging et centre ayurvédique.

Restaurants

♦♦ **Dhanasiri**, 679, Peradeniya Rd, à 3 km du centre, au 2e étage du Dhanasiri Building **hors pl. par A3** ☎ 22.31.50. Bonne cuisine chinoise et quelques plats occidentaux. Salle climatisée. Pas de parking.

♦♦ **Flower Song**, 137, Kotugadella Vidiya **A1** ☎ 22.36.28. Restaurant chinois à l'étage. Bonne cuisine et portions copieuses. Carte des vins.

♦♦ **Lyon's Peking Palace**, 27, Peradeniya Rd **hors pl. par A3** ☎ 22.30.73. Bonne cuisine chinoise servie dans plusieurs salles, dont une climatisée. Carte des vins.

♦♦ **Senani**, 30, Rajapihilla Maw. **B3**. Juste au-dessus du point de vue. À 1 km du centre ☎ 22.48.33 et 23.51.17. Bonne cuisine occidentale, chinoise ou locale dans un cadre agréable. Carte et menu. Salle panoramique. Carte des vins. Bon accueil.

♦ **Avanhala**, Sangaraja Maw. **C3**. Près du Kandyan Art. Architecture originale. Nourriture chinoise, orientale et européenne. Simple. Pas d'alcool. *F. tôt le soir.*

♦ **D.J.'s** (se prononce Didgé), 26/1, Devani Rajasjinghe Maw. **hors pl. par A3**, à 4,5 km du centre après l'Elephant Park de Riverside, qui est indiqué ☎ 22.57.38. Simple mais réputé pour sa table de cuisine sri lankaise. Servent aussi de la cuisine occidentale.

Bars

Les bars des hôtels suisse et Queen's sont les plus agréables. Ils ont conservé leur décor d'origine, surtout le Queen's, où le comptoir est un véritable monument historique.

Shopping

➤ ANTIQUITÉS. **Waruna Antiques**, 761, Peradeniya Rd **hors pl. par A3** ☎ 22.02.66. Grand choix. **Anu de Silva**, 3, Temple Street **B2** ☎ 23.58.82.

➤ ARTISANAT. **Kandyan Art**, Sangaraja Maw. **B2. Laksala**, face au débarcadère **B2**. *Ouv. 9h-17h (16h le sam.) sf dim.* **Lakshila**, 676 Peradeniya Rd.

➤ JOAILLIERS. Sur Peradeniya Rd **hors pl. par A3**: **Crest Jewels**, au 329. **Leedons**, au 854. **Premadasa**, au 800. **Ceygems International**, au 562. **Earl's Court**, au 627/1.

➤ MARCHÉ **A2**. Animé toute la journée (*f. les jours de* poya). Des montagnes d'épices, de fruits et de légumes… et quelques pickpockets. Mieux vaut éviter les parties consacrées à la boucherie et à la poissonnerie.

Fêtes et manifestations

➤ DANSES KANDYENNES. Au **Kandy Lake Club** près de l'hôtel *Thilanka* à 19 h ; au **Culturel Center Avanhala**, à 18h; au **YMBA**, le moins intéressant, à Rajapihilla Maw. **A3**, à 17 h 30. Horaires variables selon les saisons. Rens. dans les hôtels.

➤ ESALA PERAHERA, la manifestation religieuse la plus importante de l'île, en l'honneur de la relique de la Dent *(voir p. 180).*

Les danses de Kandy

À la différence de l'Inde voisine, le Sri Lanka n'a conservé que peu des danses qui ornaient ses fêtes sacrées ou profanes. Quelques grands hôtels de Kandy proposent bien des spectacles, donnés par des artistes de qualité, mais ils n'ont pas la spontanéité de ceux que l'on peut voir lors d'une *perahera* de village. Le développement du tourisme a quand même permis, ces dernières années, de maintenir des écoles de danse et de conserver certaines traditions. Le travail du Sama Ballet pour la sauvegarde du répertoire en est un exemple remarquable *(voir à Colombo, p. 122)*.

Les célèbres **danses de Kandy** sont les seules héritières des divertissements de cour. L'élève *(naiyadi)* doit travailler au moins une dizaine d'années pour atteindre une totale maîtrise de son art. Il lui faut franchir de nombreuses étapes avant de se produire en public et d'être autorisé à porter le *ves*, la fameuse coiffe qui marque sa consécration. Diadème scintillant comme une auréole autour du visage, c'est le point d'orgue d'une impressionnante parure : plastron incrusté de pierreries et de perles, au-dessus d'une ceinture de velours et de métal se terminant en pointe, lourds bracelets d'argent aux poignets et aux chevilles, boucles d'oreilles, anneaux de biceps, colliers formés de chaînes et épaulettes évoquant une pièce d'armure. Malgré ce lourd accoutrement, les danseurs esquissent des figures enlevées et bondissantes, dans leur pantalon blanc et bouffant, plissé à la taille. Partiellement héritée d'entraînements martiaux à l'instar de certaines chorégraphies du sud de l'Inde, la technicité de la danse kandyenne repose sur la maîtrise des contrastes : puissance des rythmes et grâce des figures, virilité des attitudes et délicatesse du tintement des grelots attachés à leurs chevilles. ❖

Adresses utiles

➤ ALLIANCE FRANÇAISE. 412, Peradeniya Rd **hors pl. par A3** ☎ 22.44.32, allikdy@sltnet.lk. Bibliothèque de prêt. Vous pourrez rencontrer à la cafétéria des étudiants parlant français *(fermé pendant les vacances scolaires)*.

➤ CHANGE. **Hong-Kong Bank**, Kotugadella Vidiya, à l'angle de Haras Vidiya **A1**. *Ouv. lun.-ven. 9h-14h.* Change rapide, distributeur extérieur fonctionnant 24 h/24 (carte VISA). **Bank of Ceylon**, Dalada Vidiya, près de l'hôtel *Queen's* **B2**. Retrait au comptoir (carte VISA), pas de distributeur. **Commercial Bank**, Kotugadella Vidiya **A2**. *Ouv. lun.-ven. 9h-14h30 et sam. 9h-13h.* Pas de retrait avec carte bancaire.

➤ MÉDECIN. **Sarath Ranasinghe**, 55/2, Senanayake Vidiya **B1** ☎ 22.33.81. Il parle un peu le français. *Consultations 9h30-13h30 et 16h30-18h30.*

➤ CYBERCAFÉ. **Koffeepot**, 36 Dalada Vidiya, www.koffeepot.com **A3**.

➤ POSTE. En face de la gare **A3** et à l'angle de Senanayake Vidiya et de Kandy Vidiya **B1**.

➤ SRILANKAN AIRLINES. 19, Temple St **B2** ☎ 23.31.23 et 23.24.94, fax 23.24.94. *Ouv. lun.-ven. 8 h 30-17 h et sam. 8h30-12h30.*

➤ TAXIS. **Savoy Confort**, appel au ☎ 23.33.22. Les compteurs ne fonctionnent que lors de la prise en charge.

➤ TRANSPORTS. La gare ferroviaire et la station centrale des bus se trouvent près du marché **A3**.

➤ TRIANGLE CULTUREL. *(Voir p. 167)*. Central Cultural Foundation, en face de l'office du tourisme **B2**. *Ouv. t.l.j. 9h-16h.*

■ Kitulgala

Indicatif ☎ *036*

➤ *Sur l'A7, à 80 km de Nuwara Eliya et à 110 km de Colombo.*

Hôtels

▲▲ **The Plantation**, 250, Kalukohutenna, à 2 km de la resthouse, au bord de la Kelani ☎ 875.75, fax 875.74. *8 ch.* vastes, confortables, bien décorées, avec des lits à baldaquin. Buffet sri lankais et cafétéria à la carte. Emplacement exceptionnel. Organisation de randonnées et de rafting.

▲▲ **Rafters Retrieve**, rés. à Connaissance de Ceylan *(p. 124). 3 ch. doubles standard, 12 lodges.* Dans une ancienne résidence privée. Possibilité de rafting sur la Kelani.

▲ **Resthouse** ☎ 875.28. *16 ch. dont 8 récentes.* Environnement agréable, au bord du fleuve. Cuisine correcte, boissons alcoolisées.

■ Nuwara Eliya

Indicatif ☎ *052*

En avril et mai, beaucoup de Sri Lankais prennent ici leurs congés. Les prix doublent, et il faut réserver longtemps à l'avance.

Hôtels

▲▲▲ **St Andrews ♥**, 10 St Andrews Drive, à 1 km du centre-ville ☎ 224.45, 230.31 et 235.04, fax 231.53. *54 ch.* agréables. Charme évoquant l'Angleterre. Bonne table. Bar, salons confortables. Billard, jardin. Notre meilleure adresse. Souvent complet.

▲▲ **Galway Forest Lodge**, 89, Upper Lake Rd, Havclock Drive, à 1,5 km du centre ☎ 237.39 et 237.28, fax 229.78. *52 ch.*, confort, chauffage, mini-bar. **Restaurant**, bar et billard. Ni vue, ni jardin. L'établissement le plus récent.

▲▲ **Grand Hotel** ☎ 228.81 à 87, fax 222.65. *150 ch.* mais seules les *66 ch.* de la nouvelle aile sont acceptables. Bâti comme un manoir anglais, l'hôtel a conservé ses salons et sa salle de billard d'origine. Une rénovation totale s'impose. Bon buffet.

▲▲ **Hill Club** ☎ 226.53 et 231.92, fax 226.54. *31 ch.* avec cheminée, confort inégal. Proscrire celles qui donnent sur l'arrière. Club privé, réservé aux membres en avr. et déc. Au dîner, veston et cravate obligatoires (fournis en cas de besoin). Table et accueil quelconques. Deux bars. Beaux salons de réception. Billard.

▲▲ **The Rock**, 60, Unique View Rd ☎ 231.96 et 235.53. *10 ch.*, confort, cheminée, dans une petite villa un peu excentrée. Vue splendide. Restaurant.

▲▲ **Windsor** ☎ 225.54, fax 228.89. *50 ch.* Confortable mais bruyant, en centre-ville. **Restaurant** et bar.

▲ **Glendower**, 5, Grand Hotel Rd ☎ 225.01, 227.49, 341.80/81, fax 227.49. Au milieu d'un jardin, mi-manoir, mi-chalet. *10 ch.* très simples et *3 suites*. **Restaurant** (cuisine chinoise). Salons, bar, billard. Idéal pour ceux qui voyagent en individuel.

AUX ENVIRONS DE NUWARA ELIYA

▲▲▲ **The Tea Factory**, à Kandapola, à env. 20 km au N-E de Nuwara Eliya ☎ 236.00 et 220.26, fax (070) 52.21.05. Dans une ancienne manufacture de thé au milieu des plantations. *57 ch.* confortables. Reçoit exclusivement des groupes. Bonne table. Bar. Salle de gymnastique. Excellente adresse.

▲ **Ramboda Falls**, Rock Fall Estate, 76, Nuwara Eliya Rd, à 17 km au N sur la route de Kandy, juste avant Ramboda ☎ 596.53, fax 595.82. *5 ch.* Adresse de charme à côté des chutes d'eau, au milieu des plantations de thé.

Restaurant

♦ **Milano**, New Baazar St. Cuisines occidentale, chinoise et sri lankaise.

■ Pinawella

Hôtel

▲▲ **Elephant View** ☎ (035) 65.292, fax (035) 65.283, eleview@sitnet.lk. *6 ch.* air cond., balcon, autour d'un patio. ■

CEYLAN DES PLAGES

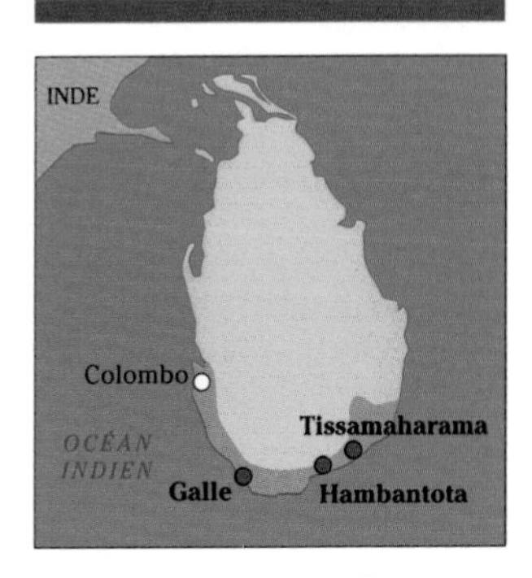

La côte de Colombo à Galle

Mount Lavinia*

➤ *À 13 km de Colombo. Voir p. 115.*

Moratuwa

➤ *À 18 km de Colombo.*

Cette ancienne et populeuse bourgade dut sa fortune aux plantations de caféiers et la maintient avec les plantations de théiers, d'hévéas, de cocotiers. Célèbre pour l'art de ses charpentiers, elle l'est aussi grâce à la présence d'Arthur Clarke : le père de *2001, l'Odyssée de l'espace* s'est retiré ici pour étudier la planète Mars et a fondé un centre de recherche spécialisé dans les télécommunications. Le **lac de Bolgoda**, à 8 km, offre aux pêcheurs et aux navigateurs le plan d'eau le plus vaste du pays. Juste avant Kalutara, la route franchit le **Kalu Ganga**, ou « **fleuve noir** », large ici de 300 m. Il prend sa source dans la région du pic d'Adam et parcourt 130 km avant de se jeter dans l'océan Indien.

Kalutara

➤ *À 42 km de Colombo.*

➤ *Informations pratiques et bonnes adresses p. 216.*

Ce fut jadis l'un des principaux centres du commerce des épices, notamment de la cannelle, avant de devenir le **pays des mangoustans**, ces fruits au « goût de paradis » importés de Malaisie au début du XIXe s. C'est en juillet-août qu'ils sont les meilleurs. Kalutara est célèbre aussi pour sa **vannerie** à base de fibre de coco. Dans les palmeraies, les collecteurs de sève de palmier – Kalutara est aussi le principal centre de distillation de l'arak – déambulent sur des cordes tendues entre les arbres à 10 m du sol ! L'agglomération est dominée par la masse blanche du ***dagoba* Gangatilaka**. De construction récente, il présente le caractère inhabituel d'être creux et les peintures qui ornent l'intérieur représentent des scènes de la vie de Bouddha. De l'autre côté de la route, près d'un arbre Bo, un autre sanctuaire, plus ancien, est réputé préserver des accidents et les automobilistes ont coutume de déposer leurs offrandes dans les nombreux troncs prévus à cet effet. Au sud de Kalutara, une **presqu'île** de plus de 2 km offre de beaux points de vue sur la mer et sur la côte.

Beruwela*

➤ *À 58 km au S de Colombo.*

➤ *Informations pratiques et bonnes adresses p. 214.*

C'est l'endroit où débarquèrent les premiers immigrants musulmans, vers le milieu du VIIe s. Leurs descendants viennent par milliers en pèlerinage fêter la fin du ramadan près de la tombe du cheikh Ashareth : son sarcophage de pierre se serait échoué, dit la légende, sur la plage de Beruwela. Le nom de cette cité provient d'ailleurs de la déformation du mot singhalais *Baeruala*, qui signifie « là où l'on a baissé la voile ». On peut y voir, sur un promontoire, la **mosquée Kachchimalai**, l'une des plus anciennes de l'île, ou faire en barque une excursion au **phare** élevé dans une petite île, à 1,5 km de la côte. Beruwela est encore habité en majorité par des musulmans qui s'y consacrent à la pêche et au négoce des pierres précieuses.

Bentota*

➤ *À 61 km au S de Colombo.*

➤ *Informations pratiques et bonnes adresses p. 214.*

Cette station réputée en raison de sa **plage magnifique** (mais très dangereuse) est un endroit idéal pour se reposer. Bentota se signale par sa rivière en partie navigable, la **Bentota Ganga**, ancienne frontière entre les territoires portugais au nord et hollandais au sud, de 1644 à 1652. Une étroite bande de terre, entre le fleuve et la mer, forme une presqu'île de rêve sur laquelle ont été construits plusieurs hôtels dont certains ne peuvent être atteints que par bateau.

➤ **LA BENTOTA GANGA**. Le plan d'eau protégé est propice aux **sports nautiques** ou à d'agréables promenades vers l'amont du fleuve. De nombreux oiseaux – et parfois des crocodiles – accompagnent les embarcations au fil de l'eau. On peut voir aussi, à 5 km, uniques vestiges de sa splendeur passée, les montants d'un portail sculpté du **temple de Galpata** (XIIe s.).

➤ **BRIEF GARDEN***. *À Kalavila, à 10 km à l'intérieur des terres, en dir. de Mortugana ☎ (074) 28.83.49 ou 034.704.62. Visite payante de 7h30 à 16h30.* **Bevis Bawa**, architecte, sculpteur et paysagiste, occupa cette propriété jusqu'à sa mort, en 1992. L'intérieur abrite des meubles coloniaux. Dans le vestibule, une grande fresque du

Danses de village et masques d'exorcisme

La région d'Ambalangoda est la dernière à perpétuer les **danses rurales**, pantomimes masquées à vocation rituelle. Surnommée « danse du diable », la sarabande des démons *sanni*, ces diables supposés responsables des malheurs qui frappent une famille, est un exorcisme, autrefois destiné à bannir les influences démoniaques qui tourmentaient un malade. Le *kolam* (en tamoul « danse déguisée ») vise à expulser d'autres maux. Ce sont des pièces satiriques, alternant rôles comiques et sérieux, qui caricaturent les embarras de la vie quotidienne.

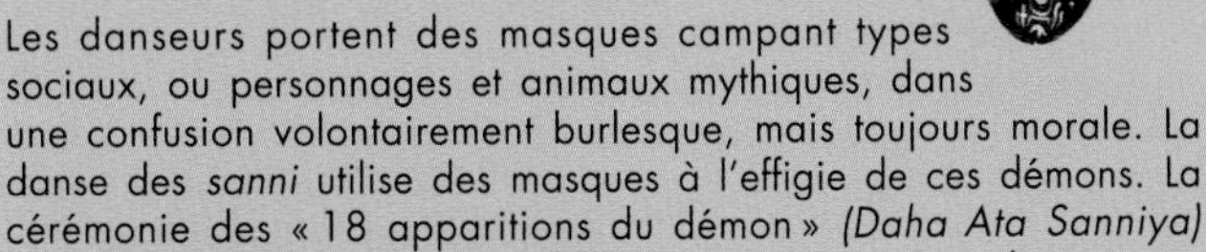

Les danseurs portent des masques campant types sociaux, ou personnages et animaux mythiques, dans une confusion volontairement burlesque, mais toujours morale. La danse des *sanni* utilise des masques à l'effigie de ces démons. La cérémonie des « 18 apparitions du démon » *(Daha Ata Sanniya)* requiert une série de masques dont chacun matérialise un mal : folie, cécité, surdité, apoplexie, fièvres malignes, vertiges, etc. À l'origine du choix du masque, le sorcier guérisseur *(bali-edura)* entraîne musiciens et danseurs jusqu'à la transe – cœurs sensibles s'abstenir... *Demandez l'autorisation avant de prendre des photos.*

Dans le sud de l'île, les cérémonies d'exorcisme *(bali)* et les rites de magie curative sont encore très suivis lorsque la médecine ayurvédique s'avère impuissante. Tolérants, les bouddhistes ferment les yeux sur ces pratiques : l'apaisement des dieux et des démons décide ici de celui des hommes. ❖

peintre Donald Friend relate l'histoire du Sri Lanka. Autour de sa demeure, B. Bawa avait reconstitué différents types de jardins : à la française, à l'italienne et à l'anglaise. Quelques mètres suffisent pour passer d'un univers à l'autre.

Kosgoda

➤ *À 68 km de Colombo.*

➤ *Informations pratiques et bonnes adresses p. 217.*

Ici, comme partout de Bentota à Ambalangoda, vous verrez de

nombreuses **nurseries de tortues**. Les œufs qu'elles déposent sur les plages sont souvent détruits, ou ramassés pour être consommés par les plus démunis. Consciente du danger pour l'espèce, la population locale a ouvert des petits centres privés qui font payer un droit d'entrée pour leurs frais de fonctionnement. Les œufs sont couvés dans des enclos, puis les jeunes tortues sont maintenues quelques jours dans des bassins d'eau de mer avant d'être mises en liberté.

Ambalangoda

➤ *À 83 km de Colombo.*

La ville d'Ambalangoda est célèbre pour ses **masques de théâtre exorciste** *(voir encadré ci-contre)*, que les artisans, adultes et enfants, taillent dans le *kaduru*, un bois tendre et fragile. L'accessoire doit être le plus léger possible pour ne pas entraver la liberté de mouvement. Après le séchage, c'est au tour des sculpteurs et des peintres d'exercer leur art. Il arrive parfois que des cérémonies nocturnes de ce type aient lieu dans la région.

Meetiyagoda

➤ *À 10 km d'Ambalangoda.*

À Kahawa, à 6 km, une route de 4 km conduit, à l'intérieur des terres, au petit **village de Meetiyagoda**, réputé pour ses pierres de lune en feldspath nacré. Semi-précieuses, elles proviennent de carrières situées dans les environs.

Le Totagamuwa Raja Maha Vihara

➤ *À 94 km de Colombo et à 11 km d'Ambalangoda.*

En revenant sur la route côtière, on peut s'arrêter à ce monastère, qui doit sa réputation à l'un de ses supérieurs, précepteur du roi Parakrama Bahu VI (1411-1466). Détruit par les Portugais, ce *vihara* a été reconstruit lors de la renaissance du bouddhisme dans l'île au XVIIIe s. Les bâtiments, souvent remaniés depuis, abritent des fresques relatant des scènes de la vie de Bouddha.

Hikkaduwa*

➤ *À 99 km au S de Colombo.*

➤ *Informations pratiques et bonnes adresses p. 215.*

Cette localité jouit, elle aussi, d'une situation magnifique. Mais, victime de son succès, elle a perdu tout son intérêt. La plage est inexistante et les plus beaux coraux ont été arrachés par des plongeurs dénués de scrupules. La pollution a en outre gagné cette station, qui ne vit plus que de l'**industrie touristique**. La rue principale n'est qu'une succession de boutiques. On peut encore observer les poissons multicolores et les jardins coralliens en louant un bateau à fond de verre, mais il vaut mieux aller au-delà de la barre pour retrouver la faune marine.

Le lac de Ratgama

➤ *À 105 km de Colombo.*

À Dodanduwa, un sentier conduit au bord du **lac de Ratgama**. Excursion possible en catamaran. Des moines ont trouvé refuge sur deux petites îles qui ne se visitent pas. Le **temple de Gangarama**, sur la rive ouest, abrite des statues d'un réalisme surprenant.

Galle*

➤ *À 116 km au S de Colombo.*

➤ *Informations pratiques et bonnes adresses p. 215.*

Capitale de la province (90000 habitants), Galle (prononcer « gôl »), se

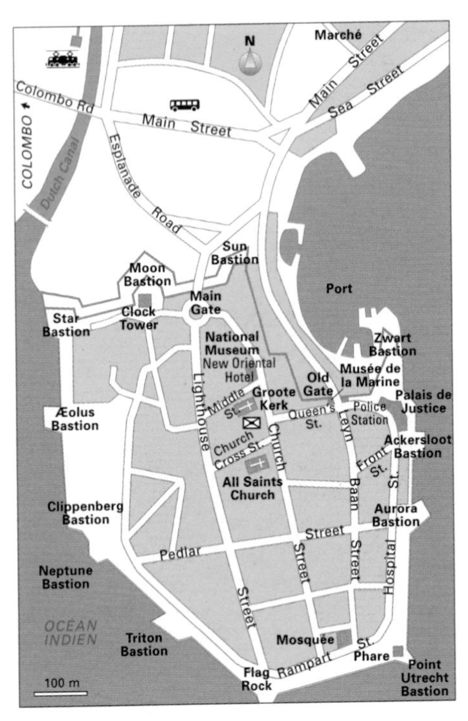

Le fort de Galle

compose de deux parties : la ville moderne, active mais de peu d'intérêt, et la cité ancienne, encerclée par les remparts hollandais, où le temps semble arrêté. À la voir dans cet état de léthargie, on a du mal à imaginer que cette ville fut une position stratégique sur la route maritime de la soie. Au temps de Haroun al-Raschid, les navigateurs arabes venus charger pierres, soieries et épices, croisaient des jonques chinoises dans le port de « Kalah » – c'était le nom qu'ils lui avaient donné. Ibn Battuta y fit escale en 1344 *(voir encadré p. 61)*. Portugais et Hollandais se disputèrent farouchement cette rade, à l'abri des passes dangereuses redoutées par les navigateurs. La construction du port artificiel de Colombo, à la fin du siècle dernier, entraîna son déclin.

➤ **Le fort***. En 1640, les Hollandais, après deux semaines de siège, s'emparèrent de la place et la

Inscrit au patrimoine mondial de l'humanité, le fort de Galle fut construit sur les vestiges d'une redoute portugaise.

consolidèrent avec les puissants remparts que nous voyons encore aujourd'hui. Pour en faire le tour, franchissez la vieille porte de la citadelle (Old Gate) qui ouvre sur le port. Elle est surmontée du blason de la Compagnie des Indes orientales unies. Son monogramme, *VOC*, daté de 1669 et encadré par deux lions, est surmonté d'une coquille Saint-Jacques et d'un coq, héritage des Portugais. Le modeste **musée de la Marine** jouxte la porte. Plus loin, dans **Queen's Street**, où l'on peut voir l'ancienne **maison du Commandeur**, se tient le **marché au poisson. Church Street** conduit au ***New Oriental Hotel***, vénérable institution ouverte en 1863 dans une maison coloniale de la fin du XVIIe s. On y dort dans de vastes chambres dont le mobilier et la tuyauterie sont garantis d'origine *(voir p. 215)*. À côté, le **National Museum** rassemble quelques souvenirs de l'époque hollandaise *(ouv. 9h-17h, sf lun. et mar.)*.

En faisant le tour des remparts, vous longerez d'abord le **bastion de Zwart**, qui servait à contrôler les mouvements des bateaux dans le port. Ensuite, et dans l'ordre, les **bastions** d'Ackersloot et de l'Aurore, celui de la pointe d'Utrecht, tout près du **phare**, ceux du Triton, de Neptune, de Clippenberg, d'Éole, de l'Étoile et de la Lune. Cette promenade de 2 km environ ne doit pas vous dispenser d'une flânerie dans les ruelles silencieuses du fort, habité principalement par des musulmans. ■

De Galle à Hambantota

De Galle à Tissamaharama, la route étroite suit la côte pendant 264 km. Elle est très encombrée et, même si les distances sont courtes, vous pourrez prendre une journée, voire une semaine, tant la route est belle et les plages idylliques. Attention, elles sont parfois dangereuses.

Unawatuna

➤ *À 6 km de Galle.*

➤ *Informations pratiques et bonnes adresses p. 217.*

Après Galle, la route conduit ensuite à cette **baie** bien abritée, bordée d'une **plage magnifique****. Mais la station souffre de l'anarchie des constructions qui ont dénaturé son site. Il est préférable de ne pas s'y attarder. De nombreux ateliers de broderie et de dentelle *(voir p. 215)* sont installés en bordure de la route.

Koggala

➤ *À 17 km de Galle.*

➤ *Informations pratiques et bonnes adresses p. 216.*

Cette station balnéaire récente est située près d'un lac qui joua un rôle décisif pendant la Seconde Guerre mondiale en servant de base aux hydravions. Une zone franche y a été créée pour développer l'emploi dans la région. Koggala possède une très belle plage. On peut visiter le **petit musée des Traditions populaires** *(ouv. 9h-11h et 13h-17h sf lun. et j.f.)*, fondé dans sa propre demeure par Martin Wikramasinghe (1890-1976), écrivain qui s'est beaucoup intéressé à l'histoire de son pays. On vous proposera sans doute de remonter la rivière jusqu'à l'île de Madalduwa, repaire de nombreux oiseaux.

Ahangama

➤ *À 25 km de Galle.*

Son principal attrait vient des **pêcheurs à la ligne** qui se tiennent immobiles pendant des heures, comme des échassiers, sur un piquet de bois planté dans la mer à quelques mètres du rivage. Les photographes peuvent opérer mais seront redevables de chaque déclic au compère qui guette les touristes et se précipite pour recueillir les roupies; sans doute cette pêche-là rapporte-t-elle plus que l'autre…

➤ **Le temple de Purvarama.** À 3 km vers l'intérieur des terres en direction de Kataluwa, on peut aller voir ce temple, décoré de fresques curieuses, exécutées à la fin du XIXe s.: des Anglais en uniforme d'époque côtoient Bouddha et ses disciples.

Weligama*

➤ *À 29 km de Galle.*

➤ *Informations pratiques et bonnes adresses p. 218.*

➤ **La statue rupestre.** *À 1 km avant d'arriver à Weligama, par la route intérieure.* Une **statue de 4 m de haut** taillée dans le rocher représenterait, selon les légendes, le prince Agrabohi, qui introduisit le cocotier dans l'île, ou Kusta Raja, un roi lépreux miraculeusement guéri par une cure prolongée de jus de noix de coco. Mais il s'agit probablement du bodhisattva Avalokiteshvara *(voir p. 247)*, sculpté ici il y a plus de dix siècles.

➤ **L'île de Taprobane***. À la sortie du village, vous découvrirez une baie de 2 km de large, encadrée de magnifiques falaises ocre rouge. À 100 m du rivage, l'île de Taprobane, appelée aussi l'**île du Diable**, car elle servirait de refuge aux esprits du mal, fait éclater un **bouquet de verdure** autour d'une résidence construite par un Français dans les années 1930. Elle a eu, depuis, de nombreux propriétaires, dont l'écrivain américain Paul Bowles.

Mirissa

➤ *À 35 km de Galle.*

➤ *Informations pratiques et bonnes adresses p. 217.*

Mirissa a réussi à préserver sa très belle plage de l'ardeur des promoteurs.

Matara

➤ *À 44 km de Galle.*

➤ *Informations pratiques et bonnes adresses p. 217.*

Matara, où se jette la Nilwala Ganga, est devenue un centre très animé depuis la création de l'**université de Ruhunu**, à 5 km en direction de Tangalle. La ville (40 000 habitants), sans grand intérêt, marque le terminus de la voie ferrée. Deux forts rappellent que Matara fut une place forte hollandaise spécialisée dans le commerce des épices. Le premier, le **fort de l'Étoile** – il en a la forme – comporte cinq bastions et s'ouvre par un portail monumental dont le blason porte la date de 1770. À l'intérieur est installé un petit musée de peinture. Le second aurait servi d'étable pour les éléphants capturés et gardés ici avant d'être exportés. Il abrite aujourd'hui la resthouse. L'Alliance française *(voir p. 217)* peut vous accueillir, vous fournir des informations sur la région et vous mettre en contact avec des étudiants. Une spécialité locale vous attend : le *kitul*, obtenu par le mélange de la crème du lait de bufflonne avec du miel. Vous verrez quelques petites calèches, ou *hacheries*, qui servaient à se déplacer ; une course a lieu les 13 et 14 avril pour le Nouvel An sri lankais. Au nombre des spécialités encore, n'oublions pas les pierres semi-précieuses, et les faux diamants ! Sri Madura, dans la Dharmapala Maw., au centre-ville près du temple, permet de découvrir un atelier où l'on fabrique, depuis plusieurs générations, des instruments de musique traditionnels.

Veherahena

➤ *À 49 km de Galle et 5 km de Matara.*

En direction de Tangalle, une route sur la g. conduit à ce sanctuaire on ne peut plus kitsch. Une statue de Bouddha d'environ 40 m de haut se dresse au milieu d'un immeuble de béton inachevé. Un gardien vous fera visiter une gigantesque crypte couverte de peintures relatant les scènes des *jataka* et de la vie de Bouddha, d'ex-voto et de portraits des donateurs qui ont permis d'édifier cet ensemble.

Dondra

➤ *À 54 km de Galle.*

Un **phare** a été élevé en 1889 à l'extrémité du cap de cette grosse bourgade qui marque le point le plus méridional de l'île. Il ne reste rien du temple de Vishnou de Dondra, surnommée Dewi Nuwara, la « cité des Dieux », et qu'Ibn Battuta *(voir encadré p. 61)* décrivit, lors de son escale en 1344, comme une merveille renfermant une statue d'or

De pauvres pêcheurs

Pêcheur sur échasse.

Rien n'est plus spectaculaire qu'un retour de pêche à la *senne*, quand le village rassemblé tire sur le sable l'immense filet en forme de cône. Les hommes forment une véritable chaîne, joignant leurs forces pour sortir des eaux cette nasse capable de contenir, les jours fastes, jusqu'à deux tonnes de poisson. Généralement, le résultat est beaucoup plus modeste. Le produit de la pêche, tout juste honorable, partagé entre tous, suffit à peine certains jours à nourrir leur famille – les pêcheurs constituent l'une des catégories les plus défavorisées du Sri Lanka. ❖

aux yeux de rubis ; les Portugais renversèrent cette idole et détruisirent le temple en 1587. À la place, on a construit un *devale* à deux étages, toujours dédié à Vishnou, un immense Bouddha et un *dagoba* avec un arbre de la Bodhi. Derrière cet ensemble très fréquenté, en plein centre-ville, subsistent encore les restes d'une ancienne voie royale, marquée par quelques piliers. Chaque année pendant le mois d'Esala (juillet-août) se déroule une *perahera* dont les dates coïncident avec celle de Kandy et qui, comme elle, dure une dizaine de jours.

Dikwella

➤ *À 64 km de Galle.*

➤ *Informations pratiques et bonnes adresses p. 215.*

➤ **Le Wewurukannala Vihara.** *Accès payant et droit photo.* Fondé il y a plusieurs siècles, ce *vihara* est annoncé par une structure de huit étages, flanquée d'un Bouddha assis de 50 m de haut, peint de couleurs vives. L'ensemble de statues sous les plafonds peints du bâtiment principal enchanteront encore les amateurs de kitsch. Sur la g., dans le plus ancien sanctuaire de cet ensemble, il reste quelques fresques très abîmées. Ne manquez pas de compléter cette visite en allant voir « **l'Enfer** » ♥, un cycle d'œuvres d'un réalisme surprenant, exécutées dans les années 1970.

Nilwella

➤ *À 67 km de Galle. Tournez à dr. au km 183.*

À partir de Dondra, la côte correspond vraiment à l'idée que l'on se fait des plages paradisiaques. Celle de Nilwella est une des plus belles de l'île.

Mawella

➤ *À 70 km env. de Galle et 6 km de Dikwella.*

En période de mousson du Sud-Ouest, surtout en juin, un véritable **geyser** provoqué par le choc des vagues contre la paroi rocheuse, atteint jusqu'à 18 m de hauteur. Le jaillissement est saisissant les jours de tempête. Les enfants du village vous y conduiront à travers les sentiers.

Tangalle*

➤ *À 79 km de Galle.*

➤ *Informations pratiques et bonnes adresses p. 217.*

Des **plages de sable rose** bordées de cocotiers font de ce petit port de pêche un endroit de rêve, mais restez prudent, car la mer est parfois dangereuse.

Mulgirigala*

➤ *À 15 km au N de Tangalle, sur la route de* ***Wiraketiya****, au-delà du village ; tournez à g. avant le lac.*

Vous arriverez au pied d'un rocher dont les nombreuses grottes servaient de refuge aux moines au IIe s. av. J.-C. Ce monastère compte parmi les plus anciens de l'île. Dans l'une de ces cavités, un Anglais a découvert en 1826 des manuscrits qui permirent de traduire le *Mahavamsa (voir p. 56)*. Elles abritent plusieurs **bouddhas couchés** et quelques **fresques** intéressantes datant de la période kandyenne. Au sommet du rocher, à 210 m du sol, la **vue**** fait oublier l'ascension des 500 marches.

La réserve d'Uda Walawe**

➤ *À Nonagama, juste avant d'arriver à Ambalantota, l'A18 conduit en 30 km env. à l'entrée de la réserve.* ***Embilipitiya****, au bord du*

Sur la plage de Hambantota, les bateaux sont tirés au sec au retour de la pêche.

lac Chandrika, constitue une étape idéale pour la visite de la réserve, située à 16 km au N.

Ouverte en 1985, cette réserve de 310 km², qui s'étend autour du réservoir géant d'Uda Walawe, abrite 500 éléphants sauvages et quelques léopards, ainsi que de nombreux autres mammifères. Elle est aussi connue des ornithologues du monde entier pour la richesse et la variété de ses espèces. On a plus de chances d'y voir des animaux qu'à Yala, mais les éléphants y sont parfois très agressifs. En période sèche, de mai à septembre, ils se regroupent au bord du réservoir et de la rivière Walawe. Un orphelinat pour éléphants, beaucoup moins touristique que celui de Pinawella, a été créé à proximité de la réserve.

Hambantota

➤ *À 121 km de Galle.*

➤ *Informations pratiques et bonnes adresses p. 215.*

Dans cette région sèche, les paysages ne sont plus aussi riants. Hambantota est un port de pêche de 10 000 habitants où s'est aussi développée l'industrie du sel. Son nom signifie « port des sampans », car c'est là que ces bateaux venaient s'approvisionner en eau douce. La population est surtout composée de Malais, musulmans pour la plupart, originaires des îles de la Sonde. Leurs aïeux seraient venus au temps de la colonisation hollandaise, ou comme mercenaires au service des Anglais. De la resthouse, belle vue sur la plage. ■

La pointe sud-est

Tissamaharama

➤ *À 264 km de Colombo.*

➤ *Informations pratiques et bonnes adresses p. 217.*

Tissamaharama, ancienne capitale du royaume de Ruhunu *(voir p. 58)*, fut fondée à la fin du IIIe s. ou au début du IIe s. avant notre ère. Le **Tissa Wewa**, à côté de la resthouse, fut probablement creusé à cette période. Après l'invasion dravidienne, c'est de là que partit Dutugemunu (161-137 av. J.-C. ; *voir p. 59*) pour reconquérir Anuradhapura. De ce passé, Tissamaharama n'a conservé que quelques ruines enfouies sous les broussailles, mais qui sont peu à peu dégagées. C'est le cas du **Sandagiri**, un grand ***dagoba*** de 50 m de haut, restauré grâce à la population locale. Très fréquenté, il constitue l'un des 16 lieux les plus sacrés de l'île. Sur le site, on peut voir encore les vestiges d'un monastère, ainsi que d'autres *dagoba* comme le **Yatala**, entouré de ruines (petit musée archéologique), et le **Menik**.

➤ **Les réserves.** Il existe deux petites réserves intéressantes dans les environs. Celle de **Wirawila**, à côté de Tissamaharama, est réputée dans le monde des ornithologues ; celle de **Bundala**, en bord de mer, au sud de Tissamaharama, abrite des éléphants sauvages *(accès payant et accompagnateur obligatoire)*.

➤ **Kirinda.** *À env. 10 km de Tissamaharama.* À l'embouchure du Kirindi Oya, un sanctuaire rappelle la légende de Vihara Maha Devi *(voir Colombo p. 113)* selon laquelle Kavantissa, souverain de la province au IIe s. av. J.-C., aurait recueilli puis épousé une jeune princesse sacrifiée par son père à l'océan, et qui fut miraculeusement ramenée vers le rivage. De cette union devait naître Dutugemunu, l'unificateur de Ceylan.

Le parc national de Yala**

➤ *À 21 km de Tissamaharama. Visite en 4x4, au départ de Tissamaharama, 2 fois par jour, à 5 h 30 et 15 h. Comptez en tout 4 h, dont 2 pour les allers-retours jusqu'à l'entrée du parc. Ajoutez au prix de location de la Jeep des taxes d'entrée très élevées et le prix d'un guide officiel. Silence et tenue vestimentaire de couleur neutre sont de rigueur. Les véhicules sont clos et leur vitesse est limitée. Flash et phares interdits. Le parc peut être fermé pour des raisons de sécurité.*

➤ *Informations pratiques et bonnes adresses p. 218.*

Appelé aussi **Ruhunu**, c'est un refuge de 240 km² créé en 1899, où éléphants sauvages, cerfs, daims, sangliers, buffles, et même quelques léopards, vivent parmi des milliers d'oiseaux, dont des centaines de paons. Des jumelles permettent de mieux profiter du spectacle. Les réserves du Sri Lanka ne sont pas celles du Kenya ou de la Tanzanie. Rien ne garantit que vous verrez les animaux, c'est surtout une question de chance. Sachez aussi qu'en été, ils remontent vers le nord. Mais les chauffeurs ont une grande habitude du lieu et savent les débusquer, notamment à proximité des points d'eau. Des sites archéologiques ont été mis au jour à l'intérieur du parc. Ainsi, à **Sithulpahuwa**, au bord du lac de Katagamuwa, se dresse un ensemble monastique avec deux *dagoba* restaurés et une statue de Bouddha couché. C'est un lieu de pèlerinage très fréquenté lors de la pleine lune de juin. Les amateurs pourront observer d'autres ruines à **Banwa** et à **Magulmahavihara**.

Kataragama*

➤ *À 283 km de Colombo et 19 km de Tissamaharama. Se renseigner auprès de l'office du tourisme à Paris (voir p. 29) sur la date du festival, qui varie chaque année. Se faire accompagner pour avoir une meilleure compréhension des rites et pour être guidé dans la visite du site. D'autres cérémonies ont lieu en dehors de ce festival, principalement en juin, juillet et août.*

➤ *Informations pratiques et bonnes adresses p. 216.*

Ce village, le « lieu le plus sacré de tous les lieux sacrés de Ceylan », n'est habité que par quelques centaines de personnes pendant l'année. Lors du **festival annuel**, il voit affluer des dizaines de milliers de pèlerins, attirés ici par la grâce et les pouvoirs du dieu Kataragama (nom que donnent les Sri Lankais à Skanda) : la divinité est vénérée dans tout le Sri Lanka par les fidèles de l'hindouisme, mais aussi par les bouddhistes, les musulmans et même les chrétiens. Les visiteurs risquent une certaine déception à Kataragama, car les édifices sont petits et extrêmement dépouillés.

➤ **LE MAHA DEVALE.** C'est le monument le plus sacré de tous, une maisonnette cubique vide et sans ornement dédiée à Kataragama/Skanda. À l'intérieur, un triple rideau ferme l'accès au saint des saints, où seul le prêtre qui en a la charge est admis à pénétrer et à contempler l'objet sacré conservé dans un coffret : il s'agit d'une plaque d'or gravée d'un diagramme magique, le *yantra*, qui serait constitué de deux triangles se pénétrant l'un l'autre. Cet objet revêt la plus grande importance dans les cérémonies qui régissent l'adoration du dieu Skanda depuis vingt-quatre siècles, conduites par douze prêtres, les *kapurala*. Chaque jour, des offrandes d'aliments sont apportées par les fidèles. Après avoir été bénites par l'un des *kapurala*, elles sont en partie rendues aux donateurs en tant que nourriture sacrée.

À côté du Maha Devale se trouvent deux **arbres Bo** et de petits **sanctuaires** consacrés à **Ganesh**, **Kali** et **Pattini**.

➤ **LE KIRI VIHARA.** Plus loin, ce grand et très ancien *dagoba* serait élevé sur l'un des seize endroits sacrés du Sri Lanka où séjourna Bouddha. Sa flèche contient une énorme pierre précieuse. ■

Cérémonies à Kataragama

Les prêtres de Kataragama, nommés *kapurala,* jouent un rôle essentiel dans le déroulement des cérémonies.

Les dévotions à Kataragama se paient non pas en offrandes tangibles, mais en pénitences spectaculaires: se rouler par terre, marcher les épaules chargées d'une sorte de harnais pendant qu'on suit la procession ou endurer volontairement d'extraordinaires douleurs physiques. Maints pèlerins se font ainsi trouer les joues, le nez ou la langue par de longues aiguilles imitant la forme du trident de Shiva ou de la lance de Kataragama. D'autres se font placer dans les chairs des hameçons de la taille d'un crochet de boucher et suspendre à une corde; certains sont littéralement suspendus à un mètre du sol par ces crochets. De leurs blessures ne coule pas une goutte de sang, grâce à l'état d'extase dans lequel se trouvent les sacrifiés volontaires: c'est le miracle de Kataragama.

Skanda, le dieu à la lance

Kataragama est assimilé au fils du dieu hindou Shiva et de la déesse Parvati, le frère de Ganesh à la tête d'éléphant. Baptisé aussi **Skanda**, ou Karttikeya, en sanscrit, Subramaniam, Murugan, ou Kathiresan par les Tamouls, il est accompagné d'un paon et tient dans sa main droite une lance, le *vel* donné par sa mère.

Son épopée légendaire raconte qu'il devint «généralissime de trois cents millions de dieux» à la suite d'une guerre sans merci où il vainquit les Asura (Titans), en tuant leur chef à l'aide de sa lance.

En raison de ses combats, Kataragama est parfois abusivement nommé dieu de la guerre. Ce n'est pas qu'une divinité belliqueuse: sous le nom de **Murugan**, il est un jouvenceau souriant, connu pour son aventure amoureuse avec Valli, une jeune fille vedda.

Nuit de noces

C'est après son triomphe sur les Asura, dans la forêt proche de Kataragama où vivait le peuple dont descendent les actuels Vedda, que le dieu rencontra Valli. Lors du festival, une procession mène symboliquement le dieu Kataragama vers son amante. Le *kapurala* (prêtre) vient chercher en grande pompe l'insigne de Kataragama, le *yantra*, dans son temple, pour le transporter à dos d'éléphant. Personne ne doit pouvoir apercevoir le *yantra*, qui est recouvert d'une étoffe blanche. Dans les nuages de fumée du camphre brûlé, au son des tambours, des trompettes et des conques, derrière les danseurs, la procession conduit la relique à l'intérieur du temple de Valli. Plus tard, le curateur transporte de nouveau le *yantra* sur l'éléphant, et la relique, toujours dissimulée aux regards, reprend sa place au Maha Devale. La dixième nuit, celle de la pleine lune, le *yantra* la passe auprès de sa maîtresse dans la demeure de celle-ci : c'est la nuit de noces de Valli et de Kataragama.

La marche sur le feu

L'avant-dernier jour du festival a lieu la marche sur le feu. Avant de traverser pieds nus l'épais tapis de braises de noix de coco, les fidèles se préparent par un régime végétarien de deux semaines et un bain purificatoire dans la Menik Ganga, et ils se recueillent au Maha Devale. Certains marchent calmement, d'autres courent. Quelques-uns font le parcours deux ou trois fois. Si des accidents surviennent, c'est que le patient n'était pas dans un état de pureté suffisant. Mais en principe, quoique la température des braises dépasse les 500 °C, nul n'est brûlé. Cette très ancienne pratique sacrificielle se perpétue aussi dans les villages de pêcheurs, comme à Udappawa, au nord de Chilaw.

Durant le festival de Kataragama, les abords du Maha Devale accueillent des milliers de pèlerins venus solliciter l'accomplissement d'un vœu ou remercier après la satisfaction d'un souhait.

Diya kapana : la séparation de l'eau

Après la nuit de noces, quand le *yantra* a réintégré le Maha Devale, le festival se clôt par la séparation de l'eau. Le *kapurala* vient rechercher le *yantra*, toujours sous le drap blanc qui le masque, pour l'immerger dans les eaux de la Menik Ganga. Il trace sur le fond de la rivière le signe de Kataragama à l'aide d'un sabre, symbolisant ainsi la séparation des bonnes et des mauvaises actions. Durant les quelques instants que dure la sanctification de l'eau, chacun veut s'y plonger ou s'en asperger pour se purifier. On en remplit des récipients, dont l'un sera solennellement transporté à Colombo, et son contenu réparti dans les différents temples consacrés à Skanda. Cette cérémonie finale est généralement présentée comme une intercession auprès de la divinité pour obtenir des pluies abondantes après la sécheresse.■

➤ ARRIVER EN TRAIN. La **ligne ferroviaire du Sud** dessert presque toutes les localités de la côte de **Colombo** à **Matara** (entre 3 h 30 et 4 h 30 de trajet) *via* Hikkaduwa et Galle.

Bentota

Indicatif ☎ 034

Hôtels

▲▲▲▲ **Bentota Beach** ☎ 715.76. htlres@keels.com. *139 ch.* avec air cond. Dans un beau site, entre la lagune et la mer. Grand jardin, piscine originale, centre de sports nautiques, sauna. Excellente table.

▲▲▲▲ **Saman Villa** ♥, à Aturuwella, à 5 km au S de Bentota ☎ 754.35, fax 754.33. Sur un promontoire entre deux plages, dans un cadre étonnant. *27 ch.* dans 14 villas doubles. Piscine en surplomb sur la mer. Centre de remise en forme. Confort, cuisine et service irréprochables. Adresse exceptionnelle, l'une des meilleures de l'île. Prix très élevés.

▲▲▲▲ **Taj Exotica** ☎ 756.50/58, fax 751.60, exotica@sri.lanka.net. en surplomb de la plage sur une colline. *500 ch.* avec balcon sur l'océan. 2 restaurants dont un coffee shop. Tennis, piscine, gymnase. Actuellement, l'un des meilleurs hôtels de plage de toute cette côte, avec le *Bentota Beach.*

▲▲▲▲ **The Villa**, à Mohutti Walauwa, à 1,5 km au S de Bentota ☎ 753.11. *15 ch.* sans air cond. Adresse de charme dans une résidence coloniale. Très beaux meubles dans les salons. Petite piscine. Prix élevés.

▲▲▲ **Ceysands** ☎ 750.73.74, fax 44.70.87. *84 ch.* agréables et très bien tenues avec air cond. Accès par bateau à cet établissement séparé de la route par la lagune. Décoration de style ceylanais ancien. **2 restaurants** et 3 bars. Piscine. Tennis. Mini-golf. Un des meilleurs dans sa catégorie.

▲▲▲ **Club Villa** ♥ ☎/fax 753.12. À la sortie de Bentota, près du *Villa*, dans une belle cocoteraie. *16 ch.* dont 4 de luxe avec air cond. Piscine. Une adresse exceptionnelle pleine de charme et très bien décorée. Bonne cuisine et service attentionné.

▲▲▲ **Serendib** ☎ 752.48 et 753.53, fax 753.13. *90 ch.* avec balcon. Air cond. pour la plupart. Piscine. Jardin donnant directement sur la plage.

▲▲ **Lihinya Surf** ☎ 751.26 à 28, fax 754.86, *86 ch.* réparties sur deux étages avec terrasse ou balcon pris dans la toiture et air cond. Belle vue. Piscine, tennis.

▲▲ **Taprobana Villa** ♥, à 1,5 km à la sortie S de Bentota sur la route d'Ambalangoda ☎ 756.18, fax 753.12. *9 ch.* Maison de charme très bien décorée. Même gestion que le *Club Villa* voisin, dont on partage la piscine. **Restaurant.**

▲ **Ayubowan**, 171, Galle Rd, à 1,5 km à la sortie S de Bentota sur la route d'Ambalangoda ☎ 759.13. Guesthouse simple dans une ancienne maison. 4 bungalows dans le jardin. Bon service et bon restaurant.

Beruwela

Indicatif ☎ 034

Hôtels

▲▲▲▲ **Eden** ☎ 760.75/76, 761.80, fax 761.81, eden@eureka.lk. *150 ch.* luxueuses avec air cond. et vue sur la mer. Piscine hollywoodienne. **Restaurant**, brasserie, bar-piscine, centre de remise en forme, squash, discothèque.

▲▲▲ **Bayroo**, à Moragalla ☎ 762.97. *100 ch.* avec air cond. Bel établissement d'un seul étage dans un grand jardin. Piscine, tennis, belle plage. **2 restaurants** et 2 bars.

▲▲▲ **Riverina**, à Kaluwamadera ☎ 760.45 et 761.50, fax 760.47, riverina@eureka.lk. *190 ch.* avec air cond. et balcon donnant sur la mer et le jardin. Piscine.

▲▲ **Barberyn Reef**, à Moragalla ☎ 761.34 et 761.73, fax 760.37, barbrese@slt.lk. *90 ch.* réparties dans des bungalows. Moins agréable que les autres établissements de sa catégorie. Pas de plage.

▲▲ **Swanee**, à Moragalla ☎ 760.07. *52 ch.* dont 36 avec air cond. et vue sur la piscine ou sur la mer. 2 bars. Tennis. Belle plage. Bien entretenu et agréable.

■ Dikwella

Hôtel

▲▲ **Club Dikwella Village** ☎ (041) 552.71/72, dikwella@mail.ewisl.net. *70 ch.* dans des bungalows. Situation exceptionnelle sur un promontoire, entre deux plages. Piscine d'eau de mer, tennis, jacuzzi, sports nautiques. Fonctionne comme un club. Direction italienne. Cuisine et services très quelconques.

■ Galle

Indicatif ☎ 09
Carte du fort p. 204

Hôtels

▲▲▲ **The Lady Hill** ♥, Upper Dickon Rd, après le marché (fléché) ☎ 443.22 et (075) 45.09.50, fax 348.55, ladyhill@diamond.lanka.net. Belle demeure coloniale sur une colline. *15 ch.* de luxe, belle piscine en cascade. Depuis le bar, très belle vue sur Galle.

▲▲▲ **Light House**, à Dadella, à 2 km au N de Galle ☎ 237.44 et fax 240.21, lighthousehotel@lanka.com.lk. *60 ch.* air cond., *3 suites* dont certaines ont vue sur la mer. Tout confort, grand choix d'activités sportives. Piscine, tennis, squash, etc. Centre ayurvédique. Restaurant panoramique. Beau cadre, mais plage pratiquement inexistante.

▲▲ **Closenberg**, à 1,5 km au S de la ville ☎ 243.13, fax 322.41. *16 ch.* aménagées dans l'ancienne résidence d'un capitaine hollandais, construite en 1858 sur un promontoire d'où l'on domine toute la baie. Les nouvelles chambres avec balcon sont agréables. Beaucoup de charme et de nostalgie. Au déjeuner, trop de groupes.

▲ **New Oriental**, 10, Church St. dans le fort ☎/fax 345.91. *36 ch.* Ce monument historique se visite plutôt comme un musée. Mini-piscine dans le jardin.

Shopping

Quelques antiquaires proposent des **objets anciens** . Dans les magasins d'artisanat local, vous trouverez (outre les articles en **écaille**, que nous vous conseillons de refuser ; *voir p. 46)* d'admirables **dentelles.** Introduite au Sri Lanka au XVIe s. par les Portugais, puis développée par les Flamands, la **dentelle** utilisée pour le fameux **point de Galle** est toujours exécutée au carreau, coussin monté sur un support en bois et garni de fuseaux. Méfiez-vous des rabatteurs qui cherchent à vous conduire chez des **joailliers** dont les pierres sont presque toujours fausses.

■ Hambantota

Indicatif ☎ 047

Hôtels

▲▲ **The Oasis**, à Sisilagama, à 5 km à l'O de Hambantota ☎ 206.50 à 52, fax 206.51/52, theoasis@srilanka.net. *38 ch.*, *10 chalets*, *2 suites*, avec air cond. Piscine, squash, volley-ball. Au bord d'une plage (baignade dangereuse). Meilleur que le *Peacock*.

▲▲ **Peacock**, à Galwala, à 7 km à l'O de Hambantota ☎/fax 201.59, peacock@slnet.lk. *86 ch.* avec balcon ouvrant sur la mer. Piscine entourée de frangipaniers. Hôtel en bordure d'une belle plage, mais fréquenté uniquement par les groupes.

■ Hikkaduwa

Indicatif ☎ 09

Hôtels

▲▲▲ **Corals Gardens**, Galle Rd ☎ 771.88 et 89, fax 571.89, htlres@keells.com. *156 ch.* très jolies, avec vue sur l'océan. Salons confortables. Deux piscines, squash, gymnase, 2 tennis, club de santé et club de plongée. Excellente adresse mais pas de plage, comme beaucoup d'autres hôtels de cette station.

▲▲ **Blue Corals**, 332, Galle Rd ☎ 776.79, fax (074) 381.28. *52 ch.* donnant sur la mer. Piscine et jardin, avec une plage.

▴▴ **Lanka Super Coral**, 390, Galle Rd ☎773.87 et 770.09, supercor@panlaka.net. *108 ch.* dont 58 avec vue sur la mer. Pas de plage. Piscine. Jardin.

▴▴ **Ocean Beach Club** ♥, au km 102 sur la route de Galle ☎773.66 ou ☎(072) 434.12. *30 ch.* avec terrasse et jolis meubles. Les plus belles donnent directement sur la plage. Bonne cuisine. Établissement simple, mais recommandé.

▴▴ **Reefcomber**, Galle Rd ☎773.77/78, ☎/fax 773.74. *54 ch.* confortables, avec balcon sur la mer et air cond. Belle situation. Sans plage. Piscine. Hôtel résolument moderne, plutôt agréable.

Restaurants

♦♦♦ **Refresh**, 384, Galle Rd ☎778.10, à côté du *Reefcomber. Ouv. 7h-24h.* Décor agréable pour ce restaurant dont la nouvelle salle donne sur la mer. Belle carte avec un grand choix de poissons, de plats chinois et de spécialités italiennes. Fait aussi boulangerie et pâtisserie.

♦♦ **Sea View**, 297, Galle Rd ☎770.14. Cuisine italienne, poissons et fruits de mer. Bons jus de fruits.

Kalutara

Indicatif ☎034

Hôtels

▴▴▴▴ **Royal Palms Beach**, à Waskaduwa, à 2 km au N ☎281.13 à 17, fax 281.12, tangerinetours@eureka.lk. *124 ch.* luxueuses avec balcon ou patio. Piscine originale, jacuzzi. **3 restaurants** et une discothèque.

▴▴▴ **Blue Water**, à 9 km au S de Kalutara ☎350.67 et 68, 356.56 et 57, fax 957.08, bluewater@eureka.lk. *100 ch.* confortables avec terrasse et vue sur la mer. Établissement récent avec une piscine originale conçue comme un vaste plan d'eau au milieu des cocotiers. Très belle plage.

▴▴ **Ocean View**, à Molligodawatte, à 8 km de Kalutara ☎357.65 à 67, fax (070) 50.30.54. *150 ch.* Bel établissement, situé dans une plantation de cocotiers en bordure de la plage. Piscine originale avec bains à remous. Mini-golf. Tennis. Bonne cuisine.

▴▴ **The Sindbad**, St Sebastian's Rd, à Katukurunda, à 4 km de Kalutara ☎265.37 à 39, fax 265.30. *105 ch.* dont 33 avec air cond. Sur une presqu'île entre le lagon et la mer. Bien dirigé, bonne cuisine. Salons agréables. Belle piscine, mais pratiquement pas de plage. Mini-golf.

▴▴ **Tangerine**, à 4 km au N de Kalutara ☎229.82 et 83, 222.95, fax 267.94 et 281.12, tangerinetours@eureka.lk. *166 ch.* avec air cond. L'ensemble est conçu autour de plusieurs pièces d'eau qui forment un jardin aquatique en cascade. Piscine parmi les cocotiers, en bordure de plage. **Restaurant** panoramique.

Kataragama

Indicatif ☎047

Pour le **festival** *(voir p. 212)*, prenez la précaution de réserver plusieurs mois à l'avance.

Hôtels

▴▴ **Rosen Renaissance**, Detagamuwa ☎355.60, fax (8) 409.99, e-mail rosen@sltnet.lk. *52 ch.*, avec air cond. Donne sur un grand jardin paysager. Piscine avec musique sous l'eau. 3 bars.

▴ **Jayasinghe Holiday Resort**, 32 A, Detagamuwa. Rés. ☎(071) 356.45 et (047) 351.46. Piscine. Restaurant proposant de la cuisine locale ou chinoise.

Koggala

Indicatif ☎09

Hôtel

▴▴ **Club Horizon** ☎532.97, fax 532.99. *70 ch.* avec terrasse donnant sur la mer et *24 ch.* plus luxueuses dans des bungalows. Tennis, piscine, mini-golf, club de sport. La plage de l'hôtel est constituée de débris de coraux. L'ensemble est malheureusement bruyant.

Kosgoda

Indicatif ☎ *09*

Hôtels

▲▲▲ **Triton**, à Ahungalla, à 4 km au S de Kosgoda et à 5 km au N d'Ambalangoda ☎ 640.41 à 44, fax 640.46. *160 ch.* grandes et avec air cond. L'architecte, Geoffrey Bawa, a imaginé une succession de plans d'eau au niveau de la mer. Établissement, surclassé, qui n'est pas entretenu comme il le devrait.

▲▲ **Kosgoda Beach** ☎ 640.17 et 540.18, fax (071) 701.80, kosgodab@eureka.lk. *50 ch.* et *12 suites* avec l'air cond. réparties dans des cottages de style ceylanais, toutes avec terrasse et s.d.b. à ciel ouvert. Dans une cocoteraie, au bord d'une immense plage. Très belle piscine. Entretien, service et nourriture quelconques.

Matara

Indicatif ☎ *041*

Hébergement

▲ **Resthouse**, dans le fort ☎ 222.99. *13 ch. rénovées.* Simple mais confortable. Bonne cuisine locale. Accueil agréable. Pas de plage.

Adresse utile

Alliance française, 29, Rahula Rd, dans le quartier des écoles ☎ 225.68 et 217.68, alframat@slnet.lk. Excellent accueil. Le directeur est toujours prêt à vous aider. Bibliothèque et conseils pour visiter la région.

Mirissa

Indicatif ☎ *041*

Hôtel

▲ **Paradise Beach Club**, ☎ 512.06, ☎/fax 503.80, mirissa@sltnet.lk. *40 bungalows*, sans eau chaude, dans un beau jardin avec piscine donnant sur la plage. Excellente adresse, simple. Bonne cuisine, buffets à thème. Service efficace. Demi-pension obligatoire. Réservation indispensable en saison.

Tangalle

Indicatif ☎ *047*

Hôtels

▲ **Palm Cabanas**, plage de Goyamboka, par une piste à 500 m de la route principale, à 3 km avant Tangalle ☎/fax 403.38. Rés. à Colombo ☎ (01) 68.51.07, secol@vinet.lk. *Bungalows avec s.d.b.* dans une cocoteraie en bord de plage. Confortable. Notre meilleure adresse à Tangalle.

▲ **Tangalle Bay** ☎ 403.64 et 406.83, fax 403.46. *32 ch.* Sur un promontoire, une architecture en forme de bateau due à l'un des grands architectes sri lankais, Valentin Gunasekera. Piscine. Bonne cuisine. Pas de groupes. Dommage que cette réalisation originale, qui pourrait être signée Le Corbusier, se dégrade lentement.

Tissamaharama

Indicatif ☎ *047*

Hôtels

▲ **Lake Side**, à Akuragoda, à 300 m avant la Tissamaharama Resthouse, près du réservoir de Tissawewa ☎ 372.16. *25 ch.* simples mais correctes, sur deux étages.

▲ **Priyankara Tourist Inn**, à Akuragoda, à 2 km du centre en direction de Kataragama ☎ 372.06, fax 373.26, prihotel@itmin.com. *Env. 20 ch.* au milieu des rizières. **Restaurant** et bar. Service attentionné.

▲ **Tissamaharama Resthouse**, au bord du lac ☎ 372.99 et 372.01. *60 ch.* dont 10 avec air cond. Piscine. Jardin donnant sur le lac, dont les rives sont peuplées d'oiseaux. L'établissement vit sur sa réputation.

Unawatuna

Indicatif ☎ *09*

Hôtels

▲▲ **The Dream House**, Yaddehimulla Rd ☎ (074) 38.15.41, fax (074) 38.12.12. *5 ch.* dont 3 avec balcon dans une belle petite villa de style colonial bien décorée et gérée par des Italiens. **Restaurant** avec spécialités italiennes. Adresse de charme.

▲▲ **Unawatuna Beach Resort**, sur la plage ☎ 240.28, fax 322.47. ubr@sri.lanka.net. Rés. à Connaissance de Ceylan *(voir p. 124)*. *60 ch.* de différentes catégories. Piscine. Nombreuses activités : volley-ball, badminton, excursions. Centre ayurvédique. **Restaurant** sur la mer. Direction française.

▲ **See View Guesthouse**, Devale Rd (à l'extrémité de la plage) ☎ 243.76, fax 236.49. *17 ch.* et *1 bungalow*. Vue sur la mer ou sur le jardin, bien entretenu. Adresse simple mais agréable. **Restaurant.**

Location

▲▲▲ **Villa Next**, en bord de mer, à 3 km à l'E du Unawatuna Beach Resort ☎ (01) 68.56.01 ou ☎ (074) 72.10.07. *4 ch.*avec ventilateurs et *1 ch.* avec air cond. Ensemble d'architecture de style coloniale. La villa est à louer dans son ensemble (pour 10 personnes). Rés. à Connaissance de Ceylan *(voir p. 124)*.

■ Weligama

Indicatif ☎ 041

Hôtels

▲▲ **Crystal Villa Hotel** ♥, à 1 km au S de Weligama sur la route de Mirissa ☎ 506.35. Rés. à Colombo ☎ (01) 72.50.32 et 33, fax 73.50.31. *3 ch.* en étage et *2 bungalows* très confortables avec s.d.b. à ciel ouvert. Dans une cocoteraie avec belle piscine. Excellente adresse avec un accueil personnalisé. Beaucoup de charme et bon service. On parle français. Pas de cartes bancaires.

▲▲ **Weligama Bay Beach**, à Kapparatota, à 1 km au N de Weligama ☎ 504.07, fax 502.01. *60 ch.* avec air cond. et balcon sur la mer. Bien situé mais prestations très quelconques. Piscine mais pas de plage.

▲ **Chez Frank**, à Kapparatota, à 1 km au N de Weligama, face au *Weligama Bay Beach* ☎ 505.84. *9 ch.* simples mais propres. Restaurant (bonne cuisine).

▲ **Club Lanka**, à 4 km au N de Weligama ☎ (09) 833.61, fax (09) 832.96. *33 ch.* dont 18, les plus agréables, sont dans la nouvelle aile. Piscine. Établissement simple mais agréable et bonnes prestations. Belle plage non dangereuse.

▲ **Jaga Bay Resort**, à Pelena, à 3 km au S de Weligama. ☎ (09) 532.96. *17 ch.* dont 6 avec eau chaude. Très belle situation au bord d'une magnifique plage. Bonne table et excellent accueil.

■ Yala (parc national de)

Hôtel

▲▲ **Yala Safari Beach**, à Amaduwa, à l'entrée du parc, accès par une piste ☎ (047) 204.71 et 380.15. *60 ch.* dans des bungalows confortables au bord de la mer, sur la plage. **Restaurant** et bar agréables. Réservation indispensable. ■

MALÉ, CAPITALE DES MALDIVES

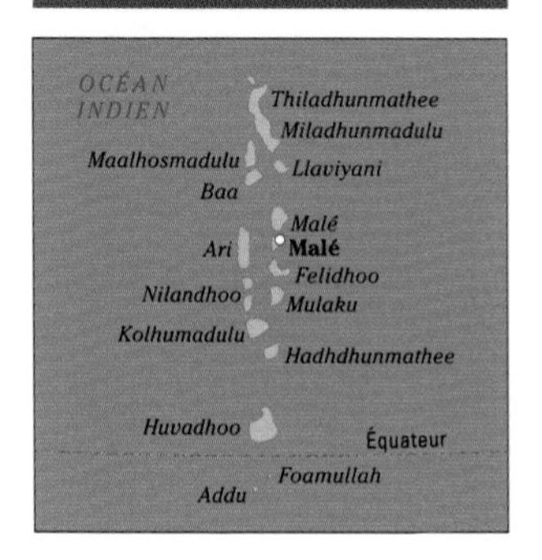

Malé, l'une des plus petites capitales du monde (2 km de long sur 1,5 km de large), à quelques encablures de l'aéroport, se signale par ses immeubles au milieu desquels brille la coupole dorée du Centre islamique. Depuis quelques années, Malé est en pleine restructuration. Ses petites maisons font progressivement place à des tours, exiguïté et rentabilité obligent. Les ruelles, jadis recouvertes de sable corallien, ont été pavées. Déjà les remparts de l'ancien fort portugais et les vieux canons avaient disparu dans les années 1960, lors de la construction du nouveau quai. À la même époque, le président Nasir avait fait raser l'ancien palais des sultans. Malgré ces changements, Malé ne ressemble encore à aucune autre ville au monde. Ses petites rues rectilignes, coupées à angle droit, sont souvent dépourvues de trottoirs et la circulation y est intense.

Malé n'a pas toujours été la capitale du pays. Les premiers colons de l'atoll avaient couronné leur chef, **Koimala Kaola**, premier souverain de l'histoire maldivienne, dans une île du nord de l'archipel, dans l'atoll de Maalhosmadulu. Mais une fois élu, le prince préféra s'établir avec sa cour dans une île plus vaste. Il choisit celle de Malé dont le nom serait dérivé du mot sanscrit *Maaliu*, la « grande île ». Depuis, Malé n'a cessé d'être le centre politique et culturel de l'archipel. Son port a été pendant des siècles une escale sur la route reliant l'Asie orientale au monde occidental. Les navires s'y abritaient lors de la mousson d'*iruvai* *(voir p. 22)*. Petite ville calme jusqu'aux années 1980, elle a suivi l'essor de l'archipel. Aujourd'hui, un quart de la population y a trouvé refuge.

➤ *Informations pratiques et bonnes adresses p. 224.*

Marine Drive

ABC1-2 Votre premier contact avec la capitale se fera obligatoirement en accostant sur **Boduthakurufaanu Magu**, depuis l'île-aéroport. Ce quai, qui longe toute la côte nord de l'île, est encore souvent appelé par son ancien nom : **Marine Drive**. Plusieurs ports s'y succèdent. Tout d'abord le débarcadère des *dhoni*-taxis qui relient les îles et l'aéroport, puis celui des bateaux officiels, face à la place Jumhoree Maidan, enfin, celui des *dhoni* de pêche, qui commence devant le marché au poisson **B1**. Le **port principal A2**, à l'ouest de la ville, près de l'hôpital Indira Gandhi **A2**, n'offre aucun intérêt pour les touristes. Vous découvrirez le long du front de mer des banques, des agences de voyages et des bâtiments officiels, dont le tout nouveau Palais présidentiel. La façade principale du ministère de la Défense donne sur **Jumhoree Maidan B1**, un grand square toujours animé en fin de journée. C'est là que flotte en permanence le drapeau national.

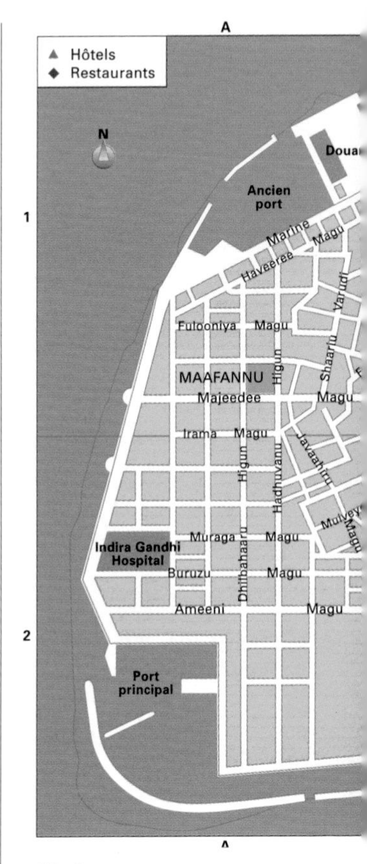

MALÉ

Le Centre islamique

B1 Imposante construction coiffée d'un gigantesque dôme d'aluminium doré, le **Centre islamique** fut réalisé par un architecte malais et inauguré en 1984. L'intérieur, décoré de marbre grec et de panneaux en bois sculpté, comprend un vaste auditorium, des salles d'étude, une bibliothèque et une mosquée pouvant accueillir jusqu'à 5 000 fidèles. Elle porte le nom du héros national **Mohamed Thakurufaanu** qui, en chassant les Portugais en 1573, mit fin à la présence catholique dans son pays.

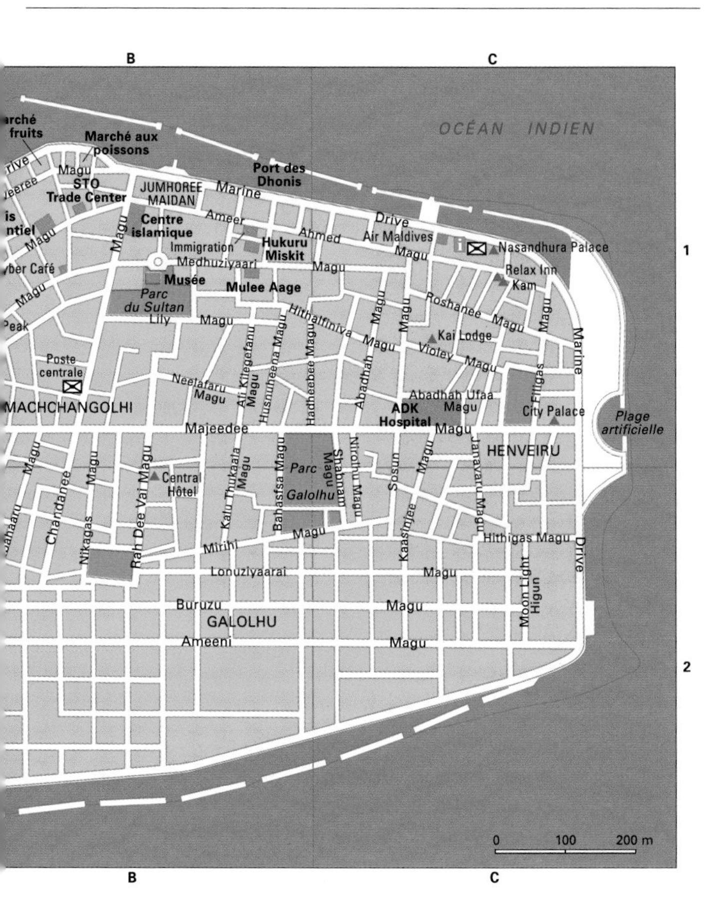

Le port de pêche et les marchés

B1 Le port des *dhoni* de pêche est particulièrement animé l'après-midi quand les bateaux rentrent. Juste en face, dans une halle moderne, se tient le **marché au poisson**, fréquenté uniquement par les hommes. Les pièces, en majorité des bonites, y sont exposées à même le sol. Lorsqu'elles sont vendues, des préposés les débitent en filets avec une dextérité surprenante. Un peu plus loin se trouve le marché couvert, consacré aux fruits et légumes, denrées précieuses, car ils ne poussent pratiquement pas aux Maldives. Tout ce quartier très animé permet de partager un peu le quotidien des Maldiviens.

La mosquée du Vendredi

La plus ancienne et la plus remarquable parmi la vingtaine de mosquées que compte Malé est la **Hukuru Miskit**, appelée aussi **mosquée du Vendredi B1**. Bâtie en 1656 par le sultan Iskander Ier, elle se signale par un étrange minaret, le Munaaru, lourde construction de 1675, cylindrique et blanche,

Le Centre islamique de Malé, l'île-capitale des Maldives, l'un des plus importants de l'Asie méridionale, fut financé par l'Arabie Saoudite, la Libye et le sultanat de Brunei.

rehaussée de bandeaux bleus qui soulignent une inscription coranique. À son sommet sont installés, bien en évidence, les haut-parleurs qui diffusent les appels à la prière. La mosquée (accessible uniquement aux musulmans) a été bâtie sur un ancien temple orienté vers le soleil et non vers La Mecque, ce qui contraint les fidèles à se prosterner en diagonale. Œuvre des charpentiers maldiviens de jadis, ce petit bâtiment de bois et de pierre de corail est malheureusement recouvert d'une hideuse toiture de tôle. L'intérieur abrite des objets évoquant la conversion des Maldives à la religion islamique.

Autour de la mosquée sont rassemblées de **nombreuses stèles et chapelles funéraires** recouvertes d'inscriptions. Dans ce cimetière sont enterrés nobles, sultans ou héros locaux. Les pierres tombales arrondies indiquent les sépultures féminines, les autres, terminées en pointe, celles des hommes.

Vis-à-vis de la mosquée, derrière le minaret, le **Mulee Aage** est une résidence destinée au fils du sultan Shamusudeen III, qui ne régna jamais, son père ayant été démis de son titre. Construite en 1913 dans le style colonial singhalais, cette belle maison blanche et bleue abrite aujourd'hui les hôtes officiels, et ne se visite pas.

À g., dans l'angle de cette résidence, un petit édifice, le **Medu Ziarat**, constitue l'un des lieux les plus sacrés de Malé. C'est le tombeau présumé de Abu ul-Barakaat Yusuf al-Berbery, saint homme qui en 1153 aurait rapporté, de son Maroc natal, l'islam aux Maldives.

Entre le parc du Sultan **B1** et Majeedee Magu, la **tombe de Mohamed Thakurufaanu** est érigée à côté d'une petite mosquée.

Le parc du Sultan et le musée

B1 L'ancien palais du sultan se trouvait dans ce parc, mais le premier président de la toute nouvelle république le fit démolir en 1969. Le jardin, dit **parc du Sultan**, est *ouv. t.l.j. 9h-12h et 15h-18h, ven. 16h-18h30.*

Dans un angle du parc, une maison blanche abrite le **musée** *(ouv. t.l.j. 9h-12h et 15h-18h (ven. 16h-18h30). Entrée payante, photos interdites. Compter 30 mn de visite)*, dont la visite est un complément à toute excursion dans l'île. Un sens obligatoire est prévu. Deux pièces contemporaines s'ajoutent aux collections : deux motos japonaises qui ont été atteintes par des balles lors de la dernière tentative de putsch en 1988.

Au **rez-de-chaussée** est présentée une collection de boîtes en métal ciselé et en laque, des lits et des palanquins, des fauteuils et des trônes, des armes, des boucliers, quantité d'objets de cuivre, narghilés, crachoirs, boîtes à bétel, lampes, aiguières, plateaux, ustensiles de cuisine... Enfin, des antiquités bouddhiques, recueillies par Thor Heyerdahl au cours de ses fouilles dans l'archipel, témoignent de la présence de cette religion avant l'arrivée de l'islam. Au **1er étage** sont exposées des maquettes de navires utilisés par les pêcheurs maldiviens ainsi que des instruments de musique, des tambours *(bodu beru)*, des jeux, des balances avec leurs poids. Au **2e étage**, on peut voir des vêtements princiers, des turbans, des vestes de cérémonie, des ceintures d'argent ouvragé, des parasols de parade, des bannières, des monnaies et des sceaux. Cette accumulation d'objets permet d'évoquer la vie des sultans qui se sont héréditairement succédé à Malé jusqu'en 1932.

Une banlieue d'îles

La capitale est entourée d'îles. Tout d'abord celle d'**Hulule** sur laquelle a été construite la piste d'atterrissage de l'aéroport. Un projet ambitieux prévoit de relier cette île, déjà en partie artificielle, avec celle de Faru, occupée par le Club Méditerranée. L'île de **Vilingili**, ancienne île-hôtel, sert maintenant de banlieue à Malé. Le gouvernement incite la population de la capitale à s'y installer. On peut s'y baigner : la plage est assez belle et des *dhoni* collectifs assurent le transfert pour une somme modique. L'île la plus proche, Funadhoo, est réservée au stockage des produits inflammables. Celle de Thilafushi sert au dépôt des ordures ménagères et celle de Dhoonidhoo a été transformée en prison. ■

■ Malé

🛈 ☎ 32.32.28, fax 32.32.29, mtpb@visitmaldives.com, www.visitmaldives.com. Bureaux à l'aéroport de Hulule et sur Boduthakurufananu Magu **C1** (*ouv. 9h-13h*). Prospectus, liste des îles-hôtels, plans des atolls et de Malé.

Circuler

La circulation, qui se fait à gauche, est intense quoique le gouvernement ait limité le nombre de voitures particulières. De nombreux taxis sillonnent cette petite ville où la vitesse est limitée à 35 km/h. On s'y déplace aussi beaucoup à bicyclette et à moto.

Usages

Comme partout et plus particulièrement en pays musulman, une tenue décente est exigée, principalement pour les femmes qui doivent avoir les épaules et les genoux couverts. Les autorités peuvent se montrer très strictes sur ce point.

Hôtels

▲▲ **Central Hotel**, Rahdebai Magu Goalhi **B2** ☎ 31.77.66, fax 31.53.83, central@dhivehinet.net.mv. *47 ch.* avec air cond. **Restaurant** avec une carte de plats occidentaux, chinois et maldiviens.

▲▲ **Kam Hotel**, 20-05, Meheli Goalhi **C1** ☎ 32.06.1-13, fax 32.06.14, kamhotel@dhivehinet.net.mv. *31 ch.* avec air cond., petites et inégales. Piscine. Bon service, mais **restaurant** quelconque.

▲▲ **Nasandhura Palace**, Boduthakurufananu Magu **C1** ☎ 32.33.80, 32.35.25 et 32.33.60, fax 32.08.22, nasndhra@dhivehinet.net.mv. *31 ch.* avec air cond., TV, réfrigérateur-bar et téléphone. **Restaurant**. Cet hôtel, le meilleur de la capitale, géré par l'État, n'a cependant de palace que le nom.

▲▲ **Relax Inn**, Ameer Ahmed Magu **C1** ☎ 31.45.31 et 31.45.32, fax 31.45.33, relaxinn@dhivehinet.net.mv. *47 petites ch.* avec air cond. Sauna, jacuzzi, cafétéria. **Restaurant** panoramique avec une carte variée.

▲ **Kai Lodge**, Violet Magu **C1** ☎ 32.87.42, fax 32.87.38. Même direction que le *Kam Hotel* et même e-mail. *15 ch.* avec air cond. et téléphone direct.

Restaurants

Aucun des établissements n'est autorisé à servir de l'alcool.

♦♦ **Trends**, Boduthakurufananu Magu **C1**. Restaurant du *Nasandhura Palace* installé dans un agréable jardin. Cuisine européenne correcte. Adresse très fréquentée. *Ouv. sans interruption.*

♦♦ **Twin Peak Italian Restaurant**, 20-02, Orchid Magu **B1** ☎ 32.78.30. Authentique cuisine italienne. Dégustation de café. La meilleure table de Malé, la plus chère aussi. Cadre agréable.

♦ **Haruge Cafe**, Boduthakurufananu Magu **C1** ☎ 31.53.56. Agréable, mais excentré. En face de la plage artificielle.

♦ **Seagull Cafe**, Fareedhee Magu **B1** ☎ 32.37.92. Jardin agréable, spécialités italiennes. Choix de glaces et de jus de fruits excellents.

♦ **Thaï Wok**, Boduthakurufananu Magu **C1** ☎ 31.00.07. Cuisine thaïe, comme son nom l'indique.

Sports et loisirs

Un bassin, la « plage artificielle », vient d'être créé, au N-E de la ville **C1**. Le *Kam Hotel* dispose d'une toute petite piscine. À part une salle de cinéma, le *Star*, sur Majeedee Magu **B1**, qui programme essentiellement des films indiens, il n'y a aucun divertissement nocturne.

Shopping

Les **boutiques** (*ouv. 8h-23h, avec une pause vers 13h et une autre vers 17h, pour la prière du soir ; fermées ven. matin*) sont nombreuses et beaucoup moins chères que dans les îles-hôtels. Les souvenirs proposés proviennent d'Indonésie et du Sri Lanka. Avant d'acheter, comparez les prix au **STO Trade Center B1** où se trouvent rassemblés beaucoup de commerces et une grande surface bien achalandée. Un autre supermarché est ouvert dans Fareedhee Magu **B1**. Pour les articles de **plongée**, le meilleur choix est chez **Water World** sur Chandanee Magu **B1** et chez **Sea Sports** dans le STO Trade Center **B1**.

À votre départ, dans les boutiques hors taxes de l'aéroport, vous pourrez faire des achats en devises étrangères.

Adresses utiles

➤ BANQUES. *Ouv. dim.-jeu. 9h-13h.* **Bank of Ceylon**, Meedhufaru, Orchid Magu **B1**. On peut y retirer des *rufiya* avec sa carte bancaire. **Bank of Maldives**, Boduthakurufananu Magu **C1**. **Habib Bank Limited**, 23, Orchid Magu **B1**. **State Bank of India**, Boduthakurufananu Magu **C1**. Change possible aussi au **Maldives Monetary Authority**, dans Umar Shopping Arcade, à côté du Centre islamique **B1**. La compagnie **Cyprea** sur Boduthakurufananu Magu peut délivrer des *rufiya* aux détenteurs de la carte VISA.

➤ COMPAGNIES AÉRIENNES INTÉRIEURES. **Air Maldives** Boduthakurufananu Magu **C1** ☎31.48.08 et32.24.32. **Maldivian Air Taxi**, aéroport de Hulule ☎31.52.01 et fax 31.52.03, sales@mat.com.mv. La Flotte est composée d'hydravions de 9 ou 18 places. Une façon originale de découvrir les atolls. Location possible pour des excursions et des photos aériennes. **Hummingbird**, MHA Building, sur Ameer Ahmed Magu **B1** ☎32.57.05, fax 32.31.61 : lignes régulières et vols charters pour des excursions à la demande.

➤ CYBERCAFÉ. Dhiraagu **B1** ☎31.11.22, info@cybercafe.com.mv, www.cybercafe.com.mv, et à l'office du téléphone.

➤ HÔPITAUX. **Indira Gandhi Memorial Hospital**, Kam'baa Aisaaranihigun **A2** ☎ 31.66.47 et 31.66.36, fax 31.66.40. Le plus récent et le mieux équipé. **ADK Hospital**, Sosun Magu **C1** ☎31.35.53, fax 31.35.54. Clinique privée avec des services spécialisés et une pharmacie. Correspondant de la plupart des compagnies d'assurance.

➤ LIBRAIRIES. **Novelty**, Fareedhee Magu **B1**, la plus importante, et **Bookshop**, STO Trade Center **B1**. On ne trouve à Malé ni livres ni journaux français. Les ouvrages sur la plongée et sur les Maldives sont vendus dans les boutiques de souvenirs.

➤ PHARMACIES. **ADK**, dans la clinique du même nom **C1** ☎32.43.32. En ville, nombreuses pharmacies où l'on parle anglais.

➤ POLICE. ☎119. **National Security Service**, Ameer Ahmed Magu **B1** ☎31.32.81.

➤ POSTE. Bureau sur Boduthakurufananu Magu **C1**.

➤ PROLONGATION DE VISA. **Department of Immigration and Emigration**, Huravee Building, sur Ameer Ahmed Magu **B1** ☎32.83.58 ou 32.39.12. *Voir aussi p. 26.*

➤ TAXIS. Ils ne comportent pas d'indication mais leur plaque minéralogique est jaune. Ils ne sont pas équipés de compteurs. La course coûte forfaitairement 1 US $, à condition de faire appeler le taxi par téléphone et de ne faire aucun arrêt en cours de route. Compter 1 US $ supplémentaire pour les bagages. Passé minuit le prix est majoré. Il est toujours préférable de se faire préciser le montant de la course auparavant.

➤ TÉLÉPHONE. À l'angle de Chandanee Magu et de Dhiraagu Medhu Ziyaari Magu **B1** *(ouv. sam.-jeu. 7h30-20h, ven. et j.f. 8h-18h)*. Communications pour le monde entier (téléphone, fax, e-mail, télégrammes ; location de téléphones portables). Nombreuses cabines téléphoniques en ville. Elles fonctionnent avec des cartes *(voir p. 50)*.

➤ URGENCES. Ambulances ☎ 102. Urgences ☎119. ■

UNE ÎLE, UN HÔTEL

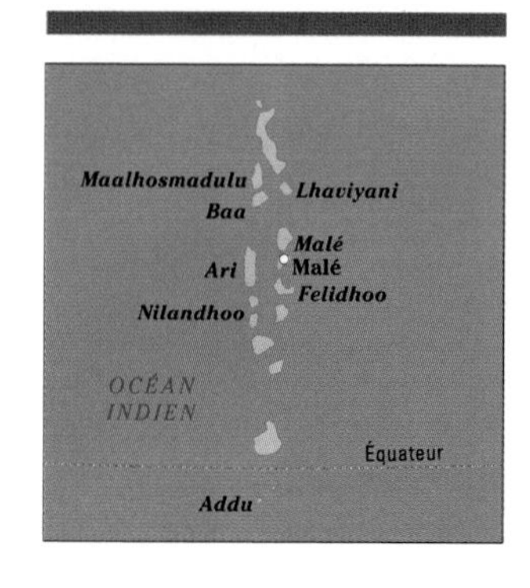

Jusque dans les années 1970 personne ne se rendait aux Maldives. Désormais, toutes les grandes agences de voyages inscrivent cette destination à leur catalogue. Les chiffres sont éloquents : 1 000 visiteurs en 1972, contre 400 000 en 1998. Avec ses 14 000 lits répartis sur quelque 80 à 95 îles-hôtels, la capacité d'accueil a quadruplé entre 1990 et 2000. De nouveaux atolls (Meemu, Dhaalu et Faafu) sont ouverts aux touristes. Le plan prévoit la création de 5 000 lits supplémentaires d'ici à 2005. Le tourisme constitue la première source de revenus pour l'État. Les taxes de séjour (*bedtax* de 6 US$ par nuitée, comprise dans les prix des agences) et d'embarquement à l'aéroport sont une véritable manne. De nombreux Maldiviens travaillent maintenant dans l'hôtellerie et les services liés au tourisme. Le tourisme « sauvage » étant proscrit et le logement chez l'habitant impossible, le visiteur doit toujours passer la nuit dans un hôtel ou dans une île-hôtel. L'accostage sur une île habitée est soumis à une autorisation gouvernementale préalable. Les autorités veulent ainsi préserver la population de certains effets néfastes, incompatibles avec la rigueur de la religion d'État (naturisme, prostitution, consommation d'alcool et de stupéfiants…). Les Maldives ont actuellement tendance à développer un tourisme assez haut de gamme au détriment des îles « sportives », qui sont essentiellement destinées aux plongeurs. ■

Les Maldives comptent 26 atolls naturels mais ils ne sont que 19 administrativement, auxquels il convient d'ajouter celui de Malé. Ces atolls sont désignés par une lettre de l'alphabet maldivien, que l'on retrouve dans l'immatriculation des embarcations. Les îles-hôtels sélectionnées, regroupées par atoll, sont toutes proposées par les voyagistes mentionnés *(adresses p. 26)*. Leurs catalogues vous donneront toutes les précisions sur les activités incluses ou non dans le forfait. Les distances et temps de trajet sont donnés à partir de Malé. Lorsque le nom de l'hôtel diffère de celui de l'île, nous indiquons d'abord le nom de l'île, suivi, entre parenthèses, de celui de l'hôtel.

■ Atoll d'Addu

➤ *À 500 km au S de Malé.*

Gan (Ocean Reef)

➤ *À 1 h 15 en avion, au S de l'équateur.*

☎ 58.80.19, fax 58.80.20, crowotld@dhivehinet.net.mv. **Rés.** : Subexplor, La Maison des Maldives. C'est une grande île de 5 km de long sur 3 de large avec une végétation extraordinaire, très différente des îles habituellement fréquentées par les touristes. *70 ch.*, aménagées avec goût dans d'anciens bâtiments de la Royal Air Force, disposent de tout le confort. Bar, restaurant, cafétéria, piscine, billard. Nombreuses **activités** : location de vélos, tennis, squash, volley-ball, plongée sous-marine (école Eurodivers), planche à voile. Pas de plage de sable blanc, mais chaque jour une excursion en bateau est prévue sur l'île voisine de Villigeli qui dispose d'une des plus belles plages de l'atoll. Une digue permet de se rendre dans l'une des 4 îles avoisinantes où vivent de pêche et de cultures potagères environ 20 000 Maldiviens.

■ Atoll d'Ari (Alifu)

➤ *À 60 km à l'O de Malé.*

Dhidhoo Finolhu (Ari Beach)

➤ *À 2 h 30 en bateau rapide, 25 mn en hydravion.*

☎ 45.05.13, fax 45.05.12, aribeach@dhivedinet.net.mv. **Rés.** : Îles du Monde, Blue Lagoon, Kuoni, Subex-

Une journée sur votre île

Aux Maldives, on vit pieds nus (le sable est si fin que l'on a parfois l'impression de marcher sur de la farine), sans heure, sans radio, sans journaux. La vie est réglée sur le soleil : chaque île décide en effet de son heure ! Le temps se partage entre le farniente, sur la plage ou dans une chaise longue à l'ombre des palmiers, et les baignades. C'est d'ailleurs dans l'eau que l'on passe une grande partie de son temps. Vous découvrirez vite que le bar est le lieu de rendez-vous après le coucher du soleil. La plupart des établissements programment des animations nocturnes. Ceux qui craignent l'ennui feront bien d'emporter quelques livres ou un baladeur, au cas où il pleuvrait. Reste à parier cependant que celui-ci restera dans leurs bagages car, ici, on écoute même le silence. Vous aurez à votre disposition une boutique de dépannage pour vos achats et une pharmacie d'urgence à la réception ou à l'école de plongée. Toutes les îles disposent d'un service de laverie, du téléphone, d'un fax et d'un e-mail. ❖

plor, Maison des Maldives, Key Largo. Cette grande île se situe dans un lagon. *121 ch.* de deux catégories : les 56 supérieures, dans la partie la plus calme et agréable, sont équipées de s.d.b. à ciel ouvert. Les autres, meublées très simplement, n'ont que de l'eau froide. **Activités payantes**: plongée PADI avec moniteur parlant français, ski nautique, parachute ascensionnel, planche à voile, canoë, catamaran, pêche nocturne. **Activités gratuites**: tennis, volley-ball, badminton, deux sorties quotidiennes en mer pour la plongée libre. Pour le *snorkeling*, le récif interne est à 400 m. Clientèle cosmopolite, mais beaucoup de Français. L'environnement séduisant de cette île, où la décontraction est de rigueur (le slogan de l'île est « No news no shoes »), conviendra à une clientèle sportive. Prix abordables.

Elliadhoo

➤ *Sur la côte E, à 1 h 30 en bateau rapide, 30 mn en hydravion.*

☎ 45.05.86, fax. 45.04.14, mail@travelin-maldives.com. **Rés.** : Ultramarina, Maison des Maldives. Île dont on fait le tour en 15 mn. Victime de l'érosion, Elliadhoo est entourée de digues de coraux qui nuisent à son esthétique. Ses *50 bungalows* rustiques mais climatisés se mêlent à la végétation abondante de l'île et sont situés en bordure de plage. *30 ch.* dans un bâtiment en dur. Toutes les chambres ont des s.d.b. Jardin. Restaurant de plein air. Table simple. Clientèle : suisse et allemande en majorité, quelques Français ; elle est essentiellement composée de plongeurs, car les sites à proximité sont les plus beaux de l'atoll. **Activités** : plongée sous-marine et libre, planche à voile, catamaran et pêche nocturne à la palangrotte. Fréquentée par des plongeurs confirmés, plus réputée pour ses fonds marins que pour ses prestations.

Halaveli

➤ *À 1 h 30 env. en bateau rapide, 20 mn en hydravion.*

☎ 45.05.59, fax 45.05.64, halaveli@dhivehinet.net.mv. **Rés.**: Havas Voyages, Ultramarina, Subexplor, La Maison des Maldives. Très jolie île ronde couverte d'une abondante végétation tropicale. Elle dispose d'un magnifique lagon, grand et profond, riche en faune et flore coralliennes. *56 bungalows* face à la mer. Chambres spacieuses et confortables. Bar, restaurant dont le chef est italien. Clientèle en majorité italienne. **Activités payantes** : plongée sous-marine, planche à voile, parachute ascensionnel, catamaran, pêche, excursion. **Gratuites** : volley-ball, ping-pong. Pour les plongeurs, belle épave à proximité du récif, refuge de nombreuses raies apprivoisées. Confortable sans être sophistiquée, Halaveli a su allier ambiance décontractée, activités sportives et farniente.

Huvahendhoo (Lily Beach)

➤ *À 25 mn en hydravion.*

☎ 45.00.13, fax 45.06.46, lilybeach@dhivehinet.net.mv. **Rés.**: Asia, Kuoni, Maison des Maldives. Une île de 550 m de long sur 100 de large bordée par un récif corallien exceptionnel qui permet des explorations sous-marines à moins de 20 m de la plage. Idéale pour le *snorkeling*. *68 ch.* face à la mer et *16 bungalows* sur pilotis bénéficient de l'air cond., ainsi que d'une véranda avec chaises longues. Les s.d.b. sont à ciel ouvert. **Activités gratuites** : plongée libre, planche à voile, tennis, ping-pong, volley-ball, piscine.

Kudafolhudhoo (Nika) ♥

➤ *À 25 mn en hydravion.*

☎ 45.05.16, fax 45.05.77, nikahtl@dhivehinet.net.mv. **Rés.**: Ultramarina, Maison des Maldives, Îles du Monde, MVM. La végétation de cette île (300 m sur 200) est remarquable. *26 villas* luxueuses de 70 m², disposant chacune d'un jardin et d'une plage privés, sont conçues comme de vastes coquillages en forme de spirale. Pas d'air cond. mais toutes les fenêtres ont des jalousies de bois et des ventilateurs. Direction maldivienne. Clientèle en majorité italienne. Grand aquarium en plein air avec une famille de requins, des tortues et des raies que

Une croisière aux Maldives

C'est une excellente façon de découvrir ce mini-paradis que sont les Maldives, en allant d'île en île. Les croisières se déroulent sur des bateaux de bois et de construction locale, pour la plupart, pourvus de cabines doubles, avec cabinet de toilette, salle à manger, bar avec alcool autorisé, coin salon pour les vidéos. Beaucoup de bateaux ont même l'air conditionné. Ces croisières s'adressent également à des personnes qui ne pratiquent pas la plongée sous-marine. Le skipper, maître à bord, choisit l'itinéraire en fonction des conditions climatiques et des goûts de chacun. C'est lui qui décidera d'aborder des îlots sauvages, d'aller à la découverte d'îles de pêcheurs ou de faire escale dans une île-hôtel.

Les journées s'écoulent de lagon en lagon, entre ciel et mer, à la recherche des plus beaux fonds marins. Le mouillage nocturne est toujours prévu à l'abri d'un récif ou dans le lagon d'une île. Vous pourrez, allongé sur le pont, admirer le ciel étoilé. C'est une manière de retrouver le contact avec la nature et de vivre une aventure qui vous permettra, peut-être, de suivre des raies manta, de croiser le sillage d'un requin-baleine, de plonger à travers les jardins de corail pour observer un monde féerique. Vous aurez l'avantage de découvrir le pays de manière plus complète. Pour tout renseignement, s'adresser aux agences spécialisées *(voir p. 26)*. ❖

l'on peut observer sans prendre de risques. **Activités gratuites**: planche à voile, tennis, volley-ball. École de plongée (moniteurs allemands), brevets PADI. Pêche et excursions en mer.

Machafushi

➤ *45 mn en hydravion.*

☎ 45.45.45, fax 45.45.46. **Rés.**: Force 4 et MVM. *74 bungalows* répartis dans un grand jardin tropical. Les bungalows sur la plage ou sur pilotis sont très agréables et bien décorés. Ils bénéficient de l'air conditionné. Restaurant de cuisine locale ou internationale. Bar, piscine. **Activités payantes**: planche à voile, voile. Grand centre de plongée avec instructeurs parlant l'anglais et l'allemand. L'île bénéficie d'un vaste lagon idéal pour les sports nautiques et d'un excellent « reef » pour les amateurs de plongée.

Mayafushi

➤ *À 3 h en bateau rapide, 20 mn en hydravion.*

☎ 45.05.88, fax 45.05.68, maayafushi@dhivehinet.net.mv. **Rés.** : Havas Voyages, Ultramarina, Subexplor, Maison des Maldives. Longue île luxuriante avec une belle plage au milieu d'un grand lagon. *60 ch.* en bungalows groupés, avec air conditionné et. s.d.b. à ciel ouvert. **Activités payantes** : plongée sous-marine, plongée libre, planche à voile, catamaran, pêche à la palangrotte. L'île a été récemment rénovée. Ambiance décontractée, pour ceux qui pratiquent la plongée et aiment les vacances près de la nature.

Madoogali ♥

➤ *À 20 mn en hydravion.*

☎ 45.05.81, fax 45.05.54, madugali@dhivehinet.net.mv. **Rés.**: Ultramarina. Île ovale (380 m sur 180), à la végétation dense et variée, mêlant arbustes à fleurs, cocotiers et filaos. Beau lagon. Situation idéale pour la plongée. Créée par une équipe italienne, cette île bien entretenue compte *50 bungalows* très confortables avec terrasse. Une partie du personnel d'encadrement est italien et parle français. Médecin en permanence sur l'île. Clientèle italienne, allemande et française. Le bar, le salon et le restaurant sont très agréables. Buffet copieux au déjeuner et menu le soir. **Activités payantes** : école de plongée avec brevets PADI et CMAS, surf, kayak, planche à voile, canoë, ping-pong. Promenades en mer avec pêche.

Rangali (Hilton)

➤ *À 30 mn en hydravion.*

☎ 45.06.29, fax 45.06.19, hilton@dhivehinet.net.mv, www.hilton.com. **Rés.** : Asia, Austral, Hotelplan, MVM, Kuoni, Ultramarina. *100 villas* en cercle autour de l'île principale avec vue sur la mer et *30 autres* sur pilotis réparties sur 2 îlots reliés par un ponton sur le lagon. Les villas individuelles ont une terrasse privée, s.d.b. avec vue sur mer et douche à l'ext. Les villas sur pilotis construites en bois avec un toit de chaume ont aussi une terrasse sur la mer. 2 restaurants dont un grill. Bar sur pilotis. Discothèque. Piscine, jacuzzi, salle de jeux. **Activités payantes** : tennis, ski nautique, parachute ascensionnel, pêche au gros, salle de sports. Une île très luxueuse avec un excellent service. L'hôtel a été conçu pour que la mer soit l'élément principal du décor. Clientèle internationale. Magnifique récif intérieur intact et accessible par différents pontons. Gestion Hilton.

Vakarufalhi

➤ *À 25 mn en hydravion, 30 mn en* dhoni.

☎ 45.00.04, fax 45.00.07, vakaru@dhivehinet.net.mv. **Rés.** : Havas Voyages. *50 bungalows individuels* avec vérandas et hamacs face à la mer. Avec 240 m sur 210 m et une plage magnifique, c'est une île encore préservée au sein d'un magnifique lagon. Son superbe récif interne, à 20 m de la plage, est accessible par deux pontons. **Activités payantes** : école de plongée (sur le récif interne).

Velidhu

➤ *À 30 mn en hydravion.*

☎ 45.00.18, fax 45.06.30 veliddu@dhivenet.net.mv. **Rés.** : Kuoni et Aquarev. Petite île pleine de charme au confort simple avec une végétation abondante et un lagon riche en couleurs. *80 bungalows* standard dans le style maldivien traditionnel et *20 bungalows* sur pilotis qui n'ont pas d'accès direct à la mer. Dîners sous forme de buffets. **Activités payantes** : planche à voile, ski nautique, catamaran, canoë. Centre de plongée Eurodivers avec cours pour débutants. Une île qui conviendra à ceux qui recherchent le naturel et la décontraction.

■ Atoll de Baa

➤ *À 120 km au N-O de Malé.*

Dhunikolhu (Coco Palm)

➤ *À 45 mn en hélicoptère.*

☎ 23.00.11, fax 23.00.22, cocopalm@dhivehinet.net.mv. **Rés.** : Îles du Monde, Kuoni. Une toute nouvelle île-hôtel avec une centaine de bungalows situés à une dizaine de mètres de la plage. Les *75 beach villas* et les *25 villas de luxe* sont recouvertes de palmes, climatisées, bien décorées et disposent d'une s.d.b.-jardin. Les villas de luxe, plus grandes, ont un lit à baldaquin et un petit bassin individuel. Le *Coco Palm* propose aussi *13 villas sur pilotis* avec accès individuel, terrasse et vue imprenable. Restaurant de plein air, 2 bars. **Activités payantes** : ski nautique, tennis, planche à voile, catamaran, plongée libre avec bouteille, excursions et location de bateaux.

Kunfunadhoo (Soneva Fushi) ♥

➤ *À 40 mn en hydravion.*

☎ 23.03.04, fax 23.03.74, soneva@dhivehinet.net.mv. **Rés.** : Asia, Havas Voyages, Kuoni, LVO, Maison des Maldives, Îles du Monde, MVM, Ultramarina. Les *60 bungalows* sont répartis sur l'une des grandes îles de l'archipel, enfouis dans une végétation presque vierge. C'est l'une des dernières réalisa-

Plongées faciles

Les couleurs éclatantes du récif viennent des algues qui vivent en symbiose avec les coraux.

Aux Maldives, tout a été prévu pour que vous goûtiez en temps record aux joies d'une immersion en plongée avec bouteille *(diving)*. L'école américaine PADI, représentée dans au moins 80 % des îles-hôtels, est fondée sur une philosophie de « plongée-loisir » accessible à tous. Quatre leçons techniques dans le lagon suivies de cinq plongées en mer vous rendent apte à passer le test pour l'obtention de l'« Open Water Diver », qui permet de descendre jusqu'à 18 m de profondeur. Le niveau suivant, l'« Advanced Open Water Diver », comprenant des notions de théorie et quatre plongées, permet de descendre jusqu'à 30 m. Il peut être passé en deux jours. Si vous êtes déjà breveté mais que vous n'avez pas pratiqué depuis longtemps, vous pouvez remettre à jour vos qualifications avec le « Scuba Review ». La plupart des centres de plongée organisent deux sorties quotidiennes. La plongée de nuit a lieu généralement sur le récif même de l'île. La plongée est limitée à une profondeur de 30 m, ce qui est suffisant au regard des richesses de la faune.

Si vous n'êtes pas adepte de la plongée avec bouteille, vous pourrez cependant observer la faune et la flore en pratiquant le *snorkeling*. Il suffit de savoir nager, de se munir d'un masque, d'un tuba et de palmes qui facilitent considérablement le déplacement. Si vous n'en avez pas, chaussez au moins des sandales en plastique pour éviter les coupures sur les coraux *(voir p. 44)*. Nous vous conseillons aussi de protéger vos épaules des coups de soleil avec un T-shirt. Pour une meilleure visibilité, nettoyez votre masque avec une goutte de shampooing ou un peu de dentifrice, et rincez-le bien avant chaque utilisation. Toutes les îles-hôtels louent du matériel de *snorkeling*, mais il est préférable d'emporter le sien, car la location sur place s'avère assez onéreuse : de 5 à 8 US $ par jour ; de plus, les masques fournis ont parfois tendance à prendre l'eau. Ainsi équipé, vous pourrez partir à la découverte du lagon ou du tombant. Ne touchez jamais au corail et ne troublez pas les évolutions des poissons. Il n'y a aucun danger si vous respectez ces règles. Méfiez-vous cependant des poissons-pierre qui, comme leur nom l'indique, ont l'apparence trompeuse d'une pierre mais provoquent quand on les touche des piqûres redoutables, parfois même mortelles. Les îles coralliennes se prêtent davantage au *snorkeling* que les îles de sable. ❖

tions de l'hôtellerie haut de gamme, ouvert en 1996 ; un véritable refuge pour Robinson de luxe comprenant *25 ch.* mitoyennes dans des bungalows avec jardinet privatif, *12 duplex* avec salon au r.d.c équipé d'une chaîne hi-fi et s.d.b. à ciel ouvert, et *14 villas* encore plus spacieuses. Au restaurant, menus variés et repas à la carte. La table est excellente. Bar, centre de remise en forme, excursions, boutiques, rien ne manque. **Activités payantes** : plongée PADI et CMAS. Une adresse qui respecte l'environnement et qui se veut exceptionnelle par la qualité de ses services. **Activités gratuites** : planche à voile, tennis, catamaran, badminton, volley-ball.

Atoll de Dhaalu (ou atolls de Nilandhoo Sud)

➤ *À 120 km au S-O de Malé.*

Vilu Reef ou Meedhufushi

➤ *À 40 mn en hydravion.*

☎ 46.00.11, fax 46.00.22, info@vilureef.com, www.vilureef.com. **Rés.** : Ultramarina, Asia, Austral, Force 4, MVM. Cette île ovale située en extérieur d'atoll dispose d'un vaste lagon, idéal pour le *snorkeling*, et d'un récif peu éloigné. Sa végétation est assez dense. Les *68 villas*, identiques, donnent toutes sur la plage. Les chambres sont vastes et confortables avec climatisation, mini-bar et téléphone. Salles de bain avec baignoire dans un jardin. Au restaurant : buffets midi et soir avec une nourriture quelconque et peu variée (un des points faibles de l'île). **Activités payantes** : club de plongée (école suisse francophone), canoë, tennis, catamaran, surf, moto de mer, etc. **Gratuites** : salle de musculation, billard. L'île, qui travaille surtout avec des voyagistes allemands, tient plutôt du club de vacances que du 5 étoiles qu'elle annonce dans ses brochures.

Atoll de Felidhoo

➤ *À 50 km au S de Malé.*

Dhiggiri

➤ *À 1 h 30 en bateau rapide, 30 mn en hydravion.*

☎ 45.05.93, fax 45.05.92. **Rés.** Ultramarina. Avec 350 m sur 250, Dhiggiri est entourée d'une plage de sable fin. Protégée par son atoll intérieur, elle offre de bonnes conditions de *snorkeling*, de plongée libre et de natation. *30 bungalows circulaires*, avec terrasse, répartis

L'hydravion est une bonne solution pour rejoindre ces petits bouts de terre dont le survol est un vrai plaisir pour les yeux.

en bord de plage et à l'intérieur de l'île, et *15 bungalows sur pilotis* avec accès direct à la mer. Toutes les chambres sont équipées d'air cond. ou de ventilateurs. Bar, restaurant. Clientèle : suisse et allemande en majorité, quelques Français. **Activités** : école de plongée où l'on parle français, plongée libre, planche à voile, tennis de table, volley-ball et pêche. On trouvera à proximité des sites de plongée réputés où l'on peut croiser, en période de mousson du sud-ouest, des requins-baleines et des raies manta.

■ Atoll de Lhaviyani (Faadhippolhu)

➤ *À 125 km au N de Malé.*

Kanuhuraa

➤ *Sur le récif E, à 45 mn en hydravion.*

☎ 32.48.19, fax 31.05.49, www.kanuhuraa.com. **Rés.** : Ultramarina, MVM. 1 000 m de long sur 200 m de large pour cette île flambant neuve. Elle offre *100 luxueux bungalows* répartis en 5 catégories, dont une sur pilotis. Spacieux, ils ont été conçus avec matériaux naturels et équipement moderne : air cond., s.d.b., hifi-vidéo, mini-bar, TV, terrasse, douche dans un jardinet privé, lit à baldaquin. Quelques suites disposent d'un jacuzzi. Piscine, 2 restaurants (cuisine locale et internationale), 3 bars, discothèque, boutique, room service 24 h/24. **Activités** : centre de soins, sauna, aérobic, tennis, squash, bibliothèque, salle de jeux, practice de golf, pêche à la palangrotte, location de bateaux, planche à voile, canoë, catamaran, plongée libre, plongée sous-marine. Une adresse « first class » pour les amoureux du confort et de la remise en forme.

Kuredu

➤ *À 3 h 30 env. en* dhoni.

☎ 20.03.37, fax 23.03.32, info@kuredu.com. **Rés.** : Kuoni, Subexplor, Maison des Maldives. Kuredu est la seule île touristique située sur cet atoll. Elle est entourée d'un large lagon et offre plus de 3 km de plages de sable blanc. *300 bungalows* individuels, construits sur la plage, spacieux et confortables. Deux catégories. Les 207 bungalows supérieurs disposent d'air cond., mini-bar et eau chaude. 2 restaurants, 2 bars, coffee-shop et grill. **Activités** : plongée sous-marine, planche à voile, catamaran, canoë, excursions, salle de gymnastique, tennis, football, volley-ball, ping-pong, badminton.

Palm Beach

➤ *À 40 mn en hydravion.*

☎/fax 23.00.84, palmbeach@dhivehinet.net.mv. **Rés.** : Havas Voyages. Resort ouvert en 1999. Une île tout en longueur qui a conservé sa belle végétation, et dont les plages de rêve font un petit paradis. *80 bungalows* avec véranda face à la mer, *20 villas* en duplex avec salon au r.d.c., chambre à l'étage, jacuzzi dans la s.d.b. 2 restaurants, 3 bars, piscine, tennis. **Activités payantes** : catamaran, planche à voile, remise en forme et massages.

■ Atoll de Malé Nord (Kaafu)

Bandos

➤ *À 45 mn en* dhoni, *15 mn en bateau rapide.*

☎ 44.00.88, fax 44.38.77, info@bandos.com.mv. L'île, presque ronde, fait 2 km². Elle est entourée de belles plages mais le lagon est peu propice à la baignade. *177 ch. de luxe et 47 suites* font la ronde autour de l'île. Direction anglaise. Clientèle cosmopolite. 2 restaurants et 2 bars. Clinique de première urgence et chambre de décompression, la seule aux Maldives. Excursions à l'île voisine de Kura Bandos, transformée en réserve naturelle. **Activités payantes** : école de plongée où l'on parle français. Ski nautique, planche à voile, catamaran. **Gratuites** : football, volley-ball, tennis, ping-pong, centre de remise en forme. Labo photo et vidéo. Bandos, qui peut accueillir jusqu'à 450 clients, a été choisie par les compagnies aériennes comme escale pour leurs équipages.

Toutes les îles-hôtels proposent diverses activités sportives : tennis, volley, football… et bien sûr tous les sports nautiques.

Baros

➤ *À 1 h 15 en* dhoni, *15 mn en bateau rapide.*

☎ 44.26.72, fax 44.34.97, sales@unisurf.com. **Rés.** : Ultramarina. Proche de l'aéroport, elle fut une des premières îles à s'ouvrir au tourisme. C'est une île en forme de croissant de lune, et on en fait le tour en 10 mn. Le tombant du récif permet une observation aisée du monde marin. Lagon exceptionnel. Nombreux cocotiers. Île très fleurie comportant *59 bungalows* confortables dont une quinzaine, plus luxueux, sur pilotis. Clientèle en majorité allemande, anglaise et suisse. Bon restaurant, coffee-shop pour les repas rapides, bar confortable. **Activités** : école de plongée, planche à voile, catamaran, pêche, ski nautique, volley-ball, badminton. Excursions sur les îles voisines, observation des fonds marins.

Dhiffushi (Holiday Island)

➤ *À 2 h en bateau rapide.*

☎ 45.00.11, fax 45.00.22, holiday@dhivehinet.net.mv. **Rés.** : Asia, Maison des Maldives. Île tout en longueur de construction récente, sans grand charme mais qui bénéficie d'une végétation abondante et d'une belle plage. *142 ch.* très confortables. Restaurant de plein air, cafétéria, plusieurs bars, discothèque. **Activités** : plongée sous-marine, plongée libre, ski nautique, planche à voile, tennis de table, tennis, billard, volley-ball et pêche nocturne. Gymnase et sauna. Une île haut de gamme qui donnera satisfaction aux plus exigeants.

Furanafushi (Full Moon Beach)

➤ *À 20 mn en bateau rapide, 45 mn en* dhoni.

☎ 44.20.11, fax 44.19.79, fullmoon@dhivehinet.net.mv. **Rés.** : Kuoni, Havas Voyages, Maison des Maldives, Ultramarina. Grande île, (600 m x300 m), avec une végétation tropicale et des jardins entourant les bungalows à étages. Plage de sable avec de petites criques. Confort d'une hôtellerie moderne dans un environnement soigné. *156 ch.* dont 52 sur pilotis et 104 sous forme de pavillons de 4 ch. avec terrasse ou balcon sur la mer. Spacieuses et bien meublées. 5 restaurants, cafétéria, grill, piano-bar en terrasse, discothèque, karaoké, sauna, jacuzzi. **Activités** : salle de gymnastique, 2 tennis, grande piscine, centre de plongée

Inter Aqua où l'on parle français, base nautique pour catamarans et planches à voile, pêche au gros.

Helengeli

➤ *45 mn en hydravion.*

☎ 44.46.15, fax 44.28.81. engeli88@dhivehinet.net.mv. **Rés.** : Force 4 et Kuoni. Grande île qui a conservé sa nature originelle. *50 bungalows* doubles avec terrasse en bord de mer sur la moitié de l'île. L'autre moitié est pratiquement vierge. Restaurant, bar et boutique. **Activités payantes** : centre de plongée suisse avec des moniteurs francophones.

Hembadhoo (Taj Coral Reef)

➤ *À 60 mn en bateau rapide. Transfert de nuit possible.*

☎ 44.19.48, fax 44.38.84, tajcr@dhivedinet.net.mv. **Rés.** : Nouvelles Frontières, Asia. *70 villas individuelles* luxueusement décorées et bien équipées. Terrasse sur la mer ou sur les jardins. Matelas de plage. 2 restaurants sur pilotis dont un de poissons et fruits de mer et un bar qui fait cafétéria. **Activités** : piscine, jacuzzi, salle de gymnastique, hammam avec massages aromatiques. Excellent *snorkeling* autour de la barrière de corail. Bon club de plongée. Planche à voile, catamaran, ski nautique. Une soirée disco par semaine. Une toute nouvelle unité de la chaîne des Taj.

Ihuru

➤ *À 16 km de l'aéroport, 30 mn en bateau rapide.*

☎ 44.35.02, fax 44.59.33, ihuru@dhivehinet.net.mv. **Rés.** : Hotelplan. Cette île circulaire de 200 m de diamètre est entourée d'une très belle plage et offre un récif très riche et facilement accessible. Ce paradis à la végétation dense est l'île la plus photographiée des Maldives. *45 bungalows* tout confort, avec s.d.b. privée, eau douce chaude et froide, ventilateur, mini-bar et coffre-fort. Bar et restaurant en plein air, boutique. La clientèle y est principalement suisse, française et italienne. **Activités payantes** : plongée sous-marine, planche à voile, canoë, catamaran, plongée libre (location de matériel), ski nautique. **Gratuites** : volley-ball, ping-pong, pétanque, badminton, fléchettes. Une île idéale pour les amateurs de *snorkeling* et les vacances en famille.

Kanifinolhu (Club Med)

➤ *À 90 mn en* dhoni, *30 mn en bateau rapide.*

☎ 44.31.52, fax 44.48.59. **Rés.** : Club Med. Cette île allongée de 10 hectares se trouve au centre d'un lagon peu profond à l'est mais qui atteint de 6 à 8 m à l'ouest. Les récifs se prêtent bien à la plongée. Fonds assez riches, plage de corail grossier. *186 ch.* dans des bungalows individuels ou groupés par 2 ou 4. Air cond., s.d.b. avec eau douce non chauffée. 2 restaurants avec buffets variés, 2 bars et bar de nuit, piscine, télévision. **Activités** : promenades en mer, pétanque, tennis de table. Soirées club. Stages de plongée pour tous niveaux, planche à voile, kayak, volley, gymnastique, etc.

Kudahuraa (Four Seasons)

➤ *À 30 mn en bateau rapide.*

☎ 44.48.88, fax 44.11.88, info@kudahuraa.com. **Rés.** : Ultramarina, Kuoni, MVM. Cette minuscule île (500 m sur 100 m), était auparavant rattachée à sa voisine, Huraa (habitée). Située dans un site de plongée spectaculaire, ce resort 5 étoiles, l'un des plus luxueux des Maldives, est géré par Four Seasons Concorde. *38 villas sur pilotis, 25 bungalows* avec piscine privative dans un jardin ainsi que *4 suites*. Le tout est luxueux et raffiné dans la décoration. Parmi les petits plus on trouve dans les bungalows une chaîne stéréo dotée d'un lecteur de CD. Toutes les chambres bénéficient d'une magnifique s.d.b. à ciel ouvert. Service personnalisé. Superbe piscine, la plus grande des Maldives, bien intégrée dans le décor au bord de l'océan. Des voiturettes électriques permettent de se déplacer dans l'île. Une île haut de gamme qui satisfera les plus exigeants. **Activités payantes** : club de plongée où l'on parle français et tous les sports nautiques. Centre de remise en force avec sauna et tous types de massages.

Lankanfinolhu (Paradise Island)

➤ *À 15 mn en bateau rapide.*

☎ 44.00.11, fax 44.00.22, paradise@dhivehinet.net.mv. **Rés.** : LVO, Austral, Hotelplan, Maison des Maldives. Île moderne sans cachet. *220 bungalows* en béton et toit en ardoise, très confortables, avec s.d.b., air cond., téléphone. 40 sont construits sur l'eau sur deux rangées face à face, 4 restaurants, 4 bars, cafétéria. **Activités payantes** : plongée sous-marine, plongée libre, ski nautique, planche à voile, sauna, tennis, et pêche. Une île pour des vacances sportives et animées.

Lohifushi

➤ *À 1 h 30 en* dhoni.

☎ 44.19.09, fax 44.19.08, lohifushi@dhivehinet.net.mv. **Rés.** : Maison des Maldives. Grande île de 800 m de long. Le lagon est peu profond, et il faut aller au bout de la jetée pour trouver assez d'eau pour la baignade, de même que pour atteindre le récif de corail le plus joli. *140 ch.* réparties dans des bungalows de 3 catégories. Les bungalows supérieurs, les plus récents, sont modernes et équipés de l'air cond. Les « luxe » sont plus spacieux, avec radio et télévision. Gestion maldivienne. Un restaurant pour la pension complète et un coffee-shop. Bar et piscine. **Activités payantes** : plongée libre, plongée bouteille, catamaran, planche à voile, pêche de nuit.

Makunudu

➤ *À 1 h 30 en bateau rapide.*

☎ 44.64.64, fax 44.65.65, makunudu@dhivehinet.net.mv. **Rés.** : Asia, Jet Tours, Hotelplan, LVO, Kuoni, Îles du Monde, Ultramarina. Petite île en longueur dont on peut faire le tour en un quart d'heure. *36 bungalows doubles* climatisés et confortables, qui dominent une petite plage et un ponton privés. Le restaurant sert une bonne cuisine européenne à la carte. Bar, coffee-shop, centre de soins et boutiques. **Activités payantes** : école de plongée, ski nautique, planche à voile et catamaran. Excursions dans les îles voisines, désertes.

Medhufinolhu (Reethi Rah)

➤ *À 2 h en* dhoni. *Pas de transfert de nuit.*

☎ 44.19.05, fax 44.19.06, resort@dihivedi net.net.mv. **Rés.** : Nouvelles Frontières, Havas Voyages. Cette île, dont le nom signifie « belle île », à la végétation tropicale, s'étend sur 800 m de long et 120 m de large. *50 bungalows* sur la plage et *10 sur pilotis* dans le style local avec parquet en teck et terrasse ; chacun dispose d'un ventilateur qui vient compléter le système d'aération naturelle très efficace. Cuisine variée correcte. **Activités** : bonne école de plongée et de planche à voile (club Mistral). Sports nautiques particulièrement à l'honneur. Le lagon, peu profond (1,70 m maxi.) convient aux débutants ou à l'initiation des enfants. Le *snorkeling* est moyen. Le récif, à 250 m de la plage, est idéal pour la plongée en apnée. Une île qui a conservé l'aspect naturel des premières îles-hôtels.

Meeru Fenfushi (Meeru Island Resort)

➤ *À 2 h 30 en* dhoni, *50 mn en bateau rapide.*

☎ 44.31.57, fax 44.59.46, meeru@dhivehinet.net.mv. **Rés.** : Kuoni, Maison des Maldives, Subexplor. Une des plus grandes îles de l'atoll, à la végétation luxuriante. *227 ch.* au confort simple, réparties en bungalows groupés. Trois catégories d'hébergement. Les bungalows supérieurs disposent d'air cond. Restaurant ouvert, 3 bars dont 1 sur la plage. **Activités payantes** : plongée sous-marine (école Eurodivers), planche à voile, catamaran, pédalo, pêche. L'ambiance y est décontractée et la clientèle, internationale.

Nakathachafushi

➤ *À 45 mn en bateau rapide.*

☎ 44.38.47, fax 42.26.65, nakatcha@dhivehinet.net.mv. **Rés.** : Ultramarina.

Au bout du ponton, le bateau vous attend pour de nouvelles plongées.

Petite île en longueur, dont on fait le tour en 10 mn, au milieu d'un immense lagon très profond à certains endroits; le tombant est particulièrement favorable à la plongée. Plage agréable, bancs de coraux et grande variété de poissons. Végétation peu variée mais beaucoup de fleurs. *51 bungalows*, vastes, avec air cond. et petite terrasse. Direction maldivienne. Service attentionné. Clientèle en majorité allemande, aussi quelques Français. Atmosphère chaleureuse, ambiance jeune et sportive. Nourriture quelconque. Coffee-shop au bord de l'eau, terrasse sous les cocotiers. Bar très agréable. **Activités payantes**: plongée, catamaran, planche à voile, ski nautique, pêche en mer, parachute ascensionnel. École de plongée réputée.

Thulhagiri

➤ *À 30 mn en bateau rapide.*

Transfert de nuit possible ☎ 44.59.30, fax 44.59.39, reserve@thulhagiri.com.mv. **Rés.**: Nouvelles Frontières. Une île longtemps exploitée par le Club Méditerranée, récemment remise à neuf, qui a conservé son style et ses plages agréables. *60 bungalows*. Soirée disco une fois par semaine. **Activités**: club de plongée où l'on parle français, planche à voile, catamaran, surf, ski nautique, parachute ascensionnel. Bien pour le *snorkeling*. Clientèle cosmopolite. Une île naturelle pleine de charme, et où la table est bonne.

Vabbinfaru (Banyan Tree) ♥

➤ *À 30 mn en bateau rapide.*

☎ 44.31.47, fax 44.38.43, maldives@banyantree.com. **Rés.** : Asia, Ultramarina, Jet Tours, Îles du Monde, Havas Voyages, Kuoni, LVO, MVM. Une île de 4,5 ha bordée d'un lagon peu profond, riche en coquillages et poissons apprivoisés. Comme beaucoup d'îles, Banyan subit de l'érosion et par endroits la plage peut entièrement disparaître. *48 bungalows* ronds, en forme de coquillage, clairs et bien décorés, avec terrasse et jardin privatif. Ceux qui ne donnent pas directement sur la mer ont l'air cond. et un jacuzzi. Buffet au déjeuner servi sous les cocotiers. Dîner au restaurant (menu). Cuisine assez inégale. Possibilité de se faire servir dans son bungalow. Bar agréable. Direction singapourienne, manager allemand et chef autrichien. Clientèle cosmopolite: beaucoup d'Asiatiques, d'Italiens et quelques Français. On parle français à la réception. **Activités payantes** : plongée PADI, pêche au gros, ski nautique, centre de massages. **Gratuites** : planche à voile, canoë, pédalo, pêche de nuit. Une île haut de gamme dans un environnement exceptionnel et dont les bungalows sont une réussite architecturale.

Vihamanaafushi (Kurumba)

➤ *À 15 mn en* dhoni, *5 mn en bateau rapide.*

☎ 44.23.24, fax 44.38.85, kurumba@dhivehinet.net.mv. **Rés.** : Ultramarina, Maison des Maldives, Hotelplan. L'île (500 m sur 200) est couverte de palmiers et d'arbres à guimauve, les paysagistes s'employant à en faire un véritable parc floral. Ce fleuron de l'hôtellerie maldivienne, 5 étoiles, est inspirée des hôtels-clubs de l'Asie du Sud-Est. Les *187 bungalows* avec grande terrasse sont vastes et confortables. Clientèle d'hommes d'affaires et de Japonais appréciant le confort de cet établissement ancré au large de la capitale. 5 restaurants : cuisine internationale, chinoise, indienne ou italienne. **Activités** : école de plongée suisse renommée, planche à voile, ski nautique, parachute ascensionnel, catamaran, pêche, terrains de volleyball et de football. Centre de sports : aérobic, sauna, bain à remous, tennis, ping-pong, billard. Promenades en bateau à fond de verre, 2 piscines dont une d'eau douce.

■ Atoll de Malé Sud (Kaafu)

Bodhufinolhu (Fun Island)

➤ *À 45 mn en bateau rapide.*

☎ 44.45.58, fax 44.39.58, fun@dhivehinet.net.mv. **Rés.** : LVO, Maison des Maldives, Nouvelles Frontières, Kuoni. Belle île longue et confortable sur un magnifique lagon. Plage (Bodhufinolhu signifie « Grand banc de sable ») et fonds marins célèbres à juste titre. Clientèle internationale. *100 ch.* tout confort, spacieuses, avec terrasse. Ambiance sympathique et personnel accueillant. **Activités payantes** : nombreux sports ; bonne école de plongée dont les moniteurs parlent français, planche à voile, catamaran, centre de remise en forme. Excursions sur les îles voisines et vers Malé. Soirées discothèque. La direction veille à faire de cette île un lieu de repos et de détente décontracté. Très bon rapport qualité-prix.

Bolifushi

➤ *À 30 mn en bateau rapide.*

☎ 44.35.17, fax 44.59.24. **Rés.** : Havas Voyages. Petite île de 100 m sur 50. *32 ch., 8 bungalows* donnant sur la mer et *15 villas sur pilotis.* Très agréable. Belle plage de sable blanc avec un vaste lagon et beau récif interne. Les plongeurs seront comblés avec la proximité du Vaadhoo Kandu, fréquenté par les requins. **Activités payantes** : ski nautique, planche à voile, canoë. Une petite île ronde, simple mais agréable.

Biyadhoo

➤ *À 2 h 30 en* dhoni, *60 mn en bateau rapide.*

☎ 44.71.71, fax 44.72.72, admin@biyadoo.com.mv. **Rés.** : Kuoni. Grande île avec une végétation dense et variée, vieux arbres, fleurs et légumes. Beau lagon propice à l'observation sous-marine. La plage, assez vaste pour s'isoler, est victime de l'érosion à certains endroits. Direction et encadrement indiens. Personnel local attentionné. Clientèle internationale. On ne parle pas français. *96 ch.* avec terrasse et air cond., réparties dans 6 bâtiments noyés dans la verdure. Chacune, petite et simple, dispose d'un mini-bar. Cuisine internationale correcte, restaurant climatisé, grill en plein air, buffet italien ou indien au déjeuner, menu le soir. **Activités payantes** : parachute ascensionnel, ski nautique, surf. **Gratuites** : discothèque en plein air, salon TV et animations certains soirs. Plusieurs fois par jour, navette gratuite pour Villivaru *(voir p. 242)*.

Embudu Finolhu (Taj Lagoon)

➤ *À 20 mn en bateau rapide. Transfert de nuit possible.*

☎ 44.44.51, fax 44.59.25, tajlr@dhivehinet.net.mv. **Rés.** : Nouvelles Frontières, Asia. *64 ch.* Une île tout en longueur (800 m sur 15) bordée par un vaste lagon aux eaux cristallines et dotée d'une belle plage. Les bungalows « Lagoon Room », sur pilotis, surplombent la lagune. Ils ont une terrasse privative avec escalier d'accès dans l'eau, climatisation et ventilateur, mini-bar. Restaurant climatisé et bar au bord de la plage. **Activités payantes** : club de plongée où l'on parle français, planche à voile, canoë. Centre de massages ayurvédiques. Une île idéale pour les sports nautiques, bénéficiant d'un bel environnement et de la qualité des hôtels de la chaîne Taj. Clientèle cosmopolite.

Embudu Village

➤ *À 45 mn en* dhoni.

Transfert de nuit possible sauf en cas de mauvais temps ☎ 44.47.76, fax 44.26.73, embvil@dhivehinet.net.mv. **Rés.** : Nouvelles Frontières. L'île se distingue par sa belle forme ronde et sa végétation luxuriante. *118 bungalows* répondent aux demandes de confort de la clientèle : du bungalow simple sans air cond. et avec eau froide au bungalow sur pilotis, climatisé, avec TV, mini-bar, etc. **Activités payantes** : club de plongée où l'on parle français, planche à voile, catamaran, ski nautique. La magnifique barrière de corail, l'une des plus belles de l'atoll, est idéale pour le *snorkeling*. La passe d'Embudu est connue de tous les plongeurs. Effort particulier de décoration avec des plantes et des fleurs… importées du Sri Lanka. Table convenable. Un excellent rapport qualité-prix. Clientèle essentiellement française et allemande.

Fihalholi

➤ *À 1 h de bateau rapide.*

☎ 42.29.03, fax 43.38.03 fiha@dhivehinet.net.mv. **Rés.** : Kuoni. «Une île du bout du monde où la décontraction prend tout son sens», annonce très justement le voyagiste. *128 ch.* de trois catégories. Les chambres de luxe, les plus récentes, offrent tout le confort. Restaurant principal, cafétéria et 2 bars dont un sur le sable. Animations différentes tous les soirs. **Activités payantes** : billard, planche à voile, catamaran, plongée libre. Centre de plongée avec stages méthode PADI et SSI. Atmosphère familiale et conviviale.

Kandooma

➤ *1 h 30 en* dhoni.

☎ 44.44.52, fax 44.59.48. kandooma@dhivehinet.net.mv. **Rés.** : Force 4 et MVM. Les *80 bungalows* sont répartis le long de la plage et dans les jardins. Ils sont décorés très simplement avec ventilateur et terrasse aménagée. Restaurant, bar et discothèque. **Activités payantes** : planche à voile, ski nautique, voile. Centre de plongée affilié à PADI avec des moniteurs anglophones. Un prix très compétitif et une atmosphère conviviale.

Olhuveli

➤ *À 50 mn en bateau rapide.*

☎ 44.27.88, fax 44.59.42. olhuveli@dhivehinet.net.mv. **Rés.** : Blue Lagoon. Grande île de 700 m de long sur près de 90 de large. *125 ch.* standard, au milieu d'une végétation luxuriante, et *13 bungalows* sur pilotis. La plage s'étire sur 2 km de long. Piscine d'eau de mer, sauna, bain de vapeur. Clientèle à majorité japonaise. Possibilité de se rendre à marée basse sur l'îlot voisin. 3 restaurants dont un de spécialités japonaises. **Activités payantes** : école de plongée (pas de récif interne), planche à voile, catamaran, tennis, pêche au gros, mini-golf.

Rihiveli ♥

➤ *C'est l'une des plus au S, à 90 mn en bateau rapide.*

☎ 44.37.31, fax 44.00.52, info@rivhiveli-island.com. **Rés.** : Ultramarina, Jet Tours, Havas Voyages, Hotelplan, Îles du Monde, Asia, Kuoni, Maison des Maldives, Austral. Île de 4 hectares de forme très allongée (450 m sur 50). Toutes proches et accessibles à pied se trouvent l'île du Soleil-Levant et l'île des Oiseaux, pour les balades en solitaire. À l'est, un lagon peu profond (0,50 à 1,50 m). Végétation principalement composée de filaos, de palmiers de Malaisie et de nombreux arbustes à fleurs. *47 bungalows* en bor-

Géants du grand bleu

Les multitudes de petits poissons colorés ne sont pas les seuls à fréquenter les atolls. Des mammifères marins, mais aussi des géants tels le requin-baleine ou la raie manta, sont autant d'hôtes aussi surprenants qu'inoffensifs. Mais dépêchez-vous d'aller à leur rencontre, car raies et requins se font rares de nos jours. La pêche y est pour quelque chose.

Le requin-guitare, habitant des mers chaude[s] est un proche parent de la raie.

Les requins-marteaux ont le sens de la collectivi[té] et évoluent parfois en ban[cs] de plusieurs centaines.

Requins d'atolls

Jusqu'à 2 m de long et un parfait fuselage : ce sont les espèces les plus courantes, **requin pointe blanche de récif** et **requin gris**. On les croise le long des tombants ou à l'entrée des passes de Guraidhu et d'Embudhu dans l'atoll de Malé Sud, ou encore dans celle d'Alimatha dans l'atoll de Vaavu. Au détour d'une grotte, d'une faille dans le tombant ou encore dans un fond sablonneux, vous observerez peut-être leurs cousins. Appelés **poisson-nourrice**, **poisson-zèbre** ou **poisson-guitare**, ils se reposent le jour, fouillant les fonds la nuit pour y débusquer crustacés et mollusques, habitants du sable. En plongeant au lever du jour près de Rasdhoo Atoll et devant la passe de Fotheyo à Vaavu Atoll, on aperçoit parfois le passage des **requins-marteaux** : 3 m de silhouette inquiétante. Mais le grand bonheur pour le plongeur reste une rencontre avec le **requin-baleine**, un nageur placide qui peut atteindre une douzaine de mètres. Il vient si près de la surface pour s'y repaître de plancton qu'il suffit d'un masque et d'un tuba pour l'approcher et nager en sa compagnie. Au large de la barrière corallienne qui forme les atolls glissent encore d'autres squales des Maldives, tel le **requin pointe blanche du large**, le **requin-tigre** ou le **requin soyeux**.

Mœurs de squales

Les plongeurs peuvent admirer en toute tranquillité l'évolution très hydrodynamique de ces divers prédateurs. Les **requins gris** peuvent se montrer curieux et n'hésitent pas à venir très près observer les intrus humains. Leurs yeux sont dotés d'une étrange paupière qui se rabaisse automatiquement quand ils saisissent leur proie. Le requin ne s'attaque pas à l'homme, mais il lui arrive de le confondre avec une proie habituelle. Dès qu'il comprend sa méprise, il lâche sa victime… mais ne rend pas les morceaux. Ne vous enhardissez pas à leur faire des papouilles: les requins n'en ont pas l'habitude. Au mieux, ils décamperont, au pire ils auront une réaction violente provoquée par la peur.

Quand le prédateur est victime des baguettes

Cinéma et littérature populaires ont fait aux requins une effroyable réputation de mangeurs d'hommes. C'est plutôt le contraire qui se produit: l'homme mange le requin. Comme ailleurs dans le monde, la pêche a considérablement diminué la population des requins aux Maldives. Leur chair est savoureuse et leurs ailerons très prisés en Extrême-Orient; même leurs dents, voire leurs mâchoires, sont proposées en guise de souvenirs. Le gouvernement maldivien a interdit la pêche aux requins dans sept atolls.

Un ange de mer passe…

En plongeant sur certains sites, avec un courant sortant, on peut observer le vol souple et silencieux des **raies manta**. On sait peu de chose de ce grand poisson cartilagineux de plusieurs tonnes, qui peut atteindre jusqu'à 5 m d'envergure. Le bébé raie a dès sa naissance une taille qui promet: un mètre minimum. Pour alimenter son corps de géante, la manta doit se nourrir de plancton sans interruption. On a calculé qu'en se déplaçant à 3 ou 4 km/h, elle filtrait plus d'un millier de tonnes d'eau qui s'engouffrent dans la gueule pour ressortir par les fentes branchiales.

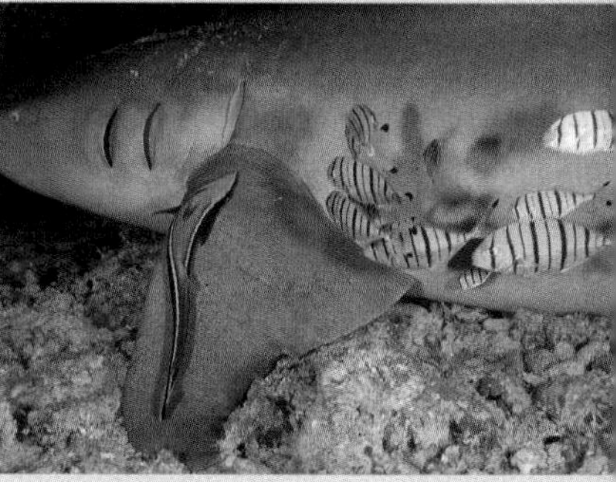

Raie manta filtrant le plancton.

Requin-nourrice, ou dormeur.

Mantas et Cie

Dans la zone des 10 m de profondeur au-dessus des patates de corail, on surprend parfois des raies manta, tandis qu'un groupe de poissons s'affairent autour d'elles. Ce sont les **labres nettoyeurs**, qui n'hésitent pas à officier jusque dans la gueule ouverte des raies. Elles attendent leur tour tranquillement pour se livrer à ces «esthéticiens» et le toilettage peut durer des heures si on ne les dérange pas. Lors de leurs déplacements, les raies sont accompagnées des rémoras, petits poissons qui, grâce au disque adhésif dont la nature les a dotés, voyagent sans se fatiguer, fixés sur le ventre ou sur le dos des grands poissons pélagiques. ■

dure d'une plage magnifique. Chacun dispose d'une terrasse circulaire (avec un hamac) et d'une grande s.d.b. Blanchisserie gratuite. Direction française, équipe européenne. Clientèle en majorité française. Nourriture excellente, l'une des meilleures des Maldives, servie dans une salle à manger sur pilotis. À midi, buffet, et le soir, menu. Dîners de fruits de mer servis sur la plage, à la demande. **Activités payantes** : plongée PADI avec bouteille, parachute ascensionnel, pêche au gros à la traîne avec skipper, location de bateaux, plongée de nuit. **Gratuites** : ski nautique, plongée libre, catamaran, planche à voile, pêche à la palangrotte, volley-ball, gymnastique, mini-tennis, billard, ping-pong. Jeux de société, bibliothèque et concert de musique classique enregistré tous les jours. Excursions quotidiennes et gratuites. Bar chaleureux. Boutique. En somme, l'une des meilleures îles des Maldives, où la réservation doit se faire parfois un an à l'avance.

Vadoo

➤ *À 45 mn en* dhoni.

☎ 44.39.76, fax 44.33.97, vadoo@dhivehinet.net.mv. **Rés.** : Ultramarina. Minuscule île ovale dans un grand lagon, située sur la barrière nord de l'atoll. Végétation assez dense, sans cocotier ! *16 ch.* groupées dans 2 bâtiments à 2 niveaux sur la plage vers l'extérieur de l'atoll, *13 bungalows* dont 8 de plage et 5 plus luxueux ; aussi *2 suites* sur pilotis dans le lagon. Toutes les ch. ont l'air cond. et une terrasse sur la mer. La direction est japonaise comme 80 % de la clientèle. Sinon, clientèle cosmopolite. Bars très agréables, l'un sur pilotis, l'autre sur la plage. **Activités** : plongée avec bouteille, *snorkeling* et pêche. On ne parle pas français. Une cuisine raffinée et un service impeccable. Sa situation sur la barrière extérieure de l'atoll, sur le chenal de Vadoo, en fait un paradis pour la plongée avec bouteille. Les amateurs de plongée seront comblés, car le récif est seulement à 10 m de la plage.

Velassaru (Laguna Beach)

➤ *À 30 mn en bateau rapide.*

☎ 44.59.06, fax 44.30.41, ibr@dhivehinet.net.mv. **Rés.** : Austral, Jet Tours, Ultramarina, Maison des Maldives, Asia, Kuoni. Très belle île-hôtel de la chaîne maldivienne Universal. Environnement soigné, l'ensemble se présentant comme un grand jardin paysager très fleuri. Bon service. Clientèle variée. *17 villas* sur pilotis et *115 ch.* luxueuses, face à la mer, équipées de ventilateur et d'air cond., mini-bar. 4 restaurants dont un italien et un chinois, un grill sur la plage pour les dîners, et un coffee-shop. L'hôtel ne vend volontairement que le logement et le petit déjeuner afin que vous profitiez des restaurants, qui sont toutefois assez chers. **Activités** : piscine d'eau douce, plongée sous-marine, planche à voile, tennis.

Villi Varu

➤ *À 50 mn en bateau rapide.*

☎ 44.70.70, fax 44.72.72. **Rés.** : Kuoni. Île sœur de Biyadoo. *60 ch.* simples, en rez-de-jardin et avec patio donnant sur la plage, ventilateur et salle d'eau avec douche. Même activités qu'à Biyadoo *(voir p. 238)*. Vous pouvez choisir le restaurant pour déjeuner sur l'une des deux îles. Navettes gratuites entre les deux îles. Compter 5 mn de transfert.

■ Atoll Meemu (Mulaku)

Medhufushi

➤ *40 mn en hydravion.*

☎ 46.00.26, fax 46.00.27, medhu@aaa.com.mv. **Rés.** : Kuoni. Encore une toute nouvelle île ouverte en août 2000. *120 villas* dont 40 sur pilotis avec une belle décoration de bois de teck, climatisation, ventilateur, et salle de bain extérieure pour les villas qui ne sont pas sur pilotis. Repas sous forme de buffets et restaurant à la carte. Bar sur pilotis. Grande piscine et gymnase. **Activités payantes** : canoë, plongée, voile, planche à voile et catamaran.

Belle réalisation qui conviendra à ceux qui recherchent le confort dans une architecture raffinée et un cadre verdoyant.

Atoll de Nilandhoo Nord

Filitheyo Island Resort

➤ *À 45 mn en hydravion.*

☎ 324.933, fax 324.943 sale@aaa.com.mv. **Rés.** : Key Largo et Kuoni. Un beau complexe récemment construit sur cette île de 1 km de long sur 200 m de large. Les *125 ch.* en bungalows disposent de : AC, ventilateur, eau chaude. TV satellite. Les bungalows sur pilotis ont un ponton privé. Restaurant, bar, coffee-shop, piscine avec bars et terrasse. Les activités, avec ou sans supplément, sont nombreuses : ski nautique, centre de remise en forme, volley-ball, planche à voile, catamaran. Le centre de plongée, très bien équipé, est dirigé par un Suisse.

Atoll de Nilandhoo Sud

Velavaru

➤ *À 40 mn en hydravion.*

☎ 46.00.28, fax 46.00.29, info@velavaru.com.mv. **Rés.** : Kuoni et Austral. Récemment ouverte en décembre 1999, cette île-hôtel baptisée « l'île aux tortues » propose *33 bungalows* divisés en deux chambres standard et *18 bungalows* individuels de catégorie supérieure avec terrasse en bois. Tous les bungalows sont en forme de carapace. Restaurant et repas-buffets. Nombreuses activités. Très belle réalisation bien intégrée dans le cadre.

Atoll de Rasdhoo

➤ *À 60 km à l'O de Malé.*

Kuramathi

➤ *À 30 mn en hydravion.*

☎ 45.05.27, fax 45.05.56, kuramathi@dhivehinet.net.mv. **Rés.** : Kuoni. L'une des plus grandes îles de l'archipel, avec 2 km de long sur 500 de large, vaste plage et végétation variée. L'île compte 3 villages distincts. Le voyagiste en propose 2 : **Le village** avec *144 bungalows* équipés très simplement avec climatisation et ventilateur. **Le Cottage Club** avec *50 bungalows* sur pilotis face au soleil couchant. Climatisation, ventilateur et excellent confort. Chaque hôtel dispose de son propre restaurant principal. Restaurants à la carte (indiens et asiatiques) et grill ouverts le soir. Animation certains soirs. Permanence d'un médecin chaque jour. **Activités payantes** : plongée avec cours pour débutants, planche à voile, pêche au gros, tennis (location de raquettes). Un forfait permet d'utiliser la piscine du *Kuramathi Blue Lagoon.* Un bon rapport qualité-prix et une île idéale pour ceux qui veulent de l'espace.

Farukolhufushi (Club Med)

Atoll de Malé Nord (Kaafu), à 25 mn en *dhoni* (20 US$) ☎ 44.30.17, fax 44.19.97. **Rés.** : agences du Club Méditerranée dans le monde. Au milieu d'un beau lagon sablonneux. *152 ch.* dans des bungalows avec terrasse sur la mer et air cond. S.d.b. avec eau froide. Excellente table, magnifiques buffets. **Activités payantes** : possibilité de louer un ordinateur de plongée pour vérifier les différents paliers, de se faire photographier ou filmer sous l'eau par son moniteur et de revenir avec les développements grâce à un laboratoire sur l'île. **Gratuites** : initiation à la plongée et sorties d'exploration, caisson de décompression (médecin spécialiste). Brevets de plongée de tous niveaux. Voile, planche à voile, kayak, promenades en mer, pêche au gros. Volley-ball, aérobic, gym. Formule « tout compris » pour éviter surprises. Animation et ambiance Club Med. L'île, qui sera reliée à l'aéroport, doit fermer ses portes dans les prochaines années. ■

EN SAVOIR PLUS

Les poissons-perroquets à menton bleu, aux vives couleurs, sont particulièrement appréciés des plongeurs.

Quelques mots de singhalais

Expressions usuelles

Bonjour (en général)	*Ayubowan*
Bonjour (le matin)	*Suba Udasanak way va*
Bonne nuit	*Suba Rraathriyak way va*
Madame	*Nona Mahathmiye*
Mademoiselle	*Manawiye*
Monsieur	*Mahattaya*
Comment allez-vous ?	*Kohomada sahpa sahneepa ?*
Je vais bien	*Sanee-pen innava*
Je ne vais pas bien	*Sanee-pa na-tha (na-ha)*
S'il vous plaît	*Karounâkara*
Merci	*Istouti*
Merci beaucoup	*Bohoma istouti*
Oui	*Ovou*
Non	*Néhé*
Peut-être	*Venna puluvan*
Parlez-vous anglais ?	*Ingreesee kata karanna puluvan da ?*
Est-ce que quelqu'un parle anglais ?	*Katada ingreesee kata karanna puluwan ?*
Je ne comprends pas	*Thayrennay néhé*
Comprenez-vous ?	*Thayrunada ?*

Le temps

Aujourd'hui	*Ade*
Demain	*Heta*
Hier	*Ilye*
Après-demain	*Anit da*
Lundi	*Sandouda*
Mardi	*Angaharouvaada*
Mercredi	*Badaada*
Jeudi	*Brajhaspatinda*
Vendredi	*Sikourada*
Samedi	*Sénasourada*
Dimanche	*Irida*

Pour vous repérer

Bureau de poste	*tapal kantooruwa*
Banque	*bainkuwa*
Ville	*nuwara* ou *nagaraye*
Village	*gama*
Rue	*mawatha*
Route	*are*
Roc, rocher	*gala/giri*
Montagne	*kande*

Si vous avez faim

Petit déjeuner	*oudé kémé*
Dîner	*ré kémé*
Nourriture	*kaama*
Eau	*wathouré*
Thé	*té*
Lait	*kiri*
Œuf	*bittara*
Légumes	*eloulu*
Yaourt	*mikiri*
Miel	*pani*
Poisson	*maalu*
Boisson	*bimé*
Noix de coco	*thambili*
Chaud	*ouneu*
Froid	*sitala*
Toddy	*ra*

Les nombres

1	*eka*
2	*deka*
3	*tuna*
4	*hatara*
5	*paha*
6	*haya*
7	*hate*
8	*ata*
9	*namaya*
10	*dahaya*
100	*siya*
1 000	*daaha*

Petit dictionnaire

Ananda : cousin, disciple et fidèle serviteur du Bouddha.

Arak : alcool obtenu par distillation du *toddy*, vin de palme.

Avalokiteshvara : *bodhisattva* de la Compassion. L'une des figures majeures du bouddhisme mahayana.

Ayurvédique (adjectif ; singh.) : médecine traditionnelle basée sur l'utilisation des plantes.

Bhikkhu (pali) : moine bouddhiste. Le premier sens du mot était celui de « mendiant ». *Voir p. 86.*

Bo ou **arbre de la Bodhi** : arbre sous lequel le Bouddha a connu l'Éveil (*Bodhi* en sanscrit et en pali) ; c'est une variété de banyan (Bot. *Ficus religiosa*).

Bodhisattva : modèle de vertu, être d'exception digne d'accéder au *nir-*

vana mais qui préfère rester parmi les hommes pour les aider à trouver leur salut.

Brahmane : en Inde et dans la tradition des Tamouls hindous, prêtre appartenant à la caste la plus élevée et la plus pure.

Burgher : membre d'une communauté revendiquant une ascendance paternelle européenne. *Voir p. 82.*

Chaitya (pali) : reliquaire monumental, équivalent de *dagoba*, *stupa*, *thûpa.*

Chattra (sanscrit) : parasol ou ombrelle, insigne de dignité royale.

Chattravali : ensemble de parasols en empilement conique constituant l'épi de faîtage d'un *dagoba.*

Coprah : pourtour solide de l'albumen de la noix de coco, fournissant l'huile (ou beurre) de coco destinée à la cuisine.

Curd : sorte de yaourt fait avec du lait de bufflonne.

Dagoba : construction bouddhique. Monument reliquaire, ou commémoratif, évoquant par sa forme de tertre funéraire l'entrée de Bouddha dans le *parinirvana. Voir p. 138.*

Dalada : relique de la dent de Bouddha.

Devale (singh. ; pl. *devala*) : les Singhalais désignent ainsi les temples des divinités de leur panthéon. À ne pas confondre avec le ***kovil***, qui désigne en tamoul les sanctuaires des dieux de l'hindouisme.

Dharma (sanscrit ; pali : Dhamma) : enseignement du Bouddha.

Diyawadana nilame (singh.) : laïc élu gardien du temple de la Dent à Kandy (***nilame*** désigne tout curateur laïc d'un temple singhalais).

Dravidien : subst. et adj. se rapportant aux peuples, langues et cultures provenant de l'Inde du Sud (par opposition à « Indo-européen »).

Échiffre : murs en forme de rampe qui encadrent un escalier.

Ela (singh.) : ruisseau.

Eliya : lumière.

Gal oruwa (singh.) : littéralement « bateau en pierre » ; désigne les auges à riz dans lesquelles les moines venaient puiser leur ration quotidienne, lors des repas au réfectoire.

Gala (singh.) : désigne un roc, une pierre ou une gemme *(manik gala).*

Ganesh : dieu du panthéon hindou, doté d'une tête d'éléphant, frère de Skanda et fils de Shiva (en tamoul : Pulleyar).

Ganga (singh.) : fleuve.

Ge (singh.) : suffixe désignant une salle, une maison ; par exemple, *galge* est un édifice de pierre.

Gedige (singh.) : temple de l'image (pali : *patimaghara*) : sanctuaire sur plate-forme précédé d'un avant-corps plus réduit pourvu d'une entrée principale et d'une sortie secondaire. Les statues de Bouddha, placées sur un piédestal au-dessus d'un dépôt de fondation, occupaient la partie arrière du sanctuaire, tout en ménageant une circulation entre le mur et les images. Forme architecturale apparaissant à Polonnaruwa. *Voir p. 139.*

Giri (singh.) : rocher.

Hopper (anglicisation du singhalais *appa*) : petite crêpe de farine de riz et de lait de coco, levée à la bière de palme. Parfois, la pâte est pressée sous forme de spaghettis, cuits à la vapeur, les *string hoppers* (*idiappa*).

Howdah : palanquin porté par un éléphant.

Jaggery : mélasse tirée de la sève du palmier *kitul.*

Jataka : ensemble de 547 récits hagiographiques évoquant les vies antérieures du Bouddha et de ses disciples. Ces textes, rédigés en pali, ont été traduits pour la première fois en singhalais sous le règne de Parakrama Bahu IV (1293-1327).

Kande (pl. *kanda* ; singh.) : montagne.

Kapurala : curateur d'un *devale.*

Karma : ensemble des actes, bons ou mauvais, dont la somme, accumulée lors des vies successives, détermine les conditions de la renaissance. Terme commun au bouddhisme et à l'hindouisme.

Kitul (singh.) : palmier dont on tire le sucre pour le *jaggery*.

Kovil (tamoul) : temple hindou en pays tamoul.

Lingam (ou ***linga***) : c'est sous la forme de cette borne en pierre, à la symbolique complexe, généralement interprétée comme phallique, que l'on rend hommage au dieu Shiva.

Maha (pali, singh.) : préfixe signifiant « grand ». Par extension, désigne aussi la principale récolte de riz de l'année.

Maha Meru : montagne mythique marquant le centre de l'univers, parfois représentée par un pilier sculpté au centre de la chambre des reliques d'un *stupa*.

Mahavamsa : mêlant histoire, mythologie et idéologie bouddhique, c'est, avec sa suite, le **Culavamsa**, la chronique de l'ancien royaume de Ceylan. Ces deux chroniques furent compilées par les moines au début du VIe s. de notre ère. *Voir p. 56.*

Mahayana : « Grand Véhicule », c'est-à-dire grande voie de salut. C'est, avec le Theravâda, ou bouddhisme originel (parfois appelé Hinayana, Petit Véhicule), une des deux grandes formes de diffusion du bouddhisme en Asie.

Mahout : celui qui dresse et conduit l'éléphant. *Voir p. 173.*

Maison de l'image : voir *Gedige*.

Maitreya : Bouddha à venir, le prochain successeur du Bouddha historique, Sakyamuni.

Makara (pali et sanscrit) : animal mythique, mi-crocodile, mi-dauphin, représenté sur les becs verseurs des fontaines ou des bassins. *Voir p. 140.*

Makara torana (pali et sanscrit) : porche dont le rampant est terminé par des gueules de *makara*, surmonté de représentations de divinités sur deux rangs, dont les quatre protecteurs de l'île. Élément caractéristique de l'architecture kandyenne. *Voir p. 164.*

Mawatha (singh.) : rue (abrév. Maw.).

Moor : musulman sri lankais, descendant des commerçants arabes qui débarquèrent au IXe s. (Maures). Déformation de *Moros*, nom donné aux musulmans par les Portugais.

Nandi : nom du taureau qui sert de monture au dieu Shiva.

Natha : divinité d'origine bouddhique du panthéon de la religion populaire des Singhalais.

Nirvana : pour les bouddhistes, connaissance suprême qui supprime toute souffrance, et que l'on atteint après d'innombrables existences successives. *Mahanirvana, parinirvana* en sont des formes superlatives (Grande Extinction, Extinction suprême).

Ola (singh.) : feuille de tallipot sur laquelle on a gravé un texte au stylet.

Oruwa (singh.) : pirogue. *Voir p. 117.*

Oya (singh.) : petit cours d'eau.

Pali : langue ancienne de l'Inde, principal vecteur de diffusion des textes du bouddhisme.

Parvati : un des noms et aspects revêtus par l'épouse de Shiva, qui peut être aussi représentée sous les formes terribles de Durga, ou Kali. Elle est aussi l'énergie personnifiée du dieu Shiva.

Prasada (sanscrit ; *pasada* en pali) : palais, édifice à étages.

Pattini : déesse originaire d'Inde du Sud, dont le culte fut introduit à Ceylan au IIe s., et invoquée pour ses pouvoirs de guérison.

Perahera (singh.) : procession religieuse de temple. Désigne aussi la fête qui a lieu au moment de ces processions. *Voir p. 180.*

Pierre de lune : pierre sculptée en demi-cercle à l'entrée des temples. En joaillerie, pierre semi-précieuse. *Voir p. 140.*

Pokuna (singh.) : bassin destiné au bain des moines.

Pola : marché alimentaire.

Poya (singh.) : jour de pleine lune.

Puja : cérémonie d'offrande, commune aux pratiques bouddhiste et hindoue.

Pura (pali) : suffixe désignant une ville, une cité (Anuradhapura = la cité d'Anuradha).

Raja : roi.

Raksha : masque que l'on utilise dans les *perahera*.

Ramayana : grande épopée d'origine indienne, relatant l'histoire du roi Rama et de son épouse Sita.

Ravana : roi mythique de Ceylan, vaincu dans le *Ramayana* par Rama.

Sadhu : ascète.

Saman : dans le panthéon singhalais, dieu gardien de l'Ouest et qui vit sur la montagne Samantakuta (autre nom du pic d'Adam, *voir p. 192*).

Samsara : cycle des réincarnations.

Samudra : mer intérieure ou grand lac artificiel.

Sari : vêtement porté par les femmes en Inde et au Sri Lanka.

Sarong (malais) : pagne long en étoffe porté par les hommes au Sri Lanka.

Shiva : dieu majeur du panthéon hindou. Quasi exclusivement révéré sous la forme du *linga*, il est aussi représenté sous diverses formes (Shiva Vatuka est sa forme terrifiante, Shiva Nataraja est sa forme dansant au centre d'un cercle de flammes, etc.).

Siraspotha : ornement en forme de flamme qui coiffe la statue de Bouddha.

Skanda ou Kataragama : frère de Ganesh et fils de Shiva, dieu très vénéré dans l'île par toutes les communautés religieuses. *Voir p. 87 et 212.*

Sri (parfois ***siri***) : resplendissant, radieux, béni, saint. Terme de préséance.

Sri patul (ou ***sri pada***; pali et singh.) : « sainte empreinte » des pieds de Bouddha, représentation symbolique faisant l'objet de vénération. *Voir p. 192.*

Stupa : voir *dagoba*.

Tank : lac artificiel.

Tara : bodhisattva féminin dans le panthéon du bouddhisme du Grand Véhicule.

Thambili : noix de coco « royale ».

Theravâda (pali et sanscrit) : signifie école des Thera, des disciples de Bouddha, et désigne le bouddhisme tel qu'il est pratiqué au Sri Lanka (l'appellation Petit Véhicule, Hinayana, qu'on lui donne parfois, est un terme péjoratif formé par l'école du Mahayana). *Voir p. 83.*

Tikka : de tradition hindoue, c'est un point appliqué sur le front et entre les yeux, symbolisant la présence divine et représentant l'œil de la connaissance.

Toddy (angl.) : boisson alcoolisée à base de sève de noix de coco fermentée.

Torana (pali et sanscrit) : dans la tradition indienne, porte ou porche ; désigne un motif d'encadrement en arcature dans l'art d'époque kandyenne.

Vahalkada (pali) : autel destiné aux offrandes, et situé aux quatre points cardinaux d'un *dagoba. Voir p. 139.*

Vatadage (singh.) : temple circulaire abritant un *dagoba*, sous une charpente supportée par plusieurs rangées concentriques de piliers. *Voir p. 139.*

Veddas : descendants de Vijaya et de Kueni ; aborigènes du Sri Lanka.

Vel : lance de Skanda. *Voir p. 87.*

Vesak : jour commémorant la naissance, l'Illumination et la mort de Bouddha. *Voir p. 39.*

Vihara (ou ***vehara***, ou ***viharaya*** pour un ensemble important ; sanscrit et pali) : désigne le temple bouddhique au sens large, temple unique ou ensemble de bâtiments.

Vishnou : dieu majeur du panthéon hindou, il fut d'abord vénéré à Dondra, au sud de l'île, avant de devenir l'une des quatre divinités tutélaires (mais la plus importante) du royaume de Kandy. Il était alors invoqué comme garant de la prospérité et de la stabilité du pays.

Wewa (singh.) : étang ou lac artificiel servant à l'irrigation. *Voir p. 76.*

Des livres, des disques et des films

Guides et récits de voyages

Lanka (1986-1992), Stephen CHAMPION, Edifra, 1995. Portrait d'un pays à travers des photos abordant des thèmes connus ou insolites.

Leurs mains sont bleues, Paul BOWLES, « Points », Seuil, 1995. Carnet d'un voyage de Ceylan à Tanger dans les années 1950.

Quand les écrivains s'arrêtaient à Ceylan, Christian PETR, Kailash, 1999. Une anthologie des meilleurs textes d'écrivains français qui visitèrent l'île entre 1885 et 1929, d'Octave Mirbeau à Maurice Dekobra en passant par Pierre Loti, Claude Farrère, Roland Dorgelès et André de Fouquières.

Sri Lanka, Guide du Routard, Hachette. Édition annuelle.

Sri Lanka, entre particularisme et mondialisation, Éric MEYER, « Asie plurielle », La Documentation Française, 2001.

Village dans la jungle, Leonard WOOLF, 1991. L'Âge d'homme, Lausanne, 1991. Roman traduit de l'anglais racontant les dix années que l'auteur passa au Sri Lanka avant d'épouser Virginia Woolf en 1912.

Une ville sous les déluges, Christophe RAFAHEL, éd. A Hélice, 1994. Un très beau texte sur Colombo.

Voyages, Ibn BATTUTA, La Découverte/Poche, 1997. Rééd. en 3 tomes des récits du grand voyageur tangérois au début du XIVe s. Le tome III traite, entre autres, de son séjour à Ceylan et aux Maldives.

Littérature et langue

Contes de Ceylan, Elena CHEMLOVA, Gründ, 1984. La célèbre collection illustrée des contes et légendes du monde entier.

La Féerie cinghalaise, Francis de CROISSET, Grasset. Récit romancé d'un voyage à travers Ceylan en 1925. Rééd. Kailash en 1996. Descriptions désuètes mais toujours amusantes.

Le Poisson-scorpion, Nicolas BOUVIER, Gallimard, 1996. Récit d'un voyage intérieur à Ceylan.

Relation de l'île de Ceylan, Robert KNOX ET Éric MEYER, La Découverte, 1993. Réédition du récit qui inspira à Daniel Defoe le personnage de Robinson Crusoé.

Tamoul facile, Chanemougas SOUNDIRA, Maisonneuve, 1986. Manuel d'apprentissage.

Le Triomphe des éléphants, Claude DELARUE, Seuil, 1992. Un roman qui a pour décor une cité sacrée du nord de l'île.

Silence, on tourne !

Le cinéma et la télévision occupent une place importante dans les loisirs des Sri Lankais. Les nombreuses salles de cinéma projettent essentiellement des films singhalais, tamouls ou hindis, ainsi que des films américains à succès. La production locale est abondante mais la majorité des films sont inspirés du cinéma indien. Leurs scénarios mélodramatique avec des intrigues sentimentales alternant avec des scènes de violence, nous font plutôt sourire. La renommée des acteurs locaux, considérés comme de véritables vedettes, ne dépasse pas les frontières de l'île. Certains metteurs en scène, comme Lester James Peiris, ont cependant réussi des œuvres de qualité qui ont trouvé une petite audience à l'étranger. Quelques films ont même été primés dans des festivals. Les paysages du Sri Lanka ont servi de décor naturel à de grandes productions internationales : *Le Pont de la rivière Kwai*, le film aux 7 oscars de David Lean (tiré du livre de Pierre Boulle, produit par Sam Spiegel en 1957, avec Alec Guinness) et, plus récemment, *Indiana Jones et le temple maudit*, de Steven Spielberg. ❖

À consulter en bibliothèque

Ceylan, J. Boisselier, « Archæologia Mundi », Nagel, 1980.

Ceylan, M.-J. Lepetit, « Encyclopédie de voyage », Nagel, 1982.

Ceylan, l'île resplendissante, J. Stevens, « Connaissance du Monde », Presses de la Cité.

Ceylan, paradis retrouvé, J. Milley, éd. Scemi, 1970. Tableau fouillé et bien documenté.

Cités perdues d'Asie, Wim Swaan, Albin Michel, 1967. Remarquable chapitre sur Ceylan.

Civilisations disparues, Leonard Cottrell, Flammarion, 1974. Un chapitre sur les villes de la jungle à Ceylan. Ill. couleur.

L'Empreinte sacrée du Bouddha, E.C.F. Ludowyk, Plon. Vivante présentation des monuments bouddhiques de l'antique Ceylan, dans leur contexte historique.

Masques et exorcismes de Ceylan, A. Loviconi, éd. Errance, 1981.

Peintures de temples et de sanctuaires, D.B. Dhanapala, Unesco, Flammarion, 1964. ❖

Histoire et société, culture et art

Art bouddhique, J.-C. Silvy. Ouvrage illustré réalisé avec la collaboration de l'Unesco d'après une exposition itinérante.

Bronzes bouddhiques et hindous de l'antique Ceylan, photos de Jean-Louis Nou, AFAA, 1991. Chefs-d'œuvre du Sri Lanka. Catalogue du musée d'arts asiatiques Guimet.

Ceylan, Éric Meyer, « Que sais-je ? » n° 1674, PUF, 1994. Excellente étude sur l'histoire et sur l'économie.

Polonnaruva. Renaissance à Ceylan, Gilles Beguin et Pierre-Henri Cerre, éd. Findakly, 1991. Monographie de la capitale médiévale du Sri Lanka, foyer de la civilisation singhalaise.

Le Problème tamoul au Sri Lanka, Alain Lamballe, L'Harmattan, 1985. Tentative d'explication des conflits inter ethniques, politiques et économiques, dans le Tamil Nadu en particulier.

Sri Lanka, Vision de Ceylan, Patrick de Panthou et Suzanne Held, Hermé, 1999. Une approche de l'art et de la culture de l'île illustrée de belles photos.

Maldives

Maldives, Herwat Voigtmann, Manfred Tharig et Heinz Ritter, Glénat, 1987. Album de photos.

Maldives. Guide du plongeur, K. Amsler, Gründ, 1995. Bien documenté et très illustré.

Le Mystère des Maldives, Thor Heyerdahl, Albin Michel, 1987. Enquête archéologique et historique : les Maldives, un relais entre les différentes civilisations du monde oriental.

Voyage de Pyrard de Laval aux Indes orientales (1601-1611), Chandeigne, 1998. Rééd. des récits du voyageur qui fit naufrage aux Maldives en 1602.

Bouddhisme

Le Bouddha, André Migot, éd. Complexe, 1990. Rééd. d'un ouvrage fondamental sur la vie et la pensée de l'Éveillé.

Le Bouddha, M. Percheron, Seuil, 1994.

Le Bouddhisme, E. Conze, « Petite Bibliothèque Payot », Payot, 1952, rééd. 1995.

L'Enseignement du Buddha d'après les textes les plus anciens, Raoul Wapola, éditions du Seuil, 1961.

Les sons de Ceylan

Les Pêcheurs de perles. Opéra en 3 actes de Georges Bizet, créé en 1863. L'action se déroule à Ceylan dans l'Antiquité. Plusieurs enregistrements disponibles en CD.

Sri Lanka. Musique sacrée à Kandy, Colombo et Kataragama. CD ARN Arion 64187 (1992).

Sri Lanka. Musiques rituelles et religieuses. CD C 580037 (1992).

Welcome to Sri Lanka. CD ARN Arion 64087. ❖

Thé et épices

L'ABCdaire du thé, Flammarion/Mariage Frères, 1996. Informations culturelles et guide de l'amateur.

L'Art français du thé, Mariage Frères, Paris, 1996.

Histoire du thé, Paul BUTEL, éd. Desjonquères, 1997. Là où l'histoire du thé se mêle aux légendes fondatrices.

Le Livre du thé, N. BEAUTHÉAC, G. BROCHARD, C. DONZEL, R. FORTUNE, Flammarion, 1991.

Mes jardins de thé, Michel FINKOFF, Albin Michel, 1990. Voyage réel et mythique dans les plantations.

Sir Thomas Lipton, Françoise de MAULDE, Gallimard Jeunesse, 1990. Un personnage haut en couleur…

L'ABCdaire des épices, Clotilde BOISVERT et Annie HUBERT, Flammarion, 1998. Informations culturelles, historiques et culinaires.

Les Épices : histoire, description et usages de différentes épices, aromates et condiments, Pierre DELAVEAU, Albin Michel, 1987. Exhaustif.

Le Livre des épices, A. STELLA, Flammarion, 1996.

Plantes à épices, à aromates, à condiments, D. BOIS, Comedit, 1995.

Et aussi…

Guide to the Birds of Ceylon, G.M. HENRY, Oxford University Press, Londres, 1954, réédité régulièrement au Sri Lanka.

Table des distances en km

	Anuradhapura	Bentota	Colombo	Dambulla	Ga
Anuradhapura	/	270	200	79	3
Bentota	270	/	61	214	5
Colombo	200	61	/	148	1
Dambulla	79	214	148	/	2
Galle	322	51	116	264	
Kandy	138	182	116	72	2
Negombo	177	99	37	112	1
Nuwara Eliya	116	215	180	150	2
Polonnaruwa	104	282	213	60	3
Ratnapura	240	100	95	174	1
Tissamaharama	348	200	264	289	1

andy	Negombo	Nuwara Eliya	Polonnaruwa	Ratnapura	Tissamaharama
138	177	116	104	240	348
182	99	215	282	100	200
116	37	180	213	95	264
72	112	150	60	174	289
232	151	266	332	150	148
/	99	77	140	142	216
99	/	176	179	136	299
77	176	/	217	148	139
140	179	217	/	241	295
142	136	150	241	/	153
216	299	139	295	153	/

Table des encadrés

Pratique

Vie quotidienne et société

Histoire et culture

Religion

Nature, faune et flore

Index

Wilpattu réserve : lieu
GECKO : mot clé
***Maya**, reine* : personnage

Folios en **gras** : développements les plus détaillés
Folios en **bleu** : cartes et plans
Folios en **rouge** : informations pratiques et bonnes adresses

Les ***dagoba*, monastères, parcs et réserves**, etc. sont classés à ces mots.
Pour les offices du tourisme, les hôtels, les restaurants, les sports et loisirs, les adresses utiles, l'accès aux principales villes, etc., voir aussi les pages pratiques de chaque localité à la fin des chapitres concernés.
Pour les hôtels, les restaurants, les adresses utiles, les sports et loisirs, le shopping, voir aussi les pages pratiques des localités concernées.
Abréviations : Anur. : Anuradhapura ; Col. : Colombo ; K. : Kandy ; Mald. : Maldives ; Nuw. : Nuwara Eliya ; Pol. : Polonnaruwa ; Tr. C. : Triangle culturel ; SL : Sri Lanka ; Tis. : Tissamaharama.

A

B

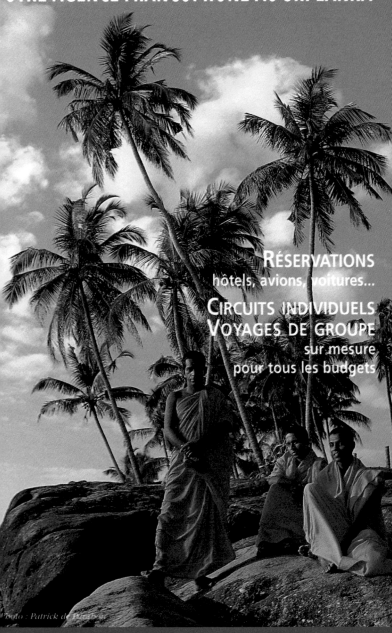

Imprimé en France par IME - 25110 Baume-les-Dames
Dépôt légal 08198 - 02/2001 - Collection n° 25 - Edition n° 01
Impression n° 14553 - ISSN 0762-2392 - ISBN : 2-01-2428770
24/2877/9

À nos Lecteurs...

Ces pages vous appartiennent. Notez-y vos remarques, vos impressions de voyage, vos découvertes personnelles, vos bonnes adresses. Et ne manquez pas de nous en informer à votre retour. Nous accordons la plus grande attention au courrier de nos lecteurs.

HACHETTE
Tourisme
Guides Bleus Évasion – Courrier des lecteurs
43, quai de Grenelle – 75905 PARIS Cedex 15

Carnet de voyage